全国各类院校经贸、营销专业通用教材

中国经济地理

(第六次修订)

主　编　戴娟萍　多凤翔
副主编　王　莉　宝　玉

中国商业出版社

图书在版编目(CIP)数据

中国经济地理/戴娟萍,多凤翔主编. — 北京:中国商业出版社,(2019年8月重印)
ISBN 978-7-5044-4353-0

Ⅰ.中… Ⅱ.戴… Ⅲ.多… Ⅳ.经济地理-中国-专业学校-教材　Ⅴ.F129.9

中国版本图书馆CIP数据核字(2001)第056198号

责任编辑:刘树林

中国商业出版社出版发行
010-63180647　www.c-chook.com
(100053　北京广安门内报国寺1号)
新华书店经销
涿州市荣升新创印刷有限公司印刷
＊　＊　＊　＊
开本:787×1092毫米　1/16开　印张:11.5　字数:280千字
2018年2月第6版　2019年8月第3次印刷
＊　＊　＊　＊
(全二册共计:48.00元)
本册定价:35.00元
(图书出现质量问题,本社负责调换)

前 言

《中国经济地理》课程是经贸、营销类专业教育开设的一门基础课。多年来，中国经济地理大都只讲中国，而当今社会，一国经济的发展与世界经济密切相连。本书是为满足新形势下中国经济地理教学需要而编写的，适用于财经类高职学院、中职学校各专业，也可作为财经、商贸系统职工的培训教材和自学读物。

我们正是本着新颖实用、好教好学的基本思路编写这本《中国经济地理》的，并编写了配套练习册。观点新、资料新、体系新、实用性强是本教材编写想要达到的目标。书中借鉴了不少专家、学者观点，引用了国内外经济界和地理界的最新研究成果。所用经济资料，均为最新数据；在编写体系上，把中国放到世界中去写，站在世界看中国，对比国外讲国内，以适应对外开放的市场经济需要。在内容的选择上，保证基础，注重实用，深浅适度。

书中第一至七章所引用的全国统计数据除特殊说明外，不包括台湾、香港、澳门，这三个地区的经济地理情况由第八章专门介绍。本书由浙江商业职业技术学院副教授戴娟萍、多凤翔老师主编，由内蒙古经贸学校宝玉老师、王莉老师任副主编。全书第一稿由戴娟萍负责总纂定稿。本次修订过程中，又邀请内蒙古经贸学校王莉老师进行重新审订。

本书在编写过程中，得到了全国商业职业教育教学指导委员会副主任康书民主任、北京科丰华文化发展有限公司(http://www.KFHWH.com)总经理蔡凯先生的大力支持，在此表示感谢。

由于书中内容涉及范围广，加之作者水平有限、掌握的资料还欠全面，不足和错误之处，竭诚欢迎广大师生和读者批评、指正。

编 者

2019 年 8 月

修 订 说 明

《中国经济地理》自02年6月出版以来，填补了职业院校在经济地理教材方面的空白，深受广大营销、经贸类专业学生的厚爱。但近几年中国经济快速发展，第一版中的部分统计数据已不准确，交通、物流、电子信息等发生了很大变化，2011年7月京沪高铁的建成通车更加推动了沿线经济的快速发展。因此本次修订我们特请经济地理学方面资深老师，对此加以完善，尽可能使《经济地理》教学知识与中国经济发展同步。由于当时编写的时间较紧张，书中难免存在缺点和错误，请广大读者在使用过程中多提宝贵意见，以便下次再版之际，加以改进。同时也感谢广大读者对本书的关心和支持。

当前，世界经济贸易更加多元化，而中国已成为世界经贸的重要成员。中国地大物博，物产丰富，从东部到西部，各类经济资源分布广泛，作为营销、经贸人员更应加强对经济地理知识的掌握，才能更好地从事营销、经贸工作。愿本书能为读者带来更多的经济地理知识。

《中国经济地理》编写组

2019年8月

目 录

绪 论 ··· (1)
　　复习思考题 ··· (3)

第一章　经济地理基础知识 ··· (4)
　　第一节　影响经济布局的因素 ·· (4)
　　第二节　经济发展与布局 ··· (18)
　　复习思考题 ·· (28)

第二章　农业地理 ·· (29)
　　第一节　概　述 ·· (29)
　　第二节　耕作业 ·· (31)
　　第三节　畜牧业 ·· (40)
　　第四节　水产业 ·· (42)
　　第五节　林　业 ·· (45)
　　复习思考题 ·· (48)

第三章　轻工业地理 ·· (49)
　　第一节　概　述 ·· (49)
　　第二节　食品工业 ·· (51)
　　第三节　纺织与服装工业 ··· (59)
　　第四节　家用电器工业 ·· (66)
　　第五节　造纸工业 ·· (70)
　　复习思考题 ·· (71)

第四章　重工业地理 ·· (72)
　　第一节　概　述 ·· (72)
　　第二节　能源工业 ·· (73)
　　第三节　钢铁工业 ·· (82)
　　第四节　水泥工业 ·· (86)
　　第五节　汽车工业 ·· (87)
　　第六节　化肥工业 ·· (89)
　　复习思考题 ·· (91)

第五章 交通运输业地理 (92)
- 第一节 概述 (92)
- 第二节 铁路运输 (96)
- 第三节 水路运输 (105)
- 第四节 公路运输 (111)
- 第五节 航空运输 (120)
- 第六节 管道运输 (122)
- 复习思考题 (123)

第六章 贸易地理 (125)
- 第一节 概述 (125)
- 第二节 国内贸易 (127)
- 第三节 对外贸易 (137)
- 复习思考题 (147)

第七章 旅游地理 (148)
- 第一节 概述 (148)
- 第二节 国内旅游 (149)
- 第三节 国际旅游 (158)
- 复习思考题 (163)

第八章 台港澳经济地理 (164)
- 第一节 台湾 (164)
- 第二节 香港 (169)
- 第三节 澳门 (171)
- 复习思考题 (173)

绪 论

一、经济地理的研究对象和任务

地理学是研究地表物质空间变化规律的科学，也就是研究人类生活、生产的地理环境的空间变化规律。经济地理是地理学的一个分支学科。

经济地理学是研究经济布局规律的学科。经济布局是经济发展和存在的空间形式，主要包括各经济部门的地区分布和地域组合两个方面。经济布局规律就是指各经济部门的地区分布和地域组合的本质联系和必然趋势。具体地说，就是根据影响经济布局的因素，探索经济布局特征，并分析其形成原因及发展变化趋势。影响经济布局的因素是多方面的，主要有自然因素、社会因素和技术因素，即通常所称的"经济地理三要素"。

经济地理学由普通经济地理学、部门经济地理学和区域经济地理学三大部分组成。对于经济工作者来说，实际应用最多的区域经济地理知识，尤其是中国经济地理知识。中国经济地理是一门研究中国经济布局规律的科学，为区域经济地理学的一个分支学科。中国经济地理是在分析评价中国经济布局因素的基础上，运用经济地理的基本理论，研究中国农业、轻工业、重工业、交通运输业、贸易、旅游业等经济部门的地区分布及其形成发展变化规律和各经济部门在中国各地区的地域组合及其形成发展变化规律。

当前，世界经济正趋于一体化，国际间经济合作和国际贸易的日益广泛，对一个国家的经济结构和经济布局产生了巨大的影响。因此在研究本国经济地理状况时，客观上要求对世界其他国家的相关内容有所了解，有时还有必要作深入的研究。换句话说，研究中国的经济布局，不能就中国论中国，而要树立起站在世界的角度看中国，同时又站在中国的角度看世界的全新观念。

经济地理学的主要任务是寻求并运用经济布局的发展规律，解决经济活动在地域（空间）布局上的一系列矛盾。经济地理工作者的具体任务有两个方面，即直接参加经济建设和进行基本知识的宣传教育。在中国，一方面，经济地理工作者运用本学科的基本理论，在诸如综合科学考察、经济区划、工厂选址、铁路选线等经济建设的实践工作，都发挥着重要的作用；另一方面，经济地理知识是爱国主义教育和国际主义教育的重要内容。经济地理工作者有义务通过宣传经济地理知识，使人们对本国和国际经济社会有更多的了解，从而更加热爱祖国，热爱和平，热爱全人类。

二、经济地理的学科性质和特点

一般认为，经济地理学是介于社会经济学科和自然学科、技术学科之间的边缘科学。这主要是因为经济地理的研究对象和自然科学、技术科学和社会经济科学关系较为密切，具有自然—技术—经济相结合的特点。

与其他学科相比，经济地理学具有明显的地域性。地域性是地理学科的基本特征，是地理学存在的基础。地域是经济地理研究的客体，离开了地域也就不存在经济地理。地域性是经济地理学与技术科学及其他经济科学区别的主要标志。研究经济布局一定要落实到地域，只有通过地域的研究才能正确地探索规律、归纳原理和方法。

经济地理学也是一门综合性很强的学科。首先，经济布局本身包括总体布局、区域布局、部门布局、企业布局等多个层次。其次，影响经济布局的因素涉及自然、社会、经济、技术等方面。第三，分析研究经济布局的成因需要运用多种方法手段和多学科的研究成果。因而，只有坚持综合的观点和方法，全面科学地研究各种复杂关系和影响因素，才能实现经济布局的科学化和合理化。

此外，经济布局受国际市场变动和国家政策影响很大，在不同时期、不同政策指导下呈现不同的特点。因此，经济地理学的研究还具有很强的政治性和国际关联性等特征。

三、学习经济地理的目的和方法

经济地理知识是一个经济工作者所必须具备的基础知识。经济地理是研究经济布局的学科，经济布局是国家经济建设中的一个关健问题，合理、科学的经济布局，才能促进国民经济协调发展。

经济管理类院校学生学习中国经济地理课程的主要目的有三：一是了解经济布局的一些基本原理，学会客观地分析影响中国各经济部门布局的因素和经济布局的形成，以提高分析问题能力及经济知识层次；二是掌握中国经济地理基础知识和查阅地图技能，可帮助解决实际商贸工作中遇到的有关购、销、运、存等具体问题，提高按经济规律和自然规律办事的自觉性；三是进一步增进对中国国情的了解，加强爱国主义情感培养。

经济地理是一门内容多、牵涉面广的学科。要学好经济地理，在刻苦学习的同时，还要讲究学习方法。

首先，必须运用马克思主义哲学的基本观点和方法。由于经济布局是一种极为复杂的社会经济现象，影响布局的因素又是多方面的。因此，要用全观、动态的观点理解各种经济布局现象，分析经济布局现状的形成原因和发展趋势，正确认识各经济部门发展和地区分布的特点和规律。只有这样，我们才能正确认识经济布局规律，才能正确运用经济地理知识解决实际工作中的各种问题。

第二，必须坚持理论与实践的结合。学习经济地理，当然要真正弄懂基本理论和基础知识，掌握基本技能。更重要的是能将学习到的理论、知识、技能运用于实践，培养分析问题和解决问题的能力。在学习过程中，一方面应当能运用经济地理的基本理论分析中国经济布局实例，特别是要重视了解和研究本地及相关地区的经济地理情况，把学习经济地理和当地的经济建设紧密结合起来；另一方面应当能运用所学到的经济地理基础知识和掌握的基本技能，帮助解决实际经济工作中的诸如货物的采购、运输等具体问题。

第三，要充分利用地图。经济地理具有很强的地域性，掌握好地图的填制和使用方法，是学好经济地理的一个基本功。在学习过程中，既要结合教材文字内容正确阅读教材中的插图，又要经常翻阅地图册，将经济布局的知识落实到地图上，便于形成牢固的空间概念，从而更好的掌握经济地理的知识。

第四，重视知识更新。经济布局会随着经济的发展变化而不断变化。学习经济地理一定要随时关注经济建设的新动向，收集新的经济地理资料，吸收新知识，以便把握经济布局发展变化的趋势。

◇◆ 复习思考题

1. 怎样正确理解经济地理的研究对象？
2. 概述经济地理学学科的性质与特点。

第一章 经济地理基础知识

第一节 影响经济布局的因素

影响经济布局的因素是多方面的，主要包括地理位置、自然因素、技术因素、人口因素、历史因素和社会因素等。

一、地理位置

地理位置是指某一事物与周围其他事物之间的相对空间关系。因所参照物体不同，地理位置有经纬度位置、海陆地理位置、政治地理位置和经济地理位置等之分。

(一)地理位置与经济布局

地理位置优越与否直接制约着一国一地经济发展和经济布局。如低纬度地区的国家，热量充足，生物资源丰富；临海国家具有发展海洋经济的有利条件；毗邻经济发达地区，便利发达国家的技术、市场、资金进入，在产业结构构建上可充分利用与发达国家的差距，发展劳动密集型和资源密集型产业。

(二)中国地理位置及其经济意义

1. 经纬度位置

中国位于北半球的东部。最北端是黑龙江省漠河以北的黑龙江主航道中心线，约在北纬53°30′附近；最南端在海南省南沙群岛的曾母暗沙，约在北纬4°附近。南北跨越近50个纬度，直线距离约5500公里。最东端在黑龙江与乌苏里江的汇合处，在东经135°余；最西端在新疆乌恰县以西的帕米尔高原上，在东经74°40′余。东西跨越近61个经度，直线距离约5200公里。

领土南北跨度大，各地自然条件有着明显的差异，其中大部分位于中纬度地区，陆地面积约有98%位于北纬20°~50°地区，温带和亚热带所占面积特别广大。这样的纬度位置一方面为经济、尤其是农业的综合发展奠定了基础；另一方面也为农业生产提供了有利的光热条件。领土跨经度也很广，使中国境内有4小时以上的时差。

2. 海陆地理位置

中国位于亚欧大陆的东部，太平洋的西岸。

这样的海陆地理位置，使中国既有广大的陆地，又有辽阔的海域。根据1994年《联合国海洋公约》，中国海域面积为473万平方公里，从而为开发近海资源，发展对外贸易及与世界各国的友好往来提供了有利的条件。同时由于亚欧大陆是世界面积最大的陆块，太平洋是世界面积最大的大洋，海陆热力差异显著，造成了典型的季风气候。季风气候使中国东部广大地区有充沛的降水，有利于生物生长及农业生产的发展。

3. 政治地理位置

中国陆地疆界长达2万多公里，陆上与中国接壤的国家共有15个：东北面为朝鲜，北面为俄罗斯和蒙古，西面和西南面为哈萨克斯坦、吉尔吉斯斯坦、塔吉克斯坦、阿富汗、巴基斯坦、印度、尼泊尔、锡金和不丹，南面为缅甸、老挝和越南。大陆海岸线长达1.8万公里，与中国隔海相望的国家有日本、韩国、菲律宾、马来西亚、文莱、印度尼西亚和新加坡等。

与邻国之间的睦邻友好关系，为中国经济和对外贸易的发展提供了极为有利的条件。

4.经济地理位置

长期以来，世界经济贸易重心在地中海沿岸及大西洋沿岸地区。中国远离经济发达的欧美地区，毗邻经济欠发达地区。邻国中除日本和俄罗斯具有较大经济实力外，大多数为发展中国家。20世纪60年代，东亚经济取得高速发展，世界经济贸易重心正在向太平洋地区转移，亚太地区在世界经济贸易格局中的地位越来越重要。尤其是2008年金融危机之后，中国已成为世界第二大经济国，在亚太乃至世界贸易中都占有很重要的地位。21世纪中国的经济地理位置的优越性将得到充分的体现。

二、自然因素

自然因素是影响经济布局的基础因素，主要包括地形、气候、资源等。一方面，各自然要素之间相互联系、相互影响，其对经济活动的影响往往是综合性的；另一方面，各自然要素对经济活动的影响往往是多方面的，对于不同的经济部门的影响也有着显著差异。

（一）自然因素与经济布局

一般来说，自然因素对农业、采矿业和旅游业的影响较大，而对加工工业的影响相对较小。农业生产由属于栽培植物和饲养动物两大经济部门组成，植物、动物本身都是自然界的一部分，它们离不开光、热量、水分、空气，为此在布局农业生产时一定要考虑自然因素。自然因素对采掘工业的布局也具有直接影响，没有铁矿石和煤炭，就不可能有采铁业和采煤业。自然因素对加工工业的布局影响虽不如农业大，但工厂厂址的地形、面积、工业用水等都离不开自然因素。

自然因素对经济布局的影响不是一成不变的。随着经济、科技水平的不断提高，人们对自然界的依赖程度越来越小，而利用自然、改造自然的能力则大大增强。但人们只能利用自然，而不能违反自然规律。人们不可能，也不应该超越自然条件的许可进行经济布局。如以破坏环境、破坏生态平衡为代价换取暂时的经济发展，必然会遭到自然界的报复，给经济的可持续发展带来无法估量的损失。

由此可见，自然因素与经济布局具有密切的联系。因此，全面了解和正确评价中国自然因素的状况和特点，对于掌握各个产业部门的地区分布规律，理解经济布局的形成，合理地进行经济再布局具有重要的意义。

（二）中国主要自然因素及其经济意义

中国幅员辽阔，自然因素错综复杂，自然资源丰富多样，自然环境方面具有显著优势，为经济活动和经济布局的开展提供了极为有利的条件。但也存在着不利的自然因素。从对经济发展和经济布局的影响看，中国自然环境的主要特点是：①国土辽阔，陆海兼备，海洋资源丰富；②温带和亚热带占国土绝大部分，光热条件比较优越；③季风气候影响强烈，水资源丰富而时空分布不均，气温年较差和日较差大；④地形复杂，山地显著多于平地；⑤各地光、热、水、土等资源条件的地区配合状况有明显的地区差异；⑥生物和矿产资源丰富多样。正确评价中国的自然环境因素，合理开发自然资源，维护生态平衡，对经济和社会的发展具有十分重要意义。

1. 地形

中国地形具有地势西高东低、呈阶梯状分布，地形类型多样、山区面积广大等特点。

中国地势自西向东明显分为三阶梯：第一阶梯为西南部的青藏高原，海拔多在4000米以上，号称"世界屋脊"；第二级阶梯为昆仑山—祁连山—横断山连线以北、以东至大兴安岭—太行山—巫山—雪峰山连线之间的广大地区，海拔多在1000—2000米之间，主要由一系列高原和盆地组成；第三级阶梯为第二级阶梯以东至海岸线的广大地区，海拔多在500米以下，以低山丘陵和平原为主；自第三级阶梯再向东，是近海广阔的大陆架分布区，其水深大多在200米以内。

地形西高东低的特点，一是有利于夏季海洋暖湿气流深入，为广大地区带来丰富的降水；二是使主要河流大多是自西向东流向海洋，沟通了东西之间及江海之间的交通；三是多级阶梯地势的存在形成多级较大的落差，蕴藏着巨大的水力资源；四是阶梯状地势使东部地区季风强度增大，从而加剧了气候等自然因素的地区差异。

地形种类复杂多样，高原、山地、盆地、平原和丘陵五种地形齐备。在五种基本地形中，山地最多，占33%，高原占26%，盆地占19%，平原占12%，丘陵占10%。山地、高原和丘陵（合称山区）约占全国陆地面积的一半以上。

复杂多样的地形类型，是中国各地自然环境产生千差万别的一个基础条件，也是各种自然资源尤其是土地资源呈现多样性的主要原因，同时也为发展多种产业经济及农业的综合发展提供了广阔的天地。山区气温低，生长期短，且生态环境不稳定，极易造成水土流失；山区地势崎岖，不利于发展交通，致使交通闭塞，严重制约着山区经济的发展。对山区的评价既要看到其对经济发展不利的一面，也应看到其有利的一面：山区蕴藏各种矿产资源、水力资源、森林资源和旅游资源，做好山区资源开发和综合利用，对促进山区经济的发展具有巨大的意义。

2. 气候

中国气候的基本特征是大陆性季风气候显著和气候类型复杂多样。

中国是世界著名的季风气候国家。由于背倚世界最大的大陆——亚欧大陆，濒临世界最大的大洋——太平洋，两者之间强烈的海陆热力差，加之其他因素的影响。形成了东半部地区典型的季风气候。西南部地区还深受印度洋上的西南季风的影响。中国大陆辽阔，除东部以外，北、西、南三面都被陆地环绕，受大陆的影响尤为显著。故使气候又有很强的大陆性。在季风气候区，气候有以下几个特点：①冬夏风向更替明显，冬季气流主要来自高纬度大陆区，盛行偏北风，寒冷干燥；夏季气流来源于低纬度的海洋上，多吹偏南风，暖热湿润。②气温年较差和日较差大，冬夏极端气温较差更大，夏季，气温明显高于世界上同纬度其他地区。冬季则又显著低于世界上同纬度其他地区，夏热冬冷，变化剧烈。③降水的地区分布不均匀。从东南向西北逐渐减少是年降水量分布的总趋势。

季风气候使降水集中在夏季，雨热同季，水热条件配合得当，使农作物、森林和牧草在旺盛的生长期内能得到充足水分；也使喜温作物的种植北界比世界其他地区偏北。但季风气候的不稳定性又使中国成为一个气象灾害发生频繁的国家。据史料记载，自公元前206年至1949年共2155年间，全国性的水旱灾害共发生2085次，平均每年一次。台风和低温冷害在中国的气象灾害中也占有相当的比重。

中国国土的南北跨度大，表现出很大的热量差异。以活动积温为标准，自北而南全国可以划分为寒温带、中温带、暖温带、亚热带、热带和赤道带等6个热量带以及一个特殊的青藏高原地区。中国气候东西差异也很大，主要表现为水分差异。从东南到西北，可分为湿润、半湿润、半干旱、干旱4个地区。热量与水分的结合使得气候类型更趋复杂。例如，同在中温带，含有中温带湿润、中温带半湿润、中温带半干旱和中温带干旱等气候类型。多山和多样化的地形特点，导致了多样化的局部气候和气候的垂直分布。

气候复杂多样，使世界上绝大部分动植物，都可以在中国找到适合的生长地点；适应于各种不同气候特点的生物大多能在各地繁殖生长，使动植物资源十分丰富；与错综复杂的地形条件相互结合，为综合发展各种产业，实行多种农作制度，广泛开展多种经营，提供了优越的自然基础条件。

3. 自然资源

自然资源是指人类可以直接从自然界获得，并用于生产和生活的物质与能量。它是自然环境的重要组成部分。自然资源的种类很多，主要有土地资源、水资源、生物资源、矿产资源和海洋资源等。中国自然资源丰富，种类齐全，是世界资源大国之一，但人均资源占有水平大大低于世界平均水平。进入21世纪，随着人口增加，工业化和城市化的加速，资源供不应求的矛盾将日益尖锐，加上生态环境破坏和环境污染，生态赤字不断扩大将成为未来中华民族生存的最大威胁。

（1）土地资源

土地是地球表面的一部分，是人类生活和生产活动的主要空间场所。土地不同于地形，它既有自然属性，又具社会属性。联合国粮农组织曾对土地下过这样的定义："土地包含地球特定表面及其上下的大气、土壤及基础物质、水文和植物，它还包含这一地域范围内过去和目前人类活动的种种结果以及动物就它们目前和未来人类利用土地所施加的重要影响。"土地资源具有数量有限性和位置固定性，人类不能任意增加和移动它。土地资源还具有可更新性，并不因为人们使用而失去使用价值。相反，只要使用得当还可以提高土地的利用率。

世界土地资源总面积为149.5亿公顷。世界各国国土总面积约133.9亿公顷，其中耕地14.8亿公顷，占11%；林地40.9亿公顷，占30.5%；草地31.5亿公顷，占25.5%。

中国土地资源具有以下几个基本特点：

①绝对数量丰富，相对数量少。中国的土地资源量为9.6亿公顷，占世界各国土地资源的7.2%，仅次于俄罗斯、加拿大，居世界第3位。丰富的土地资源为中国经济发展提供了广阔空间，同时也奠定了中国在世界政治中的大国地位。但人均土地只有0.8公顷，不到世界平均水平的一半。人均耕地只有0.08公顷，与世界人均占有0.28公顷相比，相差悬殊。

②土地类型多样化。中国各种土地类型的资源数量及占陆域国土面积比例见表1-1。

表1-1　　　　　　　　　　　中国土地资源情况表

土地类型	面积（亿公顷）	占陆域国土面积%	说明
耕地	1.65	14.89	包括宜农荒地
林地	3.26	33.96	包括宜林荒地
草地	4.00	41.67	包括宜牧荒地
城镇、村庄、工矿用地	0.23①	2.40	
交通用地	0.07①	0.7	
内陆水域	0.39①	4.1	
其他	0.22②	2.18	

资料来源：《中国统计年鉴·1999年》

①为原土地普查数据。②根据原普查数据及1998年数据计算。

从中国土地资源的结构看，现有耕地有限，即使加上0.35亿公顷宜农荒地，也只占土地总量的15%左右；但草地资源十分丰富，占土地资源的30%以上，并有大量的宜牧荒地可供开发利用，发展潜力巨大；现有林地资源虽然不是很丰富，森林覆盖率约18.21%左右，达不到保持良好生态环境所需的30%的比例，但有不少有待绿化的宜林荒地，具有一定发展潜力；内陆水域广阔。

多样化的土地资源为经济的综合发展，尤其是农林牧渔全面发展提供了十分有利的条件。同时也说明要充分合理地开发利用土地资源，就得注意农、林、牧、副、渔业多种经营的全面发展，珍惜耕地，大力发展畜牧业和水产业。

③地域差异明显。中国东部及东南部地区为湿润、半湿润季风区，地势平坦，热量丰富，土地自然生产力较高，集中了90%以上的耕地、林地和水域。草地、荒地及难以利用的土地集中分布于西北内陆地区和青藏高原地区，从而形成了东西两半部土地利用上的显著差别，构成了地区经济发展尤其是农业发展的不同方向。各地应根据土地资源的具体状况，因地制宜加以开发利用。

当前，中国土地资源潜伏着严重的危机。耕地面积在不断地减少；土地沙化面积不断扩大；水土流失面积有增无减；土地资源质量不断下降，破坏严重；后备土地资源不足。特别是耕地较大幅度减少，如不能得到有效遏制，必然会影响到粮食生产的稳定，进而影响经济的发展和社会的安定。保护土地资源特别是耕地资源，不仅是个经济问题，也是个政治问题。

（2）水资源

水资源是指具有经济利用价值的自然水，主要指陆地上的淡水资源，包括地表的江河湖泊淡水、冰川和地下的淡水。水资源既是人类生活的必要组成部分，也是各项经济产业赖以发展的必要条件。

储存于地球的总水量为13.86亿立方公里，而淡水储量仅0.35亿立方公里，占2.53%。在淡水储量中，68.7%又封存于两极冰川和高山永久积雪之中。地球上只有不到1%的水资源可供人类直接利用。水资源是一种稀缺资源，需要得到全人类重视和保护。全球现有12亿人面临中度到高度缺水压力，80个国家水资源不足。预计到2025年，缺水人口将达到28～33亿。世界银行的官员预测，将来"水将像石油一样在全世界运转"。

中国水资源的特点可以概括如下：

①绝对数量丰富，人均占有量低。中国地表水资源总量28124亿立方米，其中径流量27115亿立方米，地下水资源总量8287亿立方米。水资源总量仅次于巴西、俄罗斯、加拿大、美国和印度尼西亚，居世界第6位。但人均水资源只有2000多立方米，约为世界人均水量的1/4，居世界第109位，已被列入世界人均水资源13个贫水国家之一。

②地区分布不平衡，缺水现象严重。水资源的地区分布不平衡，年径流量的地区分布与人口、耕地、资源分布不相适应。长江流域及其以南地区人均占有水资源高于全国平均值，长江以北各河流域低于全国平均值。如黄河流域为全国平均值的25%，而西藏地区人均占有水量19万立方米，为全国平均值的70余倍。水资源的地区分布不均导致不少地区水资源紧张，农业每年缺水达300亿立方米，受旱面积约2000万公顷，有8000万农村人口饮水困难。在人口密集、工业相对发达的城市，缺水问题显得更为突出。不少城市地下水超量开采，地面水严重污染，严重影响工业生产和人民生活，据统计，全国600余个城市中有一半以上城

市不同程度缺水。

③利用率低，且污染严重。降水年内分配不均、年际变化大的特点，使雨水过分集中，造成汛期大量弃水，非汛期水量缺乏，总水量不能充分利用。因此，要加强水利工程建设，以提高水资源利用率。另一方面，也应看到人为因素造成的水资源浪费十分惊人。据专家分析，造成黄河断流的最主要原因是农业用水的大量浪费，沿黄灌区普遍采用大水漫灌的原始灌溉方式，水的利用率极低。工业用水的重复利用率也远远低于发达国家。因此，应强化节水意识，珍惜宝贵的水资源。

随着经济的快速发展，大量的"三废"排入水体。中国水资源污染状况日趋严重。据国家环境保护局提供资料，国家监控的长江、珠江、黄河、松花江、淮河、海滦河、大辽河七大水系普遍受到污染，26个国控湖泊、水库中有80%以上的总磷、总氮超标，导致富营养化。

（3）生物资源

生物资源是指自然界中具有生命的事物，可更新的资源。它除了供人们开发利用外，还在保护自然环境，维护生态平衡方面具有重要作用。生物资源包括植物资源和动物资源两大类。

目前，世界有植物约40万种，其中高等植物约25万种；动物约130万种，其中哺乳动物约4200种。世界生物资源的分布由于受自然条件的影响，地域性特征明显。

①植物资源。植物资源包括陆生植物和水生植物两大类。天然陆生植物资源包括森林资源和草地资源等。这里主要介绍森林资源。

第四次全国森林资源普查结果显示，中国有林业用地2.53亿公顷。截止到2007年底，全国拥有森林面积为1.75亿公顷，森林覆盖率18.21%，活立木和森林蓄积量分别为136.2和124.6亿立方米。

中国森林资源主要特征有：

一是树种资源丰富。种子植物有301科，2980属，24490种，其中乔木2800多种，有经济价值的1000多种。乔灌木种类繁多是中国森林资源特点之一。全世界松柏科植物约有30个属，中国就有26个属，将近200种。其中水杉、银杉、金钱松、水松、油杉等属为中国所特有。竹类主产东南亚，而中国南半部居竹类分布中心，竹种有300多种，居世界第1位，其中经济价值较大的有60多种。

二是森林资源量较少。目前世界森林总面积为40.9亿公顷，中国约占世界的3%；世界森林总蓄积量为3100亿立方米，中国占世界的3%左右。中国森林覆盖率为18.21%，而世界平均森林覆盖率为22%；人均木材蓄积量更少，世界平均为62立方米。而中国人均仅8立方米左右。可见，中国在世界上属于少林国家。由于可采林越来越少，目前每年都存在森林赤字，且需从国际市场进口大量木材，中国已成为世界第二大木材进口国。

中国林业用地利用率低，尚有大量的宜林土地可供造林绿化，另外还有相当面积的疏林、灌木林地，若通过封山育林和林业改造措施，大部分可恢复成林。这些都是开发森林资源，提高森林覆盖率的潜力所在。

三是地区分布不平衡。森林资源分布特征表现为东南部多，西北少。以降水量400毫米等雨量线为界，其西北侧为干旱半干旱地区，除贺兰山、祁连山、天山、阿尔泰山及其他少数有淡水供给补充的地方可生长以乔木为主的森林植被外，绝大部分地区难以生长成片乔木林。该线以东以南，水热条件适宜于林木生长发育，现有森林资源的绝大部分都分布在这一区域。

东北、西南边远省区及东南、华南山地丘陵森林资源分布较多，而辽阔的西北地区、内蒙古和西藏的中西部以及人口稠密、经济发达的长江中下游和黄河中下游地区，森林资源分布较少。研究表明，一个国家或地区森林覆盖率达30%以上，并均匀分布，就能最大限度地减少自然灾害。中国是一个少林国家，且又分布不匀，这成为许多地区出现水、旱、风、沙等自然灾害的一个重要原因。

四是林种结构不合理，林龄比例不协调。森林按国民经济的需要、森林的不同效益以及不同经营目的，可划分为防护林、薪炭林、用材林、特种用途林和经济林等林种。在中国森林资源中，用材林的比例最大，占83%（包括竹林2.7%），经济林占7.6%、防护林占6.5%、薪炭林占2.7%。

森林资源林龄比例不协调表现在近熟林和中龄林不足，在成熟林采伐后，近熟林、中龄林不能很快成林，出现青黄不接的现象。

五是人工林面积大。现有森林中绝大部分是天然次森林和人工林，原始森林已不多。新中国成立以来营造的人工林，除部分已按轮伐期采伐外，保存下来的面积约占森林面积的1/4。

②野生动物资源。中国是世界上野生动物资源最丰富的国家之一。据统计，陆栖脊椎动物有2000多种，约占世界总数的10%。水生动物中鱼类有2831种。占世界10%以上，其中淡水鱼800多种，占世界的13%。

中国珍稀动物很多，如举世闻名的大熊猫；有蹄类的蒙古野马、蒙古野驴、高鼻羚、牛羚、野骆驼、白唇鹿；食肉类的东北虎、华南虎；灵长类的长臂猿、金丝猴；鸟类的丹顶鹤、鸳鸯、百灵鸟、红嘴相思鸟等。珍贵的水生动物有白鳍豚、中华鲟、文昌鱼、扬子鳄等。为保护各种生物资源和生态系统，中国陆续建立了不少自然保护区。据2006年底统计，共建各类自然保护区2395个，占国土面积的15.8%，超过世界平均水平。其中长白山、鼎湖山、卧龙山、梵净山、武夷山、锡林格勒、博格达、神农架、盐城、西双版纳、天目山、茂兰、丰林、九寨沟等14个自然保护区，已加入国际生物保护区网。

（4）矿产资源

矿产资源是重要的自然资源之一，是人类社会生存和发展所不可缺少的物质基础。矿产资源利用的广度和深度是衡量一个国家经济发展的重要标志。

目前，世界上已发现的矿产有2000余种，其中被开采的不到200种，重要的矿物约40余种，煤炭、石油、铁矿是世界生产和消费量最大的矿产种类。

中国是世界上矿产资源总量丰富、矿种齐全的少数国家之一。矿产资源具有如下几方面的特点：

①矿种齐，储量大。矿产资源探明储量总价值为92万亿元，已探明的矿产资源总量约占世界的12%，均居世界第3位。已探明储量的矿种达151种，有许多矿种的储量名列世界前列。煤炭的保有储量达10071亿吨，是世界煤炭资源大国之一；石油储量预计有300~600亿吨；作为热核燃料的铀矿，也有一定的蕴藏量；钒矿、钛矿、锌矿、汞、硼、重晶石和硫铁矿资源极为丰富，已探明的储量居世界之冠；铅矿、钼矿的探明储量为世界第2位；铁矿、铜矿、锡矿、镍矿和锰矿的探明储量居世界第3位；磷矿、钾盐、石棉、大理石、石墨、石膏、膨润土等矿产探明储量都居世界前列。至于稀土和稀有元素矿产更是得天独厚，仅内蒙古白云鄂博稀土矿的探明储量即相当于国外稀土矿探明总储量的四倍以上。

从矿产资源总量看是世界上的资源大国，但人均资源拥有量不及世界水平的一半，居世界的第 80 位。已有不少矿产资源无法满足经济建设和发展的需要。

②部分重要矿产贫矿多，富矿少。铁矿、锰矿、铜矿、铝土矿等重要矿产均有这一特点。以铁矿为例：铁矿探明储量达 400 多亿吨，从总量上看，位居世界第 3 位，但绝大部分是贫矿。国外铁矿含铁 50% 以上的富矿占探明储量的 2/5 左右。中国铁矿的平均品位只有 34%，贫矿占 95% 以上。少量的富矿分布又分散，开采利用率低，每年需从国外进口大量富矿以满足经济建设的需要。

③伴生和共生矿多。多数金属矿床为多种元素伴生矿，矿石综合利用问题十分突出。例如：著名的攀枝花铁矿是世界罕见的特大型钒钛磁铁矿，含 40 多种有用的伴生元素，伴生矿的价值为铁矿的几十倍；白云鄂博铁矿为世界著名的巨型稀土金属矿床，含有用元素 71 种之多。正是由于伴生矿多，才使中国稀有矿产中的稀土、钒、钛金属储量得以跃居世界首位。如何将这些有用矿物分离出来，需要较高的科学技术。加强矿石的综合利用研究是摆在我们面前的迫切任务。

④地区分布不均。一些主要矿产资源分布不均衡，如煤炭、铁矿集中于华北和东北地区；有色金属集中于长江以南的地区；稀土集中于内蒙古；磷矿集中于西南、中南等地；钾盐 97% 在青海。矿产资源分布的不均衡，不仅造成矿产品的大量调运，而且也是形成工业布局不平衡的重要原因。

不少矿产往往集中分布在地处边远、经济开发较晚、交通不方便的地区，埋藏又较深，能露天开采的比例很小，增加了开采成本。

(5) 海洋资源

在世界人口激剧增加，陆地资源不断减少的今天，世界各国纷纷将注意力转向海洋。有人预言，人类将走向"海洋时代"。

中国不仅拥有辽阔的陆域，而且作为世界上一个海洋大国，拥有 470 余万平方公里的辽阔海域，绵延伸展的 3 万余公里的海岸线，为海洋事业发展提供了良好条件。如何开发好"蓝色国土"，对中国经济发展具有重要意义。

中国海洋资源具有以下几个方面特征：

①资源种类多、储量大。中国是世界上海洋资源最丰富的国家之一。海洋生物资源、海底矿产资源、海洋滩涂资源、海水化学资源和海洋动力资源应有尽有，储量可观，有巨大的开发潜力。已鉴定海洋生物种类有 2 万多种，海洋鱼类 1500 种以上，渔场面积 281 万平方公里，海洋植物和微生物资源也较丰富。据初步预测，海洋石油资源约 400 亿吨，天然气资源约 14 万亿立方米，已探明矿种 65 种。矿床 835 个。沿海还有 1500 多处风景旅游点，海水可用来制盐及发展盐化工，并可直接利用及淡化。此外，海水还蕴藏着巨大海洋能资源。

丰富的海洋资源，为综合发展海洋水产、海洋石油开发、海洋围垦、海上运输、海水化工等提供了优越的自然条件。由于中国人口众多，人均占有陆地面积及人均占有资源远低于世界平均水平，经济和社会的可持续发展必然越来越多地依赖于海洋。因此，向海洋进军，向海洋要生存和发展空间，对中华民族具有重要的战略意义。

②地区分布不均，集中分布大陆架浅海区。海洋资源在近海各个海区都有分布，但以东海和南海的分布更为集中。由于陆地的石油、煤炭资源偏集于北部和西北部，水力资源集中分布在西南部和南部，而工业等主要产业经济活动和人口集中的东部地区却严重缺少能源。海洋资源，尤其是海洋石油、波浪能、潮汐能和温差等资源绝大部分集中东海和南海，与陆地

资源地区分布呈反相关的趋势，在一定的程度上弥补了陆地资源分布的缺陷。

近海海域南北水深有所差异，东海和南海最深，平均水深分别为370米和1212米，渤海最浅，平均水深仅18米，黄海平均水深亦仅43米，故渤海和黄海全部在大陆架浅海。东海和南海虽然较深，但其海洋资源则分布在大陆架的浅海范围。海洋资源大多分布在浅海区域，便于进行海上捕捞和养殖作业，降低了海洋能和海底石油的开发利用成本，以提高海洋资源的利用率和社会经济效益。

三、人文因素

人文因素是影响经济布局的重要因素之一，在一定条件下，甚至起着决定性影响。影响经济布局的人文因素主要有技术、人口、历史、经济政策、法律、文化等。此外，经济各部门发展与布局互为因素。

(一)人文因素与经济布局

技术因素是经济布局三要素中最活跃、最有影响力的一个。在当今社会，科学技术是第一生产力，是影响经济布局发展变化的决定性动力。20世纪80年代以来，发展高科技及其产业已经成为一股世界性潮流。技术因素对生产力的发展所起的作用将超过其他生产要素，其中对经济增长的贡献已明显超过资本和劳动力的作用。能否在新世纪的世界科技革命新高潮中取得领先地位，在很大程度上将奠定一个国家21世纪在世界政治经济格局的地位。

经济布局的形成和发展具有历史的继承性。经济布局的现状既是历史演变的结果，也是未来经济布局的基础。因此，正确认识经济布局的形成和合理地进行经济再布局，必须重视历史基础的研究。在经济布局中，一方面应充分利用其有利的、积极的因素，另一方面要改造其不利方面。

人口条件对经济布局有很大的影响，但不是决定性的条件。一方面，人是物质资料的生产者和消费者，无论是作为生产者还是作为消费者，人口的数量、密度、性别、民族、劳动技能和素养，都对经济布局有着重大影响。人口数量多，密度大、劳动力充足，一般有利于生产布局。人口稠密的地区，发展劳动密集型行业，能减少国家投资；在科技、文化发达的地区，劳动者素质高，发展知识密集型行业，有利于高精尖产品的生产；在具有传统技能和经验的地区，发展相关的生产部门，能获得较高的经济效益。此外，作为消费者的人口，各地区人口数量、消费水平的差异，要求经济布局和人口消费需要及特点相适应。另一方面，人口的分布和变化情况往往是受经济发展和经济布局影响的，经济发展水平更直接影响居民的劳动素养和技能。

经济布局与政治条件有着密切的关系。国内政治稳定，政策对头，有利于在较短时期内实现经济合理布局，大大地促进经济发展。而不顾客观经济规律盲目布局，则会造成极大的浪费。国外政治条件对经济布局也有很大影响。一个发展中国家如果不善于利用国际环境发展自己，不善于吸收外来经验，要迎头赶上发达国家是很困难的。

(二)中国人文因素及其经济意义

1. 技术因素

一般认为，世界至今产生过三次重大的科学技术革命，每次科技革命对世界经济的发展和布局都起了巨大的推动作用，并且其作用一次比一次大。

第一次科技革命始于18世纪60年代，结束于19世纪60年代。它以蒸汽机的发明和广泛应用为主要标志。蒸汽机的广泛应用，促进了工业机械化的发展，世界经济布局在产业结构和地域分工方面发生了重大变化。

第二次科技革命始于19世纪70年代以后，以电的发明和广泛应用为主要标志。从而促进了生产力的巨大发展。

第三次科技革命始于20世纪70年代，以电子信息技术的发明和广泛应用为主要标志。此后，世界进入了以信息化为先导的知识经济时代。以电子信息技术、新材料、生物工程为主要内容的高技术产业正在促成一种以知识和先进技术为基础的新的世界经济。

新中国成立以来，科技、教育、文化事业有了较大发展，已拥有2000多万人的科技大军，形成了门类和学科领域都比较齐全的科学技术体系，取得了10余万项的科研成果，一些领域已达到或接近世界先进水平。正负电子对撞机、重离子加速器、同步辐射实验室等大型科研项目相继投入使用。"银河"巨型计算机的研制成功，标志着中国计算机已经进入"云计算"时代、"蛟龙号"成功潜水7000米以下、"长征二号"大推动力捆绑式火箭、"亚洲一号"和"亚洲二号"通讯卫星多次发射成功及"神州九号"载人飞船上天、时速350公里以上各高速高铁路陆续开通运营等都表明中国在高能物理、计算机、运载火箭、卫星通讯等方面的技术已达到世界先进水平。

科学事业的迅速发展，生产技术不断提高，促进了经济布局的改善。例如，采矿和冶金技术的进步，使许多矿藏得到开发利用，在内地建设了许多工矿企业，在一定程度上改变了沿海与内地工业发展极端不平衡的不合理状况；电力技术的进步，在中南、西南、西北地区建立了许多大型水力发电站，有力地保证了这些地区经济建设的发展；运输技术的进步，特别是西南地区电气化铁路的建设，加强了西南地区与其他地区的经济联系，促进了专业化生产的发展。

中国是一个发展中国家，与发达国家相比较，生产技术还是相对落后的。21世纪是一个"科学技术突飞猛进、知识经济已见端倪"的时代。在这个时代，国际竞争归根到底表现为人才的竞争和科技的进步。因此，我们要抓住这个机遇，实施"科教兴国"战略，就能较快地赶上发达国家，早日实现现代化。

2. 人口因素

人既是物质资料的生产者，也是消费者，人口的数量和增长速度应与物质资料生产水平和发展相适应。不然，就会由于人口数量的迅猛增长而给社会和经济发展带来很大压力，甚至制约经济发展。

随着经济的不断发展，世界人口迅速增长。1800年，世界人口约9.1亿，1900年增至16亿，至1997年世界人口达58亿多，截止到20世纪末世界人口已达65亿大关，到2011年底世界人口已达70亿。世界人口分布很不平衡，有约40多亿人口生活在欠发达地区，约10多亿人生活在较发达地区。人口密集区主要分向于北纬20°～60°地带，占80%。世界上人口稠密地区有四个：一是东亚、东南亚；二是南亚；三是西欧；四是北美大西洋沿岸及五大湖地区。

中国人口的基本特征是数量大，增长较快，成年型年龄结构，城市化水平低，地区分布不均衡。现从数量、结构和地区分布三方面阐述中国人口基本情况。

(1) 人口数量

根据第六次全国人口普查数据，截止到2010年11月1日，中国内地人口总数为13.397

亿人，约占世界总人口的1/5，是世界上人口最多的国家。世界上人口超过1亿的国家只有中国、印度、俄罗斯、美国、印度尼西亚、巴西、日本、尼日利亚、孟加拉国和巴基斯坦等10个国家，而中国人口最多的河南省接近1亿。按人口发展态势，到2050年前后，中国人口占世界的比重将保持在20%左右，大致维持在15亿左右的庞大基数。

众多的人口，一方面为经济建设提供了廉价的劳动力资源，我们应当紧紧抓住这次世界产业转移的时机，大力发展劳动密集型产业；同时，在提高劳动力素质的基础上，向国际市场输出劳务，多创外汇。另一方面众多的人口也使我们面临了严重的劳动就业问题，尤其是在经济欠发达时期潜伏着社会不安定的因素，各级政府应采取相应的对策，解决好劳动力的就业问题；众多的人口使生态环境面临巨大的压力，重视生态平衡的保护和环境污染的防治具有重要意义。

随着社会经济的发展，中国人口的再生产类型发生了重大的变化。旧中国人口的再生产类型属高出生、高死亡、低增长类型。20世纪50~70年代进入高出生、低死亡、高增长类型；70年代以来开始向低出生率、低死亡率和低增长率方向发展。

（2）人口构成

人口构成是指人口内部各种属性数量与比例关系。

①性别构成。是指一个地区男性与女性人口数量的比例关系。2010年11月1日，男性人口为68685万人，占总人口的51.27%；女性人口为65287万人，占48.73%，人口性别比为105.20∶100，基本平衡。但儿童的性别比较高，潜伏着一定的危机。

③年龄构成。是指总人口中不同年龄人口的比例关系。维也纳世界老龄问题大会规定：60岁及以上老人占总人口的10%以上或65岁及以上老人占7%以上为老年型国家或地区。2010年11月1日中国65岁以上人口占8.87%，人口的年龄结构正由成年型向老年型转变。21世纪的中国将是一个老龄化国家。估计到2050年，65岁以上的老人占总人口的比例将达到13.6%，进入超老龄化阶段。在经济发展水平还不是很高的时期进入人口老龄化，将会使中国经济和社会面临严重的压力。因此，从现在起就应做好统筹规划工作，加强人口老龄化对策的研究。

中国人口年龄构成存在着较大地区差异。上海、天津、北京、重庆、浙江、江苏、湖南、广东、广西、四川等地已进入老年型，而新疆、西藏、甘肃等仍为年轻型。

④城乡构成。城市化是指乡村人口向都市转化、生产方式与生活方式由乡村型向城市型转化的一个社会历史进程。城市化水平在一定的程度上反映了一个国家或地区经济发展的水平。世界城市化道路从产业革命开始，至今已有200多年的历史。中国由于工业化起步比较晚，是一个正在工业化和城市化的国家，城市化水平不高。早在1999年中国有城市667个，其中城区非农业人口在200万以上的超特型城市13个，100~200万特大城市24个，50~100万大城市49个，20~50万中型城市216个，20万以下小城市365个。截止到2010年11月1日，居住在城镇的人口6.6亿人，占总人口的49.68%。

世界已有70多个国家和地区城市化水平达50%，高收入国家城市化水平已达78%，中等收入国家达62%，低收入国家27%。中国城市化水平还不高。根据国际城市化进程经验，一个国家城市化水平在30%~70%时，也是这个国家城市化加速发展时期。随着中国城市化进程加快，呈现出五个新趋势：一是东部地区城市化步伐大于西部地区，南方地区快于北方地区；二是小城市在城市体系中的地位日益提高，大城市人口实际增长率大幅度回升；三是东部地区出现都市区现象,都市连绵成片,珠江三角洲、长江三角洲、环渤海地区的表现将尤其突出,与此相伴,少数特大城市逐步走向国际化;四是一些特大城市开始出现郊区化趋势;五是城市内部社会分化现象出现,并呈现扩大趋势。

同时,也应看到中国的城市化水平虽不高,但市镇人口的绝对数量居世界第1位,从而也同样在城市就业、住房、交通、治安和环境等方面面临着严重的问题,有关各方应引起足够的重视。

⑤素质构成。人口素质是指在一定生产力水平下,在一定的社会制度下,人的思想道德水平、科技文化水平和劳动技能及人口健康状况。人口的素质与经济发展有着密切关系。根据联合国教科文组织的研究,一个国家文盲率的高低与人均国民生产总值成反比。由此可见,文化程度是人口素质的一个非常重要的指标。截止到2010年11月1日,中国文盲半文盲人口为5000万人,占15岁及以上人口的比例为4.08%,每10万人中大专以上的人口为8930人、高中14032人,这个数据虽然比2000年有了很大变化,但远低于发达国家水平。这样的人口文化素质与中国经济现代化建设的需要是很不相适应的,严重制约了经济的发展。

表1-2　　　　　　　　　中国省级行政区基本情况

全称	简称	政府驻地	面积 (万平方公里)	人口 (万人)①	国内生产总值 (亿元)	人均国内 生产总值 (元)
北京市	京	北京	1.68	1382	7870	50467
天津市	津	天津	1.13	1001	4359	41163
河北省	冀	石家庄	18.77	6744	11660	16962
山西省	晋	太原	15.63	3297	4753	14123
内蒙古自治区	内蒙古	呼和浩特	118.30	2376	4791	20053
辽宁省	辽	沈阳	14.59	4238	9251	21788
吉林省	吉	长春	18.70	2728	4275	15720
黑龙江省	黑	哈尔滨	45.39	3689	6189	16195
上海市	沪	上海	0.63	1674	10366	57695
江苏省	苏	南京	10.26	7438	21645	28814
浙江省	浙	杭州	10.18	4677	15743	31874
安徽省	皖	合肥	13.90	5986	6149	10055
福建省	闽	福州	12.14	3471	7614	21471
江西省	赣	南昌	16.69	4140	4671	10798
山东省	鲁	济南	15.49	9079	22077	23794
河南省	豫	郑州	16.70	9256	12496	13313
湖北省	鄂	武汉	18.59	6028	7581	13296
湖南省	湘	长沙	21.15	6440	7569	11950

续表

全称	简称	政府驻地	面积（万平方公里）	人口（万人）①	国内生产总值（亿元）	人均国内生产总值（元）
广东省	粤	广州	17.78	8642	26204	28332
广西壮族自治区	桂	南宁	23.60	4489	4829	10296
海南省	琼	海口	3.39	787	1053	12654
重庆市	渝	重庆	8.24	3090	3492	12457
四川省	川或蜀	成都	48.76	8329	8638	10546
贵州省	贵或黔	贵阳	17.60	3525	2282	5787
云南省	云或滇	昆明	39.40	4288	4007	8970
西藏自治区	藏	拉萨	122.84	262	291	10430
陕西省	陕或秦	西安	20.00	3605	4524	12138
甘肃省	甘或陇	兰州	45.40	2562	2277	8757
青海省	青	西宁	72.00	518	642	11762
宁夏回族自治区	宁	银川	5.18	562	711	11847
新疆维吾尔自治区	新	乌鲁木齐	160.00	1925	3045	15000
台湾省②	台	台北	3.63	2228	118590	535993
香港特别行政区③	港	香港	0.11	678	14743	215006
澳门特别行政区④	澳	澳门	0.02	44	11430	227508

说明：①第五次全国人口普查数据，即2000年11月1日人口数。
②为2006年数据，国内生产总值单位为新台币亿元，人均国内生产总值单位为新台币元。
③国内生产总值单位为亿港元，人均国内生产总值单位为港元。
④国内生产总值单位为亿澳门元，人均国内生产总值为澳门元。
资料来源：根据《中国统计年鉴·2006年》有关资料整理。

⑥民族构成。中国是一个多民族的国家。在56个民族中，以汉族人口最多。截止2010年11月1日，大陆31个省市区共有汉族122593万，占全国总人口的91.51%，是世界上人口最多的民族；其他55个民族人口为11379万人，占全国总人口的8.49%。因此，长期以来，都把汉族以外的所有民族统称少数民族。少数民族中以壮族最多，回、维吾尔、彝、苗、满、藏、蒙古、土家、布依、朝鲜、侗、瑶、白、哈尼、哈萨克、傣、黎等民族人口较多。

（3）人口分布。人口密度是反映人口分布的重要指标。人口密度是指一定单位面积内所居住的人口数量。2000年中国人口的平均密度为135人/平方公里，是世界平均人口密度的3倍左右。

中国人口分布很不平衡。人口分布的总规律是东部人口多，西部人口少；平原、盆地人口多，山地、高原人口少。沿海12个省、市、自治区平均每平方公里300余人，内地18个省和自治区平均约80人。其中内蒙古、西藏、青海和新疆四省区人口密度不超过20

人。除4个直辖市外，人口密度最高的江苏省达每平方公里700余人，而最低的西藏自治区不到3人。如果以漠河—兰州—腾冲一线为界，将全国分为东西两部分，东部土地面积占全国的43%，拥有全国94%以上的人口，人口密度平均每平方公里达200余人；西部土地面积占全国的57%，人口仅占全国的6%以下，平均每平方公里10人左右。

一般来说，人口密集的东部地区具有经济优势，人口稀少的西部地区具有资源优势。

图1-1 中国政区图

3. 行政区划

行政区划是国家地方行政制度在地域上的体现。根据中国宪法规定，行政区域的划分方法是：全国分为省、自治区、直辖市；省和自治区分为自治州、县、自治县、市；县、自治县可分为乡、民族乡、镇。直辖市和较大的市可分为区、县；自治州分为县、自治县、市。自治区、自治州、自治县是少数民族聚居地区实行民族自治的地方。

全国共有省级行政区 34 个。包括 23 个省、5 个自治区和 4 个直辖市和 2 个特别行政区。北京是中国的首都。省级行政区划基本情况见表 1-2 和图 1-1。

第二节 经济发展与布局

经济发展与经济布局是一个事物的两个侧面。认识一国经济的发展历史主要是从经济体制、结构、水平的时间动态变化去考察；认识一国经济布局的历史发展，主要是从产业分布、地域经济布局的空间动态变化去考察。

一、世界经济发展与布局概况

(一) 世界经济形成与发展

世界经济是在世界市场与国际分工的基础上形成的世界范围的国际生产力、生产关系及其相适应的国际交换关系。世界经济的形成和发展是与资本主义生产方式的出现和发展紧密相连。世界经济从出现到现在已经历了三个发展时期：

第一个时期，从 18 世纪中叶到第一次世界大战，是统一的无所不包的资本主义世界经济体系最终形成时期。这个时期，一方面表现为帝国主义与殖民地、半殖民地之间及帝国主义相互之间的经济联系日益紧密；另一方面，明显地表现为未开化的和半开化的国家从属于文明国家，东方从属于西方，宗主国与殖民地之间存在极不平等的国际经济贸易关系。

第二个时期，从俄国十月革命至 20 世纪 80 年代末。由于出现了新的社会主义经济，统一的资本主义世界经济体系被打破，世界经济一分为二，形成两个对立的经济体系。

第三个时期，从 20 世纪 90 年代初冷战结束开始，世界经济进入了一个新的发展时期。随着世界范围内冷战的结束和科技革命的纵深发展，经济体制改革和经济结构调整成为世界经济发展潮流，世界经济正按照其自身规律向全球化、一体化方向发展，建立在知识和信息的生产、分配和使用上的知识经济已见端倪。

(二) 世界经济格局

世界经济格局是指活跃于世界经济领域并充当主角的国家和国际经济组织之间在一定历史时期内相互作用形成的一种结构、态势。决定世界经济格局的主要基础是各个国家社会生产力的发展状况和水平。自世界经济形成以来，在世界经济不平衡发展规律的作用下，世界经济格局几经变化。特别是第二次世界大战结束以来，在短短的 50 余年中，世界经济格局由美国称霸世界经济领域发展为多极化局面。分析世界经济格局的常用标准是经济总量，所采取的指标包括国内生产总值、人均国内生产总值、商品出口总值和对外投资总额等。根据世界银行的计算，美、欧、日、中、俄的主要经济实力指标见表 1-3。

表 1-3　　　　　　　　美、欧、日、中、俄主要经济指标对比表

国别＼指标	国内生产总值	人均国内生产总值	商品出口额	服务贸易出口额	对外投资总额	高技术出口额	技术转让收入
欧盟	13.88	2.4	7525	4564	12000	3839	312
美国	13.22	2.7	5839	1782	7705	1821	270
日本	5.08	3.9	4431	568	3055	1695	60
俄罗斯	2.66	0.224	648	90	5	—	—
中国	2.12	0.062	1488	162	172	243	

说明：国内生产总值单位为万亿美元；人均国内生产总值单位为万美元；其他指标单位均为亿美元。
资料来源：《当代世界经济与政治》，经济科学出版社，1999年版，第19页。

由此可见，美、欧、日三大力量的各项经济指标比较接近，且各有千秋，而中俄两国在各项经济指标上与美欧日仍有较大差距。从目前看，世界经济格局呈现以下几方面特点：

1. 美国在相当长时期内继续保持超级大国地位

在20世纪80年代日本坐上世界经济竞争力头把交椅，美国靠科技和战略产业重组，于1994年又重新居全球经济之冠；美元作为主要国际储备货币的地位稳定；美国既是世界最大的对外投资国，也是头号外资吸收国；美国拥有世界最大市场，是其他国家高新技术的主要来源地。

2. 欧洲联盟的一体化加速发展

自1991年12月欧共体达成《马斯特里赫条约》，正式确立了欧洲经贸联盟和政治联盟目标。欧盟是当今世界一体化程度最高的区域、政治、经济集团组织，是世界上整体经济发展水平最高的地区。截止2007年1月1日共有27个成员国加入。国内生产总值和进出口贸易总额居世界之首。自1999年1月1日"欧元"正式启动，为建立欧洲经济货币联盟奠定了基础，必将进一步推动世界经济格局的多极化。

3. 日本经济持续衰退，与美国经济差距加大

进入20世纪90年代，日本泡沫经济崩溃，整个经济一蹶不振，陷入深重危机，国际经济地位从80年代第1位下降到1998年18位。日本要与美国平起平坐还有时日。

4. 中国改革开放取得重大成就，成为亚洲经济发展龙头

进入20世纪90年代，中国政府继续推行改革开放政策，积极实施两个根本转变，并成功地实现经济软着陆，中国经济平均增长率为9.8%，经济实力和经济竞争力不断增强，地区性经济大国地位已经形成，对世界经济格局产生积极影响。

5. 俄罗斯是一个具有很大潜力的经济强国

苏联解体后，俄罗斯继承了前苏联60%经济实力。虽然在上世纪90年代经济滑坡，经济实力有所下降，但俄罗斯幅员辽阔，资源丰富，交通和工业基础较发达，科技实力雄厚，是一个极具潜力的经济强国。

总之，美国在相当长时期内仍将处于优势地位，日本、俄罗斯等国的经济实力要赶上美国还需时日，欧洲联盟则可能在较短时间内全面超过美国，中国经过近几年发展已成为全球性的第二经济大国。

（三）世界经济发展趋势

世界经济发展趋势一方面表现以科技为先导、经济为中心的综合国力竞争不断加剧，另一方面表现为世界经济全球化和区域集团化并行发展。

经济全球化是指在不断发展的科技革命和生产国际化的推动下，各国经济相互依赖，相互渗透日益加深的一种历史进程。世界经济全球化最明显地表现在：

1. 国际贸易已成为各国经济发展不可缺少的组成部分，是国际交往中最活跃的一环。离开了国际贸易。世界生产的1/3价值不能实现。

2. 国际投资特别是发达国家间相互投资越来越频繁，资本流动国际化。目前，世界对外直接投资净额已超过2万亿美元。

3. 国际金融活动规模空间。大大超过世界生产和商品交易。仅伦敦欧洲美元市场交易量约为世界贸易量的25倍。

4. 跨国公司遍布全球，产品国际化水平愈来愈高。跨国公司是当代经济生活国际化的主要承担者和体现者。据联合国公布的数字，1968年，全球跨国公司为7276家，子公司2.7万家，而1996年全球已有4.4万家跨国公司，下设28万家子公司。这些跨国公司控制了世界生产的40%、国际贸易的50%~60%、国际技术贸易的60%~70%以及对外直接投资的90%。

5. 全球贸易规则日趋统一。1995年1月1日，世界贸易组织正式运转把全球贸易带入一个更加法制化、秩序化新阶段。到目前，参加世贸组织正式成员已达150多个国家和地区。

在世界经济全球化迅速发展之时，区域经济集团也在迅速发展。所谓区域经济集团化是指地理上毗邻若干国家（地区）的经济合作，经济联系和经济融合的一种趋势。

自1950年最早区域经济集团欧共体出现至今，世界区域经济集团化组织已达26个，参加国家和地区约150个，其中比较代表性的有欧洲联盟、东南亚国家联盟、西非国家经济共同体、东南非共同市场、北美自由贸易区、中美洲自由贸易区、亚太经济合作组织等。

二、中国经济发展与布局

中国经济发展演变历史漫长。从原始社会起，经奴隶社会、封建社会、半殖民地半封建社会一直到今天的社会主义社会。中国经济发展和布局的发展历史，尤其是近代经济发展和布局对当代经济发展和布局有着深刻的影响。

（一）旧中国经济发展与布局

在漫长的奴隶社会和封建社会时期，中国曾是世界上最发达的地区之一。近代，国力经历了从强到弱的过程。直到19世纪前期，中国还是一个强大的、人均收入相对较高的国家，1820年中国国内生产总值占世界32.4%，居世界首位，人均国内生产总值相当于世界平均水平的89%。在封建帝制瓦解后，又度过了军阀混战和强敌入侵时期才从外辱和内乱中生存下来，而世界其他地区尽管经历了世界大战的浩劫，仍获得可观增长。1949年中国国内生产总值占世界不到7%，沦为世界上最贫穷的人口大国。其经济特征主要表现为：

1. 经济发展的迟缓性

从19世纪末开始创办现代工业。但因受帝国主义控制，加上长期战争的影响，现代工业发展十分迟缓。至1949年一些主要工业产品的年产量，除原煤占世界的1.98%以外，其余都只占1%以下，这与占世界1/4人口的大国地位很不相称。农业、交通运输业和城市的发展也相当缓慢。

2.经济对外依赖性强

经济对外依赖性强既表现为帝国主义对中国经济命脉的控制，也表现为帝国主义国家生产的商品对中国市场的控制。

当时绝大多数经济部门为外资所控制。1936年英、法、德、日、美等国在华投资总额占全国工业投资总额的70%以上。外资垄断了全国生铁产量的86%，钢产量的88%，煤炭产量的56%，发电量的76%。至1944年，外资几乎垄断了所有现代工业部门。现代交通运输业一开始就在外资的控制之下。帝国主义对农业的掠夺和强制种植，使得农业也处于外资控制之下。

帝国主义国家生产的商品对中国市场的控制更为明显。一方面洋货充斥中国市场，另一方面中国又成为帝国主义的原料供应地和廉价的劳动力市场。

3.经济结构的片面性

工农业之间、农轻重之间及各部门内部的比例失调，1949年工农业总产值中，农业占70%，工业仅占30%，在工业总产值中，轻工业占73.6%，重工业仅占26.4%。农轻重三者比例关系为70：22：8。

农业内部结构也极不协调。1949年农业总产值中，种植业占82.5%，牧、林、渔、副业分别占12.4%、0.6%、0.2%和4.3%。在种植业中以粮为主，自给性为主；在林业中以采伐为主，人工造林很少；在牧业中以农家饲养为主，草原放牧业落后；在渔业中以捕捞为主，养殖很少，结构也不合理。

从工业内部结构看，重工业中主要是采掘工业和原材料初步加工工业，而担负对整个国民经济进行技术改造重任的机械工业则微乎其微。汽车、拖拉机和手表等机械产品完全不能制造。在一个工业部门内部，不同生产环节也很不平衡。如钢铁工业中，采矿能力大于炼铁能力，炼铁能力大于炼钢能力，炼钢能力大于轧钢能力。

4.经济布局的不平衡性

现代工业、现代交通运输业以及农业商品经济较发达地区，都集中在东部沿海；内地仅是在有铁路伸入或有可通大型轮船的水运干线的地方，出现个别的工矿点或局部的农业商品化地区。广大的西部地区，基本仍停留在原始的自然经济阶段。

工业分布的不平衡性极为明显，偏集于东部沿海地区，而沿海又集中在几个外国资本控制的大城市及其周围地区。如东北为全国重工业最发达地区，工业集中在沈阳及其周围的鞍山、抚顺、本溪、大连等城市；长江三角洲为全国轻工业最发达地区，工业集中在上海及其周围的无锡、镇江、南京、南通和杭州等城市；此外，天津及其附近的北京、唐山、秦皇岛等城市，青岛及其附近的潍纺、济南等城市工业也较为集中；南部沿海的广州为丝织业和手工艺品制造中心等。这些老工业地区构成了现今大工业区的雏形。内地工业仅有武汉、重庆、太原、昆明等几处规模不大、结构不全的工业城市。

(二)新中国经济发展与布局

新中国成立60年以来，进行了大规模经济建设，经济的全面、快速增长奠定了坚实的物质基础，彻底改变了一穷二白、国力空虚的状况，经济布局的不合理和极端不平衡状况也有了明显改善。

1. 经济实力明显增强

1952年国内生产总值只有679亿元,到1998年达到了79553亿元,扣除价格因素,年平均增长7.7%,大大高于同期世界平均增长3%左右的水平。2010年中国经济总量已跃居世界第2位,排在美国之后。人均国内生产总值由1952年的119元增长到2010年29748元。许多产品产量居世界前列。2010年国内生产总值为29748亿元,经济总量已跃世界第2位,成为仅次于美国的世界第二大经济体。

中国科学院国情分析小组国情研究报告认为,中国有可能在21世纪成为人类历史上前所未有的新兴世界大国,从根本上改变国际政治与经济的格局。

2. 经济结构发生根本性变化

新中国成立60周年,伴随着经济总量的不断增长,国民经济结构发生了一系列重大变化。产业结构随中国工业化进程呈现由低级到高级、由严重失衡到基本合理的发展变动轨迹。1952年,第一、二、三产业附加值在国内生产总值中的比重分别为50.5%、20.9%、28.6%,从业人员在全社会劳动者中比重分别为83.3%、7.4%、9.3%。而在2006年分别为11.7%、48.9%、39.4%和42.6%、25.2%、32.2%。

1949年,农业产值在社会总产值中比重高达58%,在工农业产值中,工业仅占30%。到1998年国有企业固定资产原值已由1952年的107亿元增加到4万多亿元,众多工业行业从无到有逐步发展壮大起来,已成为门类齐全、初步实现工业化的发展中国家。轻重工业比例关系也逐步协调稳定起来。

从世界发达国家工业结构演变的历史进程看,工业化大致经历了以轻纺工业发展为主导、以重化工业发展为主导和以高技术工业发展为主导三个阶段。其中重化工业发展为主导时期包括以煤炭、电力、冶金、化学等能源原材料工业发展为主导的发展阶段即资金密集型工业发展阶段和以电子、机械等加工组装工业发展为主导的发展阶段即技术密集型工业发展阶段。目前,产业结构正开始从以轻纺工业发展为主导走向重化工业为主导,并将向以高技术工业为主的阶段迈进。

3. 经济布局日趋合理

新中国成立后相当长时期里,把建设重点放在了内地,建立起一批工业基地,使内地工业得到了很大的发展。内地的农业也得到了较大发展,建立了一批商品粮和各类经济作物生产基地,提高了农业生产率和农产品商品率,为适应内地工农业生产的发展,修建了包兰、兰新、成渝、宝成、成昆等铁路交通线,极大地改善了内地的交通条件。解放前的经济布局偏集于东部沿海地区的状况得到了一定程度的缓解。

但经济布局具有历史的继承性,中国东西部经济布局的不平衡性不是一时能改变的。如果一味强调缩小东西部经济差距,而不考虑现实状况,很有可能出现东部经济发展因缺少投资而停滞不前,西部经济因缺少东部强有力的支援而受到抑制,进而影响整个国家经济发展速度。因此,改革开放以后,为赶超世界先进水平,在地区经济战略方面积极利用沿海地区的现有经济基础,充分发挥它们特长,带动内地经济的发展。20世纪90年代末,经济格局继续向东部地区集中,1991~1995年东部地区国内生产总值所占份额平均每年提高0.68%。但从1996年开始,中西部地区所占份额开始上升,东西部人均国内生产总值相对差距开始缩小。随着西部大开发战略实施,投资重点会逐渐移向西部地区,中国内地与沿海经济差距会进一步缩小。

三、现阶段我国经济布局的基本原则

经济布局受经济规律的制约和支配。布局合理与否,不仅关系到基建的投资效益,国民经济的发展速度,自然条件和自然资源能否得到充分事理的利用,保持生态平衡,保护环境,而且关系到是否有利于巩固国防,缩小三大差别和加强各民族团结等一系列问题。布局合理,百年受益,否则,长期受损,特别是重大的建设项目,一旦实现,难以改变。因此,要避免由于布局上的原因造成的重大损失,就必须按经济布局的客观规律办事,提高经济效益为基本原则。

本着社会主义经济布局要按照我国实际情况和经济发展的规律出发,我国社会主义经济布局的原则可概括如下。

(一)正确处理东部沿海、中部、西部三个经济地带的关系,使经济布局逐步趋向合理

我国经济发展水平,从东到西存在着三个明显的经济地带。要使经济布局在全国范围内逐步趋向合理,必须正确处理我国东部、中部、西部三个经济地带的关系,充分发挥它们各自的优势和发展它们之间的相互联系,使它们能够互相支持,互相促进,走全国经济共同振兴,人民生活共同富裕的道路。

1. 三大经济地带的划分

东部沿海地带:包括辽宁、河北、天津、北京、山东、江苏、上海、浙江、福建、广东、海南等11个省、市、自治区(台湾省也在东部沿海地带范围,但各种统计资料均未计入),占国土总面积的11.1%,总人口的38.8%,工业比重高,占全国工业产值的65.6%。西部地带:包括四川、贵州、云南、西藏、陕西、甘肃、宁夏、青海、新疆、重庆10个省、市、区,占国土总面积的56.8%,人口的22.6%。

中部地带:处于东部地带和西部地带之间。包括黑龙江、吉林、内蒙古、山西、安徽、江西、河南、湖北、湖南、广西等10个省区。是我国建国后重点建设的地带,有比较雄厚的工业基础。

2. 划分三大经济地带的目的

东部地带基础好,经济、文化较发达,技术力量雄厚,经营管理水平高,具有建设投资少,积累多,见效快的优势。东部老基地经济的大发展,对实现21世纪的社会经济发展战略目标,对支援中部和西部的建设具有决定性作用。西部地带中那些自然条件差,交通不便,经济、文化不够发达的地区尚待开发、丰富的自然资源尚待利用。因此,为了充分发挥自然资源的优势,改变山区、边区的落后面貌,发展好地区经济,使全国各地区经济共同发展,必须抓好西部工业、农业和交通运输业的发展,积极开发各类资源(尤其是能源和矿产资源),并发展一些加工业及民族特需用品制造业,做好大开发的各项工作。中部地带是21世纪内开发能源和原材料的战略重点地带。地处承东启西的地位,向东提供能源、原材料,接纳东部转移扩散的企业产品;向西传递技术,为西部地带提供商品粮、重型机电设备、钢铁和日用工业品。

正确处理东部沿海、中部、西部三个经济地带的关系,东部的生产潜力得到充分发挥,中部和西部生产的宏观经济效益受到重视,全国范围内的经济将得以协调发展,经济布局在宏观上也将日趋合理。

3. 西部大开发

我国地区之间经济发展水平差异还很大,尤其是西地区还比较落后。在今后的发展中,就要加强地区之间的联合,实现地区的协调发展。例如,利用中西部丰富的能源、矿产资源,可把部分劳动密集型加工企业和部分高能耗、高原料消耗、大运输量的企业由东部转到中西部,在中西部地区发展适宜就地加工的农牧产品加工业。

为了促进西部地区的发展,加强地区之间的联合,实现地区的协调发展,在20世纪末,我国开始实行"西部大开发"战略。西部大开发划定的区域除了西部地带外还包括中部地带的广西和内蒙古,共12个省、市、区,面积约占全国陆地面积的70%,人口占28.5%,国内生产总值却不到20%。随着这一战略的实施,国家在投资项目、税收等方面加大了对西部地区的政策支持,努力改善这一地区的投资环境,以吸引国内外的资金参与西部的开发。

在西部大开发中首先要抓好基础设施和生态环境建设,例如,修建运输通道,启动退耕还草工程等。此外,还要加快科教发展和人才开发,推进科技创新,充分发挥地区的优势条件,积极发展特色产业,如农牧产品加工业、旅游业等。"西部大开发"战略的实施会使人民的生活水平会得到提高,与东部地区经济差异扩大趋势也会得到缓解。

(二)工业接近原料、燃料地和产品消费区,节约社会劳动消耗

1. 凡生产中消耗原料、燃料多,而制成品的重量可大大减轻的工业部门宜接近原料或燃料产地。钢铁、有色冶金、水泥、制糖等工业部门的布局宜接近原料、燃料产地。钢铁工业是一个大量消耗原料、燃料的部门,平均每生产1t生铁需要3~4t原料、燃料和辅助材料。生铁的成本构成中原料、燃料占90%左右,钢铁工业的理想布局是既靠近铁矿区,又临近煤产地。在消费地建立钢铁工业,是从钢材产销对路和利用废钢为原料进行炼钢两方面考虑的。目前钢铁工业发达的国家,废钢占炼钢原料的比重为45%~50%。我国上海、天津等地的一些钢厂多属此类。

2. 凡产品制成后重量变化不大,且产品易腐、易损和不宜远运的企业,趋向于接近产品消费区。如鲜食品加工工业、家具制造、玻璃器皿、日用品、硫酸等制造业,要尽量靠近消费区建厂。糕点在运途中会降低鲜度,陶瓷制品之类易损,不宜远运,且陶瓷原料分布广泛,此二类产品消费又很普遍,故企业应分散布局。化工中的"三酸"和烧碱产品腐蚀性强,不宜长途运输,因而酸碱工业大多接近消费区。

3. 凡生产中原料损耗不大,原料与产品的重量接近或相等,运输原料和运输成品对运费的支出区别不大的企业,或趋向原料产地或趋向产品消费区。如纺织业、卷烟业等,毛纺织业的洗毛阶段在加工原毛过程中,要除去相当于原料总重量1/2左右的杂质,所以远距离运输原毛极不经济,因此洗毛厂必须布局在原料产地。经过洗毛和加工成毛条后,经济价值增大,后续生产几乎不再有耗损,失重很少。因此,进行初纺、精纺、织呢、染整等工序的企业应布局在消费区。

4. 知识与技术密集型企业,安排在教育和科技中心。如精密仪器仪表、电子计算机等制造业,要求精密度高、技术条件高,生产工艺复杂,对原材料要求严格等特点,其布局宜安排在教育和科技中心和工业发达的城市。

(三)地区专业化与综合发展相结合

1. 地区专业化

地区专业化是指在一个地区内,有一个或几个生部门的地位特别重要,而且它们的产品在全国同类产品中,品种、产量、质量、产值都比较突出,生产的技术指标比较优越,产品具有区际意义,除供应本区需要外,主要面向区外,甚至全国和世界。例如东北地区的钢铁、机械和木材等生产部门,西北地区的石油和畜产品,以及以上海为中心的长江三角洲经济区的轻工业和机械工业等,就是这些地区的专业化部门。它们的优越性在于它可以充分处用各地区所具有的自然优势和经济、技术优势,集中对其产品进行大规模、大批量生产,以达到节约投资,降低生产成本,提高劳动生产率的目的。

2. 综合发展

综合发展经济利于发挥地区优势,充分利用自然资源条件,取得更好的经济效益、社会效益和生态效益。要尽可能使工业与农业、重工业与轻工业、农业中农林牧渔各业,都必须保持适当的比例关系,才能促进生产力发展,否则会违反自然规律,带来损失。特别是农、林、牧之间以及粮食作物的经济作物间,如果能保持适当的比例关系,就能互相促进。例如,一个国家森林覆盖率达30%,分布又较适当,就能起到调节气候、保持水土、涵养水源,防止固沙、保证农、牧业高产稳产的作用。如果片面强调粮食生产,不注意同时发展林、牧业,甚至盲目毁林开荒、滥垦草原、围湖造田,使生态平衡遭到破坏,不但会影响林、牧、渔业的发展,而且对粮食生产自身也是不利的。

(四)集中与分散相结合、工业布局与农业布局相结合

社会生产发展历来遵循着一条规律:即分散—集中—分散。集中有利于企业间的互想配合,彼此协作,便于统一安排区域性的公用工程和生活设施,综合利用资源,提高劳动生产率。分散有利于充分利用各地资源,提高农村、少数民族地区和边远地区的经济水平。使生产逐步均衡地布局于全国。

我国是一个13亿多人口的社会主义国家,当前50.32%人口在农村。广大的农村地区,原有的生产基础很不平衡,为了有利于经济的合理布局并逐步消灭三大差别创造条件,经济的发展必须从全国各地的实际出发。在农村地区,因地制宜地发展不同规模的工业、交通运输及各项服务业生产,使之有利于逐步实现工农结合,城乡结合,促进城乡经济共同繁荣和发展。

(五)合理利用自然资源,保护环境,维护生态平衡

经济布局往往以开发利用一定的自然资源、自然条件为前提。社会生产是使自然物质变为社会财富的过程。为了保证社会生产的持续发展,在经济布局中,既要从我国现有的生产技术水平出发,从自然界获得必要的生产资料、消费资料,不断改善生产、生活条件,又要兼顾长远利益,防止为了追求眼前利益,而对自然资源进行不合理的开发,防止生态系统因为开发不当而失去平衡。因此经济布局要求注意以下几个方面。

1. 加强资源的综合利用。在一定技术条件下,对生产过程中产生的废物,实行处理和综合利用,把对环境的污染尽可能消灭在生产过程中,使之化害为利,变废为宝,既保护环境,又增加社会产品。例如,利用钢铁厂的矿渣,炼铝厂的赤泥,水电厂的粉煤灰,电石厂的电石渣等生产水泥。利用制糖的废渣造纸、生产纤维板、酒精、果酸、干冰等化工产品。

2. 工业布局适当分散。工业适当的分散,生产中的"三废"数量少,种类单纯,易于在自然界

稀释净化和就地处理。据估算,全国每年排入大气的烟尘有$1400 \times 10^4 t$,二氧化碳$1500 \times 10^4 t$,氟7万多吨。每年排放在工业废渣2亿多吨,城市空气污染非常严重。从降尘量来看,有关规定限定每月每平方公里不得超过$6 \sim 8t$。但是,北方所有城市和80%的南方城市大气悬浮颗粒物超过规定标准,几乎所有城市每平方公里降尘量在$30 \sim 40t$之间,有的高达数百吨,甚至更多。如上海、北京市区分别为44t和82t,鞍钢厂区为160t(近些年来,多数城市降至10t以下),我国每年因大气污染造成的经济损失达68亿元。

3. 厂址的选择要考虑环境因素。有污染的工厂应建在水源地的下游和下风向地带以避免或减轻对水质和空气的污染。同时工厂的建立要防止可能对农业生产环境的污染。据统计,我国每年排放的工业废水和生活污水数以百万吨计,其中约73%的工业废水和97%的生活污水未经处理直接排入江河湖泊,水污染造成严重的经济损失。

4. 防止新污染源的出现,要坚持建厂的同时建设治污设施的原则。为了保护环境,除加强对已有污染进行积极治理外,新建工程要防止新污染源的产生,为此要坚持实行防止污染的设施与主体工程同时设计、同时施工、同时投产的"三同时"原则。

经济布局属于经济范畴,必须以经济为核心,以提高经济效益为前提,因此合理的经济布局,应当有利于取得最佳的社会经济效益,保证可持续发展,有利于充分、合理地利用当地自然条件和自然资源,促进各地区经济的普遍发展,有利于保持生态平衡,有利于国防安全和缩短三大经济地带的差距。

以上五个方面,它们之间互有联系,而不是孤立的,我们要以全局利益为基本出发点,才能得出合理布局的最优方案,以保证国民经济的持续、稳定、协调发展。

四、中国的国际地位

中国是世界上最大的发展中国家,在国际政治、经济、文化生活中具有举足轻重的地位。

(一)疆域地位

地球表面总面积约5.1亿平方公里,其中陆地面积约1.49亿平方公里,占地球表面总面积的29%。地球上的大陆及其附近的岛屿组成大洲。地球上共有亚洲、非洲、欧洲、北美洲、南美洲、大洋洲和南极洲七大洲。亚洲和欧洲的大陆部分实际上是一个整体,称亚欧大陆。

世界共有200余个国家和地区。中国领土面积约960万平方公里,居世界第3位,约占世界陆地面积的1/15,亚洲面积的1/4。

(二)综合国力地位

综合国力是一个国家所拥有的全部实力和潜力以及在国际社会中的影响力等方面的综合能力,包括资源力、经济力、科技力、教育力、文化力、国防力、外交力和政治力等8个方面。中国社科院对公布的2006年《世界经济黄皮书》和《国际形势黄皮书》中表明,中国在各大国中综合国力排在美国、英国、俄罗斯、法国、德国之后,排名第6名。中国综合国力强在资源、经济活动能力和军事能力,弱在社会发展能力和科技能力。这说明前者是保障中国国力日益强盛的基础,而科技能力相对落后,社会发展程度相对低下与中国国力所居位次是极不相称的。

世界银行1995年9月17日公布了一种衡量各国(地区)财富的新的计算方法。这种方法不再仅仅根据国民生产总值来衡量一国财富,而是把自然资源、人力资源、产出资产和社会资本四个方面综合评估计算。按照新的统计法,世界银行共列出192个国家和地区,人均财富最高的澳大利亚达83.5万美元，最低的埃塞俄比亚人均为1400美元。中国人均财富为6600美元，仅相当于世界平均数的7.67%，居世界第162位。

（三）国际竞争力

国际竞争力是根据世界市场上国家及企业的相互竞争能力来确定，主要分析天然资源和港口、道路、机场等基础设施、资本使用及其创造成果过程和经济成果在世界市场上的地位及国际化程度，也是一项涵盖政治、经济、社会、教育等诸方面综合能力的调查，具体分为国内经济力、国际性、国家部门、金融、基础设施、企业经营、科学技术和人力资源等8个方面378个项目。瑞士世界经济论坛和管理发展国际研究所于1995年9月6日公布的国际竞争力调查报告显示，国际竞争力十强分别是美国、新加坡、香港、日本、瑞士、德国、荷兰、新西兰、丹麦和挪威等国家和地区，中国首次被列入该项调查的名次之内，位列第34位。在瑞士国际发展研究所2007年10月公布的国际竞争力排名榜显示，中国的国际地位提升到15位，首次超越日本。

（四）资源地位

中国是世界上人口最多的国家，拥有丰富的人力资源。众多的人口虽然为经济向深度和广度发展提供了充足的人力资源，但也深深地制约经济的迅速发展和人民生活水平的提高。

自然资源的总量中国是大国，而人均占有量则是"穷国"。中国自然资源种类多，数量大，很多自然资源位居前列。由于人口众多，人均自然资源拥有量不高，约为世界平均水平的1/3，有些资源甚至更低，森林资源人均占有量只有世界1/6。人均资源日趋匮乏将是中国21世纪社会经济发展面临的严峻挑战。

（五）经济地位

1999年中国国内生产总值仅次于美国、日本、德国、法国、意大利和英国居世界第7位。从1978年到2006年，中国的煤炭的产量始终居世界第1位；谷物、棉花、花生、油菜籽、肉类、钢、化肥、水泥和电视机等产品由原来的第2位至第16位上升至第1位；发电量上升至第2位；原油产量由第8位上升至第5位。对外贸易由1978年世界第27位上升到第3位，外汇储备由1978年仅1.67亿美元上升到2010年28473亿美元，居世界第1位。从1993年以来利用外资连续保持世界第2位。

中国是一个人口大国，人均收入十分低下。根据《世界发展报告》公布的资料，1993年中国人均国民生产总值为485美元，高于印度、巴基斯坦、孟加拉国等国，低于韩国、泰国、巴西以及中等收入国家的平均水平（为2490美元），在132个国家和地区中居第103位，属于低收入国家。2010年中国人均国内生产总值虽有所增加，但在世界200多个国家中排名居95位。由此可见，中国仍然是一个国民收入较低的发展中国家。

（六）社会发展水平地位

中国社会发展水平居世界中位。根据中国社会科学院社会发展水平课题组的评估结果，中国社会发展水平综合得分为67分，比38个低收入国家平均55分高12分，比55个中等收入国家81分低14分，与高收入国家142分差距很大，在世界120个国家中居第67位。其中人口素质和生活质量等指标中等偏上，经济指标和社会结构等指标偏下。

邓小平关于中国既是"大国"，又是"小国"的辩证分析，是我们正确估计中国国际地位的指导。"中国是个大国，又是个小国。所谓大国就是人多，土地面积大。所谓小国就是中国还是发展中国家，还比较穷，国民生产总值人均不过三百美元。中国是名副其实的小国，但是又可以说中国是名副其实的大国。"①

◇◆ 复习思考题

1. 分析中国地理位置的经济意义。
2. 简述中国自然资源基本情况。
3. 中国人口有那些特点？其对经济发展与布局影响如何？
4. 你是怎样认识中国在世界上的地位的？

---

① 《邓小平文选》第3卷，第94页。

第二章 农业地理

第一节 概 述

农业是利用动物、植物和微生物的生长繁殖机能，经过人工种植、培育和饲养等生产活动，以获得各种物质产品的生产部门。广义的农业包括种植业(耕作业)、林业、畜牧业、水产业(渔业)和副业等部门，或称之为"大农业"，狭义的仅指种植业(耕作业)。

一、农业在国民经济中的地位

农业是人类社会最基本的物质生产部门，是国民经济的基础。坚持把农业放在首位，全面振兴农村经济，是事关国民经济全局的头等大事。农业在国民经济中的地位主要表现在以下几个方面：

首先，农业为人民生活消费提供物质保证。在城乡居民的消费中，农产品的消费占很大的比重。特别是粮食生产，始终是关系到国家社会稳定和人民安定的大事。尤其是像中国这样的人口大国，要解决13亿人口的吃饭，就必须重视生产的发展，把农业放在优先发展的地位。

其次，农业为国民经济其他产业，尤其是为轻纺工业提供大量原材料。目前，以农产品为原料的轻纺工业产值占整个轻纺工业产值的70%左右，特别是关系到国计民生的食品、纺织等行业的原料主要靠农业提供。

第三，农业和农村经济的发展为工业的发展提供了广阔市场。随着经济向现代化的迈进，农村经济的快速发展，农民水平的日益提高，对各类工业品的需求越来越大，这就为中国工业的发展提供了越来越广阔的市场。农业现代化水平的不断提高，将促进机械、建材、化肥、农药等重工业部门的发展。家用电器等轻工业产品也将更多地进入农民家庭。无论发展轻工业还是发展重工业，农村都是极大的市场。

第四，为对外贸易提供大量出口产品。农产品往往是一个国家(地区)重要的出口商品，发展中国家更是如此。在中国的出口产品中，农产品占有较大的份额。中国农业生产历史悠久，许多有民族特点的优质农产品在国际市场上很有竞争力，极受欢迎。中国的农产品及其加工品出口创汇金额占国家创汇总额的50%以上，农业已成为国家创汇的骨干产业之一。

第五，农业是国家财政收入的重要来源。农业发展起来，就可以为国民经济其他部门的发展提供更多的资金，有利于促进全国社会经济的发展。

由此可见，农业对国民经济的发展具有重要的作用，必须充分重视它的战略地位。

二、农业生产的基本特点

农业生产是自然再生产与经济再生产相结合的过程，这是农业生产的根本特点。作为自然再生产，农业生产受光、热、水、土、生物特性等自然因素的影响和制约；作为经济再生产，有与自然再生产密切结合的种、管、收、藏、售等社会经济过程和环节。这样就使农业生产具有与其他物质生产部门不同的特点。其特点主要表现在：

(一)季节性

农业生产的各项活动与季节密切相关。农业的劳动内容,在一年中随着季节的不同而变换,如播种、灌溉、施肥、收获等。不同季节还要求不同强度的劳动,如农村传统上有农忙、农闲之分,有抢种、抢收季节。在一定季节内所要求的农事活动,按时完成,不能任意提前或推迟。华北地区的农谚:"白露早,寒露迟,秋分种麦正当时",说明了农业生产具有很强的季节性。

(二)周期性

农业生产的过程就是生物的生长繁殖过程,这一过程是一个连续不断周而复始的过程。如农业生产的绝大多数产品,基本都经过从播种至成熟,从生育出生到成长的过程。因此,农业生产具有明显的周期性特点,从事农业生产活动时应有计划地合理安排,并在每一个生产环节到来之前,做好生产的准备工作。

(三)地域性

农业生产都是在一定的区域内进行的,而各地的自然条件、经济条件和技术条件各不相同,在地理分布上呈现出明显的地域差异,这种差异使农业生产具有地域性的特点。如中国东南部地区温暖湿润,是主要水稻分布区;西北部气候干旱,以畜牧业为主。因此,不同地区的农业生产必须因地制宜,合理安排各业的生产。

(四)综合性

农业生产的综合性是指农业生产内部结构中各部门之间存在着密切的、内在的、必然的联系。农、林、牧、副、渔各业之间,农业生产与环境之间,相辅相成,互相制约。如珠江三角洲地区的"基塘农业"就体现了农、林、副、渔等业的综合发展特点。因此,农业生产必须综合经营,使各部门都共同发展。

(五)不稳定性

自然条件对农业生产有着深刻的影响。目前由于人类控制和影响自然的能力有限,某种自然条件的变化、自然灾害等原因都可能导致农业生产受到很大影响,致使农业生产在收成上具有明显的不稳定性。如日照长短、雨量多少、温度高低和地形、土壤状况等都直接影响农业生产的丰欠。

三、中国农业在世界上的地位

中国是世界农业发源地之一,是世界历史最悠久农业生产大国之一。在距今7000多年以前,我们的祖先就已经开始从事原始的农业活动。中国南方的水稻栽培、黄河流域的谷子栽培都是世界上最早的。中国还是大豆的原产地,栽桑养蚕和栽培茶树的故乡。秦汉以后,随着铁质农具的逐渐普及,作物品种的增加,农耕地区范围开始从黄河流域向河西走廊、河套平原,特别是向长江流域逐渐扩大。明清时代,随着封建社会内部商品经济发展,南方植棉、栽桑、茶叶、甘蔗等生产逐渐兴盛。中国虽然是一个历史悠久的农业国,但1949年以前,生产水平仍非常低下。新中国成立后,特别是改革开放以来,农业生产发展很快。

目前,中国农业产值居世界首位,主要农产品的产量在世界上一直居于前列。其中,居世界首位的有谷物、棉花、花生、油菜籽、肉类、水产品、水果等。经过改革开放20余年的迅速发展,中国主要农产品的人均产量大多已经超过世界平均水平。如中国谷物、棉花、猪肉、鸡蛋等。

第二节　耕作业

一、粮食作物

粮食是人类最基本、最必需的生活资料。粮食生产是农业的重要部分。主要粮食作物有稻谷、小麦、玉米、高粱、谷子、薯类和大豆等。消费习惯上一般把稻谷和小麦称为细粮，其他均称为粗粮或杂粮。

(一) 世界粮食生产概况

世界粮食播种面积约占耕地总面积的70%，在发展中国家，大多数农民从事粮食生产。第二次世界大战以后，世界粮食生产发展很快。据统计2010年世界谷物总产量达22.16亿吨。

世界粮食产量地区分布，按大洲来说，亚洲最多，欧洲和北美洲次之。按国家来说，中国、美国、印度三国的粮食产量最多，合计产量约占世界总产量的50%左右。如果按人口平均计算，粮食产量最多的是北美洲和大洋洲。加拿大、美国、澳大利亚等国人均粮食产量在1500千克左右。北美洲和澳大利亚的温带草原区是世界最主要的商品粮产区。亚洲和拉丁美洲人均产量较低，非洲则最低。

稻谷、小麦和玉米是世界三大粮食作物，这三种谷物产量约占谷物总产量的80%。世界半数以上的人口以稻米为主食，1/3的人口以小麦为主食。

稻谷被称为"亚洲粮食作物"，集中种植在亚洲。亚洲水稻种植面积约占世界的90%左右。中国、印度是世界最大的稻谷生产国。印度尼西亚、孟加拉国、泰国、缅甸、越南、日本等也是稻谷重要生产国，其次还有美国、澳大利亚、意大利、埃及等。

小麦在世界上种植面积最广，国际贸易量最大，因而被称为"国际粮食作物"。小麦的种植主要集中在北纬25°~55°和南纬25°~40°的温带地区。中国、印度、美国、法国、俄罗斯、加拿大是世界小麦主产国，以上这6国小麦产量占世界总产量的57%。

玉米是世界粮食作物中发展较快的一种，分布较为普遍，大多集中在夏季高温多雨、生长季节较长的地区。美国、中国、巴西、墨西哥、法国、罗马尼亚、阿根廷为世界玉米主产国。

(二) 中国粮食生产的发展

旧中国粮食生产在农业中占重要地位，但生产水平低，不能满足人民需要。新中国成立以来，中国粮食生产迅速发展，现已成为世界上生产粮食最多的国家。2011年中国粮食总产量为5.7亿吨。

中国粮食生产结构上也发生了明显变化，一方面粮食作物所占耕地虽不断减少，但因提高了复种指数，播种总面积无明显变化；另一方面，粮食作物品种构成中，小麦、玉米、薯类等作物的播种面积和总产量的比重，都有大幅度提高。

此外，粮食生产布局也有所改变。过去中国的粮食生产主要集中在黄河中下游、长江中下游、珠江流域以及东北平原的部分地区，其他地区所占比例很低。随着中国大规模经济建设的开展及农业科学技术的广泛应用，在中国东北、西北、西南以及边疆、少数民族地区内地山区迅速发展了粮食生产，形成了新的粮食生产基地。

目前,中国粮食生产还存在着总量不足,单产不高,生产水平低,粮食商品率低和地区发展不平衡等问题。今后仍必须充分认识粮食生产的重要性,要采取得力措施,确保粮食稳产高产。

(三)中国粮食生产的地区分布

1. 稻谷

稻谷是中国首要的粮食作物,播种面积和产量居粮食作物的第1位,2011年稻谷产量为2亿吨。因此,稻谷生产在中国粮食生产中占有特别重要的地位。

稻谷按其对土壤、水分适应性的不同可分为水稻和旱稻,中国以水稻为主;按其成熟期可分为早稻、中稻和晚稻;按其品种质地可分为籼稻、粳稻和糯稻。

水稻是喜高温、喜湿的作物,生长期间必须有充足的热量和水分供应,适宜分布于热量充足、雨量较多或灌溉便利的地区。水稻在中国分布很广,除了一部分高寒或水源缺乏的干旱地区以外都有分布,但具有南方多而集中,北方少而分散的特点。

秦岭—淮河以南、青藏高原以东的长江流域和华南各省区,稻谷播种面积约占全国的95%以上,是中国最大稻谷集中生产区。按地区差异,又可分为华南双季稻区、长江中下游单双季稻区和云贵高原稻区。见图2-1。

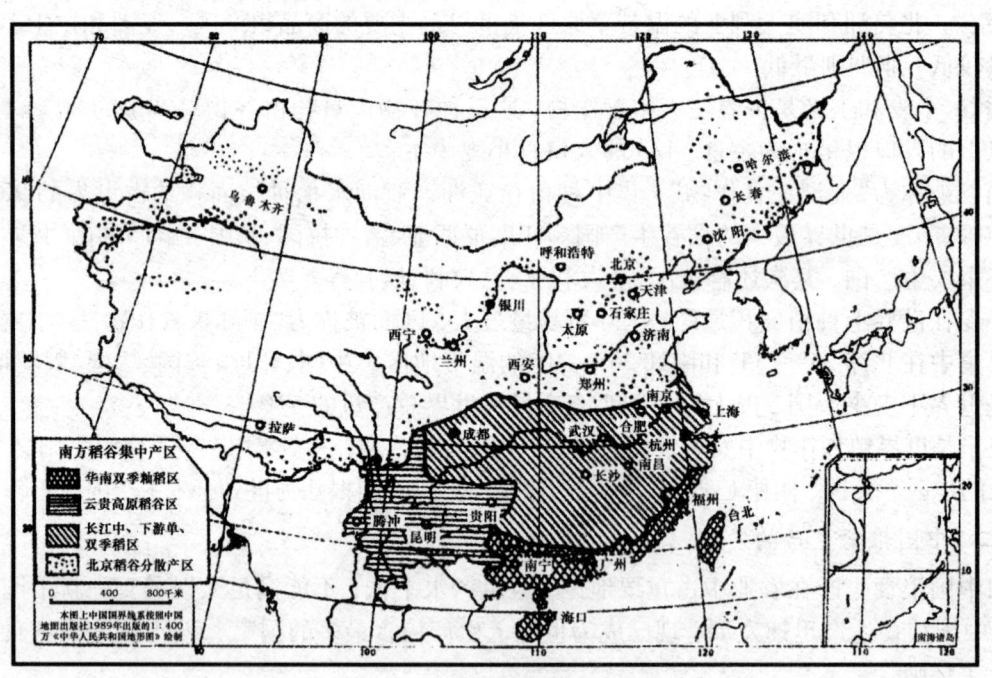

图2-1 中国水稻分布示意图

(1)华南双季稻区

南岭以南的广东、广西、福建、海南等省区地处热带、亚热带湿润地区,水热条件较好,生长期长,复种潜力大,是中国以籼稻为主的双季稻产区。

(2)长江中下游单双季稻区

南岭以北、秦岭—淮河以南的四川、重庆、湖北、湖南、江西、安徽、浙江、江苏、上海等省市和豫南、陕南等地区,地处亚热带,热量比较丰富,降水丰沛,河网湖泊密布,土壤肥沃,劳力畜力充裕，耕作管理水平高，是中国最大的水稻产区，历年来水稻种植面积和产量约占全国2/3左右。长江以南地区大多种双季稻，长江以北地区大多实行单季稻与其他农作物轮种。籼稻和粳稻均有分布。

(3) 云贵高原稻区

包括云南、贵州和四川的部分地区。本区地形复杂，气候垂直变化显著，水稻品种也呈明显的垂直分布现象。以单季稻为主，近年也发展双季稻，是中国西南地区水稻的主要产区。

秦岭—淮以北的广大北方地区为单季粳稻分散区，稻谷播种面积仅占全国稻谷播种面积的5%左右，具有大分散、小集中的分布特点，一般分布在水源条件较好的地区。其中华北地区较多，东北地区次之，西北地区则零星分布。

总之，中国水稻产区主要集中在秦岭—淮河以南的长江流域、华南、西南各省。著名的水稻分布区有江汉平原、洞庭湖平原、鄱阳湖平原、皖中沿江平原、长江三角洲、珠江三角洲和四川盆地。从省区看，以湖南、江苏、四川、湖北、广东、江西、安徽、浙江和广西等省区产量较大，2010年这9个省水稻产量均在1000万吨以上，其中湖南高达2500余万吨，居全国第1位。

2. 小麦

小麦是中国仅次于稻谷的粮食作物，其播种面积和产量均居粮食作物的第2位，2011年中国小麦产量达1.17亿吨。在中国平均粮食消费构成中，小麦约占1/4以上。其中北方居民的消费比重更高。

小麦是温带作物，品种多，适应性强，耐寒、耐旱，分布广泛，除青藏高原局部高寒地区外，几乎所有地区均可种植，但以北方为集中产区。小麦按播种期不同可分为冬小麦和春小麦两种，大致以长城为界，以北为春小麦区，以南为冬小麦区。中国以种植冬小麦为主，约占小麦总面积的80%以上。中国小麦栽培遍及全国、大体可划分为春小麦、北方冬小麦区和南方冬小麦区三个区域。见图2-2。

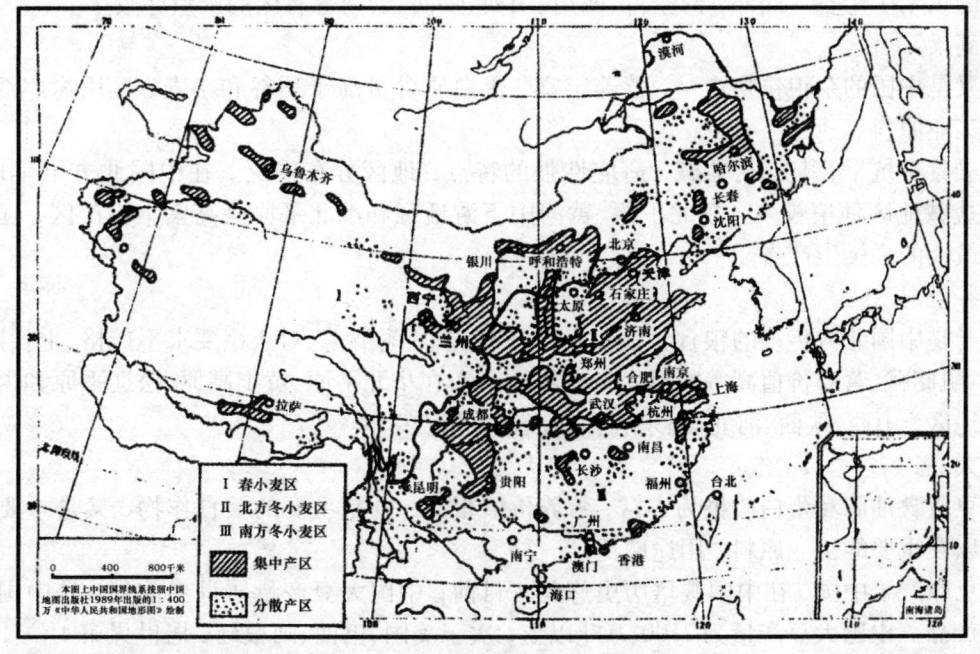

图2-2 中国小麦分布示意图

(1) 春小麦区

长城以北，岷山、大雪山以西的地区是春小麦产区。以黑龙江、内蒙古、甘肃和新疆为主要产区，集中分布于东北平原、河套平原、宁夏平原、河西走廊、准噶尔盆地等地区。这一地区气候寒冷，无霜期短，一年一熟，产量不多，但因人少地多，小麦商品率较高。黑龙江是全国最大的春小麦产区。

(2) 北方冬小麦区

秦岭—淮河以北，长城以南，六盘山以东地区的北方冬小麦区，包括山东、河南、河北、陕西、山西等省区。这里是全国最大的小麦集中产区和消费区，小麦播种面积和产量约占全国2/3左右。2011年河南小麦产量超过312.3亿公斤，山东为200亿公斤，河北为130亿公斤，为中国三大小麦主产省，这3个省小麦产量占全国小麦产量的50%以上。本区一般实行一年两熟或两年三熟的耕作，小麦均同其他作物轮种。

(3) 南方冬小麦区

秦岭—淮河以南，折多山以东的地区为南方冬麦区。本区冬小麦主要集中于长江中下游平原、四川盆地，安徽、江苏、四川、湖北等省为集中产区，大部分为棉麦或稻麦两熟制。

3. 玉米

玉米是中国北方旱作地区及南方丘陵山区种植的主要粮食作物之一。玉米属高产作物，经济价值较高，用途广泛，是中国最主要的杂粮作物，在粮食作物中仅次于稻谷、小麦，居第3位，产量仅次于美国，居世界第2位。

玉米是喜温喜湿作物，在中国分布广泛。主要产区集中在东北、华北及西南山区。中国玉米产地大致集中分布在黑龙江大兴安岭—辽南、冀北—晋东南—陕南、鄂北、豫西—四川盆地四周—黔桂西部—滇西南一带，呈东北—西南走向的斜弧形分布。据2006年统计吉林、山东、河南、河北、黑龙江5个省玉米产量在4200万吨以上，其中吉林产量高达1984万吨，为中国最大的玉米生产省。此外，内蒙古、四川、山西、陕西、云南等省区的产量亦较多。

4. 高粱

高粱是中国的杂粮作物之一，营养丰富，蛋白质含量高于稻谷和小麦，且用途广泛，是重要轻工业原料。

高粱具有抗旱、耐涝、耐盐碱，适应性强的特点，地区分布广泛。在中国北方干旱地区、涝洼及盐碱地区种植较多。东北平原、黄河中下游地区和淮北平原是高粱集中产区，辽宁省是中国最大的高粱生产省。

5. 谷子

谷子是中国北方传统的粮食作物。谷子具有抗旱、耐瘠薄、对土壤要求不严格、生长期短、需水少、耐储藏、营养价值高等特点。谷子主要分布在华北平原、黄土高原、松辽平原和内蒙古西部等地区，山西、陕西、河北、山东、河南等省种植较多。

6. 大豆

大豆所含油脂和蛋白质极为丰富，营养价值很高，既是主要的粮食作物，又是重要的油料作物以及重要的工业原料，用途广泛。

大豆原产于中国，在中国栽培历史悠久。目前，中国大豆产量居世界前列，是中国重要的出口产品。中国大豆产量为2100万吨以上，次于美国、巴西、阿根廷，居世界第4位。但近两年受美国、巴西生产的转基因大豆影响冲击很大。

大豆是喜温作物,生长旺盛期需高温,收获季节以干燥为宜,适宜于北方温带地区栽培。中国大豆栽培广泛,以松辽平原和黄淮平原为两大集中产区。松辽平原是中国大豆生产历史最长、产量最大、出口最多的生产基地,主要集中于松花江、辽河沿岸和哈大铁路沿线。其中哈尔滨、辽原、长春被称为中国大豆的"三大仓库"。

7. 薯类

薯类主要包括甘薯和马铃薯。中国以甘薯为主。

甘薯是喜温作物,耐酸、耐碱,对土壤要求不严格,有一定抗旱能力。甘薯以长江中下游地区、黄河中下游地区、四川盆地和珠江流域为主要产区,产量以四川、山东、河南、安徽、广东较多。

马铃薯既是粮食,又是营养丰富的蔬菜,适于温凉气候,生长期短,成熟快。马铃薯在中国分布甚广,主要集中在东北北部、内蒙古西部、山西和河北北部,以及四川西北部地势较高,气候较凉的地区,以东北地区和内蒙古产量最多。

二、经济作物

经济作物是指除粮食、饲料、绿肥等作物以外的其他各种农作物。它不仅是人民不可缺少的农产品,也是轻工业的重要原料,在种植业中地位仅次于粮食作物。

(一)纤维作物

纤维作物包括棉花、麻类和蚕茧等,是纺织工业的重要原料。

1. 棉花

棉花是重要的纺织原料,也是医学、化学以及国防工业的重要原料。此外,棉籽油可供食用或作为润滑剂原料;棉籽饼既是家畜饲料,又是有机肥料;棉杆皮可供造纸。因此,棉花生产在耕作业中占有重要地位。

棉花原产亚热带,是喜温、好光、生长期长的农作物。棉花是深耕作物,具有庞大的根系,要求土壤有深厚疏松、保水、保肥的耕作层。

世界棉花种植面积约3000余万公顷,集中分布在亚热带地区。中国、美国、印度、巴基斯坦、乌兹别克斯坦、土耳其、澳大利亚等是世界棉花的主产国。

2011年中国棉花产量达728万吨,仍居世界第1位。中国棉花地区分布广泛,主要集中新疆、黄淮河流域、长江流域三个地区。

(1)新疆棉区

新疆棉区植棉历史悠久,且发展棉花生产的气候优势明显,历来是中国最重要的优质棉生产基地。但在改革开放前,由于过分强调粮食生产,棉花产量排徊在5万吨左右。进入20世纪90年代,新疆棉花生产发展迅速,1999年产量高达135.4万吨,占全国总产量的35%,为中国最大的产棉省区,2011年新疆棉花产量上升到342.5万吨。每年外调棉花占省际调投量的60%以上。

新疆棉田主要在南疆的喀什地区、阿克苏地区和巴音郭楞州北部,北疆棉田集中在玛纳斯河流域。

(2)黄淮海棉区

包括秦岭—淮河以北,长城以南,六盘山以东的河北、河南、山东、山西、陕西、北京、天津以及苏北和皖北地区。这里地势平坦,光、热、水、土等条件都适合种棉,特别是光照充足,有利于棉花生长。植棉历史悠久，经验丰富，加之交通方便，接近棉纺织工业中心，非常有利于棉花生产的发展。曾是中国最大的棉产区，现被新疆棉区赶上，退居第2位。

本区棉田集中分布于冀中南、鲁西北、豫东、关中平原和汾河谷地。山东、河南棉花产量分别居全国第2位和第3位。

(3) 长江流域棉区

长江流域棉区地处秦岭—淮河以南、南岭以北、青藏高原以东地区包括苏南、皖南、浙江、湖南、湖北、四川、江西、上海以及河南的南部、陕西南部和黔北等地区。

本区地处亚热带，热量丰富，降水充足，生长期长，有利于棉花的生长，但梅雨、秋雨多，日照少，伏旱、病虫害较重，是不利因素。本区植棉历史悠久，技术水平较高，劳动力充足，交通便利，且接近棉纺织工业中心。这里是全国棉花单产和商品率最高的棉区。

本区棉花产量以江苏、湖北、安徽、湖南和四川较高。湖北省和安徽省棉花生产发展迅速，在2006年棉花产量分别为44.9万吨和40.8万吨，居全国第4位和第5位。

除上述三个主要棉区外，东北的辽东半岛、广西、云南等地也有少量棉花生产。

2. 麻

麻类纤维具有拉力大、吸湿性强、散水散热快、耐腐蚀等特点，广泛用于工农业生产、人民生活、国防、交通和建筑等方面。

麻是一种古老的纤维作物，为一年或多年生的草本植物。麻的种类很多，主要有黄麻、红麻、亚麻、苎麻、龙舌兰麻、剑麻等，经济价值较高的是黄麻、红麻、苎麻、亚麻等。

世界麻类种植面积约500万公顷左右，以生产黄麻为主。在1999年世界黄麻总产量达333万吨。印度、孟加拉国、中国、泰国、印度尼西亚是主要黄麻生产国。其中印度和孟加拉国分别为209万吨和81万吨，居世界第1位和第2位。

中国是世界上主要产麻国之一，也是麻类品种最多的国家。

(1) 黄麻、红麻

中国是世界黄麻、红麻主要生产国之一。黄麻性喜温暖多雨，要求深厚肥沃的土壤，主要分布于长江流域和华南地区。

红麻对气候和土壤的适应性强，分布地区广，南自广东，北到辽宁，东起浙江，西到新疆，全国20多个省区均有种植。河南、安徽等省生产较多，其中河南省2006年黄麻、红麻产量4.1万余吨，为中国最大黄红麻生产省。

(2) 苎麻

苎麻是中国的特产，在国际市场上有"中国草"之称。苎麻质地优良，纤维细长洁白，坚韧柔软，具有散热散湿、防腐抗霉、富有光泽等特点，是良好的夏衣原料，还有渔网、缆绳等用途，可用于工业、渔业、国防、航海等方面。长江流域生产苎麻的历史悠久，以苎麻为原料加工的夏衣布料是中国传统产品，在东南亚销路甚好，深受华侨及华人欢迎。

中国是世界上最重要的苎麻生产国，苎麻生产在中国分布很广，江南各省生产较集中，产量较多的省有湖南、湖北、四川、江西等，总产量约占世界90%。

(3) 亚麻

亚麻分为纤维亚麻和油用亚麻两种。纤维亚麻的纤维柔软、吸收性强、具有光泽，且吸收膨胀后组织紧密，对于防水防渗透有良好效果。因此，亚麻纤维除制作衣料外，还广泛用于制做帆布、帐篷、水龙带等。

亚麻适宜栽培在温凉湿润的地区，对低温适应性强，且生长期短。中国亚麻主要分布在东北地区，以黑龙江省产量最多，集中于哈尔滨附近，其次是吉林省，集中于延边地区。黑龙江省成为中国最大的麻类生产省。

3. 蚕茧

中国植桑养蚕已有4000多年的历史，是世界上养蚕最早的国家。蚕茧、蚕丝、丝绸是中国著名的特产和传统的出口品，自古就有"东方丝国"之称。蚕茧按蚕的食料不同，分为桑蚕茧和柞蚕茧，中国以桑蚕茧生产为主。

（1）桑蚕茧

桑蚕以食桑树叶而得名。桑树喜温，对气候、土壤适应性较强，除高原、山地和北方严寒地区外，一般地区都可栽桑养蚕。目前桑蚕茧生产主要集中在太湖流域、四川盆地和珠江三角洲，它们被称为中国三大桑蚕基地。

太湖流域是中国最大的桑蚕基地，桑蚕茧质量为全国最好。该区气候温暖湿润，生长期长，一年可3~4熟，桑蚕茧生产主要分布在杭州、嘉兴、湖州、无锡、苏州等地。

四川盆地是中国第二大桑蚕基地，四川省是中国产蚕茧最多的省份，但所产蚕茧出丝率较太湖流域低。本区桑田主要分布于嘉陵江中下游地区，以南充、武胜等地最为集中。

珠江三角洲是中国第三大桑蚕基地。本区气候湿热，桑叶生长快，一年可养蚕7~8次，单产较高，但蚕茧质量较差，出丝率较低。本区蚕茧生产主要分布在顺德、中山、南海等地。

（2）柞蚕茧

柞蚕茧以柞树、橡树、栎树等树叶为饲料，是中国的特产。一般在丘陵地区放养，不与粮棉争地。中国放养柞蚕历史悠久，是世界上生产柞蚕茧最多的国家，年产量约占世界产量的90%以上。

中国柞蚕茧主要集中在辽东丘陵、山东丘陵和豫西山地，是中国三大柞蚕基地，其中产量以辽宁省最多。

（二）油料作物

油料作物用途广泛，不仅是食用植物油的主要来源，还是重要的工业原料和出口物资，加工后的副产品可作肥料、饲料和化工原料等。油料作物种类繁多，可分为草本油料作物和木本油料作物两大类，农业上统计的主要是草本油料作物，主要有花生、油菜籽、芝麻、胡麻、向日葵等。

世界油料作物播种面积约5000万公顷。中国油料作物的播种面积在经济作物中居首位，是世界上油料作物种植最多的国家。

1. 花生

在各种油料作物中，花生单产最高，含油率也较高。它既是油料作物，又是人们喜爱的副食。

花生原产于热带地区，是喜温耐瘠作物，对热量要求较高而对土壤要求不严格，以排水性良好的沙质土壤为最好。主要的花生生产国有中国、印度、尼日利亚、美国、印度尼西亚、苏丹、阿根廷等。

中国是世界最大的花生生产国，2011年中国花生产量达1620万吨。花生也是中国产量最大的油料作物。中国花生生产分布广泛，除西藏、青海外，全国各地均有种植。花生生产主要集中在两大地区：一是渤海湾周围的丘陵及沿河沙土地区，这里是中国最大的花生生产基地和出口基地;二是华南地区的福建、广东、广西等地的丘陵及沿海地区,这里是中国第二大花生生产基地。

河南、山东、河北花生产量均在100万吨以上,其中河南产量达367.5万吨,居全国首位。此外,广东、江苏、湖北、广西等省区的产量也较多。

2. 油菜籽

主要生产国有中国、加拿大、印度、法国、德国、澳大利亚、英国等。

中国是世界上生产油菜籽最多的国家,2011年产量达1300万吨。油菜也是中国播种面积最大、地区分布最广的油料作物,为中国第二大油料作物。

油菜是喜温凉作物,对热量要求不高,对土壤要求也不严,适应性强,在酸、碱、中性土壤中的均可种植,故地区分布广泛。根据播种季节的不同,可分为冬油菜和春油菜两种,中国以种植冬油菜为主。

中国冬油菜主要分布在长城以南的广大地区,长江流域是中国冬油菜的最大产区。湖北、安徽、江苏、湖南和四川油菜籽年产量超过100万吨,为中国五大油菜主产省。此外,浙江、贵州、江西、河南等省区产量也较多。

春油菜主要分布在长城以北地区,主要集中在东北、西北北部等地,以青海、甘肃、内蒙古、新疆等省区为主产区。

3. 芝麻

芝麻是含油率最高的优质油料作物,也是制作糕点的重要原料,又是人们喜爱的调味食品,同时还可入药。中国是世界上生产芝麻最多的国家之一。

芝麻喜温、耐旱,生长期较短,适宜在排水良好、透气性好的沙壤土上生长。中国的芝麻生产分布广泛,主要集中在河南、湖北、安徽三省,合计产量占全国76.7%。此外,江西、河北、江苏、山西、陕西等省生产较多。

4. 胡麻

胡麻即油用亚麻,具有耐寒、耐旱、耐瘠、对热量要求不高、生长期短等特点,胡麻油是中国西北高原山区和内蒙古一带人民食用的主要油料之一。

中国胡麻生产主要有两个集中产区:一是河北省、西北地区、内蒙古东南部、山西省北部;二是甘肃和宁夏交界的六盘山两侧。

5. 向日葵

向日葵油质地好,营养丰富,耐寒、耐旱、耐贫瘠、耐盐碱,适应性强,与粮食和其他作物争地的矛盾不大,已由过去的零星分布发展成为大面积种植。

中国向日葵生产近年发展较快,主要分布华北、西北和东北等地,以内蒙古地区产量最高。

(三) 糖料作物

糖料作物是食品工业的主要原料,加工后的食糖是人们重要的副食品,加工后的副产品又是国防、化工、造纸、医药工业的原料。

甜菜和甘蔗是世界最主要的糖料作物。

1. 甘蔗

甘蔗是热带、亚热带作物,具有喜高温,需要大量水和肥料、生长期长等特点,要求土壤质地疏松、可耕性好、肥力高。生产主要集中在巴西、印度、中国、泰国、墨西哥、哥伦比亚、古巴等发展中国家,发达国家中以法国、澳大利亚和美国产量较大。

中国种植甘蔗的历史悠久,远在战国时代,中国南方就有植蔗和制糖的记载。在清末,曾列为世界五大产糖国之一。2006年中国甘蔗产量为9978万吨,居世界第3位。

中国甘蔗主要分布在水热条件较好的南方河谷平原和三角洲地区,其中广西、广东、云南等省区种植面积大、产量多,是中国重要的甘蔗产区。

广西是目前中国最大的甘蔗生产区,2006年产量高达5925万吨,约占全国总产量的59.4%。甘蔗主要分布在郁江、浔江、钦江流域,以贵县、横县等地最多。广东的甘蔗生产主要集中在珠江三角洲地区,以顺德、南海、中山、番禺、惠阳、东莞等县市最为集中。云南甘蔗生产近年发展迅速,主要分布在南部、西南部的南盘江、元江及怒江、金沙江、澜沧江等河谷地区。

2. 甜菜

甜菜原产西亚、地中海沿岸,具有喜温凉、耐寒、耐盐碱、适应性强的特性,要求日照长,昼夜温差大以及深厚疏松的土壤。生产集中在法国、德国、美国、波兰、土耳其、乌克兰、意大利、中国、荷兰、英国等地。法国是世界最大的甜菜生产国,年产量高达3000万吨以上。

中国甜菜栽培始于20世纪初。新中国成立后发展迅速,1998年产量高达1400余万吨。因市场供求等因素影响,1999年产量下降,仅为864万吨,2006年又上升到1053.6万吨。

中国甜菜主要分布在北纬40°以北地区,以新疆、黑龙江、内蒙古、新疆、甘肃等省区为多。近年来,新疆的甜菜生产发展迅速,2006年产量高达555余万吨,居全国第1位。

(四)其他经济作物

1. 茶叶

茶树是热带,亚热带多年生常绿树种,越冬不耐低温,在生长期内要求相对温度较大,宜于土壤深厚肥沃、排水良好的酸性沙壤土。1999年世界茶叶总产量为287万吨。世界主要的茶叶生产国有印度、中国、斯里兰卡、肯尼亚、印度尼西亚、土耳其、日本等。

中国是茶叶的原产国。远在唐宋年间,茶叶生产已达到相当规模,饮茶习惯已遍及全国,明清之时中国茶叶已成为大宗出口物资,长期在世界市场上占有重要地位。后来生产遭到严重破坏。新中国成立后茶叶生产恢复和发展很快,2006年茶叶产量达102.8万吨,居世界第1位。

中国产茶区范围较广。茶树广泛分布于南方的山地和丘陵地区,福建、浙江、广东、湖南、四川、安徽为六大产茶省。浙江的茶叶产量曾长期高居全国第1位,近年安徽省茶叶生产发展迅速,已成为全国最大的产茶省。

2. 烟草

烟草原产南美洲,自哥伦布把烟草种子带回欧洲大陆后,在世界各地普遍种植。

烟草具有喜温、喜光、好肥、怕旱、怕涝、易染病害等特点,生长期间对热量、水分、土壤及肥料等条件要求较高。世界主要的烟草生产国有中国、印度、巴西、美国、土耳其、津巴布韦等。

烟草在明朝万历年间传入中国。烟草可分为烤烟、晒烟和晾烟三种,中国以烤烟生产为主,其次为晒烟,晾烟生产很少。

中国烟草分布很广,云南、贵州、河南、山东、贵州、湖南等省是中国的烤烟产区,其中云南省是中国最大的烤烟产区,主要在玉溪、曲靖、昭通等地。贵州产量次之,主要分布在遵义、贵定、瓮安等地。

中国晒烟产量不多,分布较分散,各省都有生产,以南方各省较多。

第三节 畜牧业

畜牧业是利用天然和人工栽培植物所提供的饲料，以饲养牲畜和家禽，向社会提供肉、乳、皮、毛、骨等畜产品的生产部门。畜牧业也称饲养业，它与耕作业一起成为农业生产体系中的两个最基本的组成部分。世界上不少国家的畜牧业已超过耕作业。畜牧业发展状况和人均畜产品占有量已成为衡量一个国家发展程度的重要标志之一。

一、世界畜牧业生产概况

畜牧业是第一产业的重要部门之一。绝大部分发达国家畜牧业在农业中所占比重接近或超过50%，如美国进入20世纪以来，畜牧业产值在农业总产值中一般都保持在50%~60%；德国、法国、荷兰等国在50%以上；丹麦、新西兰在80%。发达国家居民所需的蛋白质50%以上来源于畜产品，而发展中国家畜牧业的比重一般偏低。

世界主要养畜业有养牛业、养猪业、养羊业、养家禽业等。

1. 养牛业

第二次世界大战后各国养牛业发展很快。印度的黄牛、水牛存栏数名列世界第一。中国水牛名列第二。肉牛以巴西、美国、俄罗斯、中国、印度为最多。奶牛以印度、德国、法国、巴西为最多。1999年世界牛奶产量达48066万吨，印度、德国、法国和巴西产量均在2000万吨以上。这四国合计产量占世界总产量的23%。2006年世界牛奶产量增加到6.4亿吨。

2. 养猪业

世界养猪业为亚洲最为发达。中国和美国猪肉产量居世界前列。

3. 养羊业

澳大利亚绵羊栏数及羊毛原毛产量名列世界第一；中国的山羊、绵羊存栏数名列世界第一和第二；印度山羊存栏数名列世界第二。1999年世界羊毛总产量达236万吨，澳大利亚、中国、新西兰三国估计产量达125万吨，占世界总产量的1/2以上。

二、中国畜牧业生产的发展

中国畜牧业发展历史悠久。但长期以耕作业为主，旧中国畜牧业生产发展十分缓慢，生产水平低下。新中国成立后，国家重视畜牧业发展，从而中国畜牧业生产到了较快的发展。尤其是改革开放以来，实行了农村经济体制改革，并积极推广良种繁殖技术，进行科学饲养，疫病防治，配合饲料，畜牧业生产水平明显提高。畜牧业产值在农业总产值中所占比重有所提高，主要畜产品产量连续增长。在中国传统农业中，畜牧业由于长期分散饲养，生产技术落后，产值较低，效益也很低，一向处于从属地位。改革开放以来，中国畜牧业得到全面发展，畜牧业生产规模不断扩大，主要畜产品产量连续增长。1999年肉类产量为5949万吨，占世界肉类总产量的1/4左右，是世界最大的肉类生产国。羊毛产量达31万吨，次于澳大利亚居世界第2位。2000年肉类产量比上年增长5.4%，达6270万吨。

猪的饲养在中国畜牧业中居有重要地位，2006年中国生猪年末存栏数为4.9亿多头，约占世界存栏数的一半；肉猪出栏数为6.80亿多头。牛的年末存栏数为1.39亿多头，其中水牛数量居世界第2位，黄牛居世界第4位。马、驴、骡等大牲畜的年末存栏数为分别为719.5万头、730.6万头、

345.1万头,均居世界第2位。羊的年末存栏数为3.69亿只,其中山羊1.97亿只,绵羊1.72亿只。

但是,中国畜牧业生产还存在不少问题。中国畜牧业产值在农业结构中仍偏低,所占比例不到40%,而畜牧业发达的国家一般占到50%以上。存栏畜禽产肉量较低,与发达国家相差较大。畜群结构不合理,畜禽良种化程度不高,畜牧业生产的专业化、集约化、规模化程度不够。今后,应充分利用畜牧业的有利条件,加快畜牧业的发展。

三、中国畜牧业的地区分布

由于中国各地的自然条件、经济条件、技术条件、历史因素和民族习惯的不同,各地畜牧业的发展特点不同,可分为牧区畜牧业和农区畜牧业两大基本类型,其界线大体上以东北松辽平原西部—辽河上中游—阴山山脉—鄂尔多斯高原东缘—祁连山脉—青藏高原东缘为界。该线以西、以北是以天然牧草为主要饲料来源的牧区畜牧业;以东、以南是以农产品为主要饲料来源的农区畜牧区。这两类基本畜牧业区之间,分布着一个农牧交错的半农半牧业区。在城郊和大型工矿区周围,还存在着一个城郊畜牧业区。

(一)牧区畜牧业

本区包括内蒙古、新疆、青海、甘肃、宁夏、西藏和四川的甘孜、阿坝等地,是中国主要的畜牧业基地。本区畜牧业的产值占全区农业总产值的70%以上,畜牧业是这里少数民族主要的经济方式和生活资料的主要来源,也是当地主要的经济基础。

本区天然草场广,草场资源丰富,草场类型多样,发展畜牧业条件得天独厚。饲草饲料以天然牧草为主,经营方式一般为放牧饲养,大群放牧是本区畜牧业的特色。畜群构成以马、牛、羊、骆驼为主,其中绵羊和马占全国60%,骆驼总头数占全国的87.1%,人均占有牲畜头数较多,每年能供应大量的牲畜和畜产品。优良品种有内蒙古的"三河马"、"三河牛",新疆的"伊犁马",青海的"大通马",新疆的细毛羊,宁夏的滩羊。此外,还有青藏高原的特产藏绵羊、藏羚羊和被称为"高原之舟"的牦牛等。

今后,牧区应合理利用和大力改良天然草场,加强草原管理,规定合理的载畜量及定期轮牧和轮流打草制度,防止草原退化、沙化,有计划地逐步建设人工草场。还应积极提高饲养牲畜的科学水平,加速牲畜品种的优良化,提高牲畜出栏率、出肉率和出毛率。

(二)农区畜牧业

本区包括中国东部和南部广大的以耕作业为主的地区。本区虽以耕作业为主,畜牧业处于从属地位,但畜牧业生产在全国畜牧业中仍占有重要地位,这里是中国以猪禽为主的重要畜产品生产基地。

农区畜牧业是在农业发展的基础上发展起来的,其特点是与种植业紧密结合,互相促进,畜牧业为耕作业提供肥料和役畜,耕作业为畜牧业提供饲料,大部分地区的饲料以农作物的秸秆、各种农副产品或饲料作物为主,经营方式以舍饲家畜为主。本区畜牧业品种多,各类牲畜总头数占全国3/4强,猪、牛、羊、马、骡、驴及各种家禽都有,其中以养猪最普遍。以秦岭—淮河为界,以北广大地区受北方牧区畜牧业生产的影响,拥有大牲畜比较多,牲畜构成复杂,以黄牛、马、驴、骡为主,养猪和养牛也比较普遍,家禽饲养业以养鸡最为普遍。以南的农区,由于受水田耕作条件的影响,大牲畜数量较多,但构成比较简单。本区猪和家禽饲养业很发达,饲养普遍,数量多,商品率高。优良品种有关中平原的秦川牛、河南南阳牛、陕西关中驴、四川荣昌猪、内江猪、浙江金华猪、江苏太湖猪、江西太和乌骨鸡、北京白鸭、江苏高邮麻鸭等。

今后，本区要坚持以农为主、农牧结合，以养猪为中心，发展畜牧业，提高牲畜、家禽的饲养规模，推广优良畜禽品种，提高畜牧业生产率。

（三）半农半牧区畜牧业

本区位于农业区和草原放牧区之间的交错地带，农牧界线时有变化。本区畜牧业一般以畜栏饲养为主，兼有放牧，畜群组成复杂，随着民族习性及旱作农业发展条件的不同而变化。但畜产品产量不高，商品率也比较低。今后应因地制宜，综合发展农、牧业，宜农则农，宜牧则牧，并且充分发挥饲料、饲草资源丰富的优势，加快牛、羊生产发展。

（四）城郊畜牧业区

本区是指在城市和工矿区附近安排一部分土地，种植饲料、饲草，并调进一部分饲料，建立起城郊型畜牧业基地，以满足城市、工矿区居民对畜产品的需求。本区以生产肉、乳、禽、蛋为主，奶牛、家禽、生猪所占的比重很大，现代化经营管理水平高，集约化程度和产品商品率高。随着人民水平的提高，城郊畜牧业生产发展将加快。今后必须办好大型现代化的养鸡场、养猪场和奶牛场，提高城市肉、乳、禽、蛋的自给率，就近供应鲜活产品。

第四节　水产业

水产业是一个在海洋和陆地水域中进行捕捞或养殖有经济价值的水生动植物以获取产品的生产部门，习称"渔业"。

水产业由于在水域中生产，具有不占用耕地或少占用耕地、投资少、用工少、成本低、见效快、收益大等优点。发展水产业，不仅可以提供营养丰富的水产品，而且还可以为工业提供原料，为出口提供货源。

水产业按水域可分为海洋水产业和淡水水产业，按经营方式可分为捕捞水产业和养殖水产业。

一、世界水产业概况

世界水产业，尤其是养殖业发展迅速，水产品产量不断增加。1999年世界水产品总产量达12214万吨。中国、智利、日本、美国、印度、印度尼西亚、俄罗斯等国家都是世界著名水产品生产大国。值得一提的是：发达国家以生产价值较高的水产品为主，其产量不是很高，但产值不低。除少数国家（如冰岛、挪威、秘鲁和一些小的岛国）外，水产业一般在国民生产总值中所占比例不大。

海洋水产业是水产业主体。世界水产品产量有90%左右来自海洋水域，10%来自内陆水域。

世界海洋水产业以捕捞业为主。世界海洋水产业产品的绝大部分来自占世界海洋面积8%的大陆架水域。渔业资源在各大陆架海域的分布并不均匀，这主要受洋流和气候带的影响。世界著名的渔场，如以北海为中心的东北大西洋渔场，以纽芬兰为中心的西北大西洋渔场，以及东北太平洋渔场和西北太平洋渔场等，都处于寒暖流交汇之处。此外，有垂直洋流的秘鲁沿海也是世界重要的渔场之一。长期以来，由于北大西洋水域最早得到大规模开发，这里形成世界最大的渔区。目前世界的远洋渔业以发达国家为主。发展中国家渔业技术一般比较落后，捕捞范围一般以近海为主。

世界海洋水产业存在的一个突出问题是捕捞后资源损失大，捕捞的优势鱼种资源减少。解决这一问题的根本途径是重视养殖,通过人工养殖来维护渔业资源的再生能力,即海洋农牧场化。

世界内陆水域的水产业以养殖为主。内陆水域的淡水水产业在第二次世界大战后也有很迅速的发展。但是有些国家的河流湖泊的水质受工业废水和城市污水的污染,以及灌溉、发电和工业用水抢先利用水资源,都影响着内陆水域水产业的发展。

二、中国水产业的发展

中国海域辽阔,内陆水域宽广,发展水产业自然条件十分优越。中国拥有渤海、黄海、东海、南海及台湾以东海域五大海区,大小岛屿5000多个,海域面积470多万平方公里,其中大陆架面积276万平方公里。在大陆架中,水深在200米以内的大陆架渔场有150万平方公里,是中国重要的沿海渔场。浅海和滩涂面积大,可供养殖的浅海滩涂面积242.07万公顷。中国江河、湖、水库面积宽广,淡水域总面积约1664万公顷,其中可供养殖的水面积约503万公顷。中国水生生物资源种类繁多,海洋鱼类资源有2000多种,其中经济价值高的鱼类有150多种。中国淡水鱼类有2000多种,种类之多,资源之丰富,居世界之首,其中经济价值很高的鱼类有50多种,主要有青、草、鲢、鳙、鳊、鳝、鲟等,青、草、鲢、鳙是中国重要的淡水经济鱼类,习称"四大家鱼"。

新中国成立后,水产业发展很快。2006年水产品总产量达5290.4万吨,约占世界总产量的2/5,已连续10年居世界首位。其中养殖产量占世界水产品产量的50%以上,是世界惟一一个养殖产量超过捕捞产量的水产品生产大国。水产品人均占有量近30千克,大大超过世界平均水平。为能使水产业能得到更好的发展,必须保护和合理利用资源,从单纯追求产品数量转向提高质量。要充分利用水面资源发展海、陆水产养殖业,特别要集中力量加快淡水养殖业的发展,抓好商品鱼基地的建设,提高单位面积产量,使水产品产量有较大的增长。同时,要调整近海作业,大力开辟外海渔场,发展远洋捕捞,积极采用先进技术,加强科学管理,促使中国水产业的迅速发展。

三、中国水产业的地区分布

(一)海洋水产业

海洋水产业就是对海洋中的鱼类、虾蟹类、贝类、藻类和海兽类等水产资源进行合理捕捞、人工养殖和加工利用的生产事业,包括了海洋捕捞业和海洋养殖业,目前中国以海洋捕捞业为主。2006年海水产品产量为2887.7万吨,其中天然生产产品为1442万吨,占50%;人工养殖产品占50%。

1. 渤海海区渔场

渤海位于中国北部,南北西三面被陆地环抱,是中国的内海,东南以渤海海峡与黄海相连,总面积7.7万多平方公里,平均水深18米,有辽东湾、莱州湾和渤海湾三个大海湾,有辽河、滦河、海河和黄河流入。这里气候温和,受大陆影响较大,周围地区经济发达,人口稠密,入海河流带来大量有机物质,使沿海浮游生物丰富,天然饵料多,成为鱼类的天然产卵场所和重要渔场。渤海海底比较平坦,泥沙层深厚,有利拖网作业。主要水产有小黄鱼、鳓鱼、对虾、毛虾及海蟹等。

渤海水浅坡缓,发展养殖业潜力很大,但因捕捞过于集中及污染等原因,资源日益衰退。

2. 黄海海区渔场

黄海位于中国大陆与朝鲜半岛之间,为半闭性浅海,总面积约38万平方公里。其南部与北部自然条件差异大，北部水域较浅，有一个冷水区，是中国冷水性鱼类如鳕鱼等分布的海区。南部受台湾暖流的影响，形成外海高盐水体与沿海低盐水体的混合水区，为各种鱼类的生长提供了有利条件。黄海经济鱼类有300多种，其中以温水性鱼类为主，主要有大、小黄鱼、带鱼、鳕鱼、乌贼、鱿、鲐、鲫等。黄海属浅海大陆架，由粉沙、淤泥组成，有利于拖网作业。黄海水产资源也有衰退趋势，现已采取措施，禁止滥捕，保护资源。

3. 东海海区渔场，

东海属温带海区，总面积77万多平方公里，这里有比较开阔的浅海，大陆架面积近52万平方公里。长江、钱塘江、甬江、瓯江、闽江等江河在这里入海。这里气候温暖，饵料丰富，鱼种有700多种，以暖性鱼为主，暖温性鱼次之。东海海区是最大的海洋渔业产区，是中国四大经济鱼类（带鱼、大黄鱼、小黄鱼、墨鱼）的主要产区，已建有上海、舟山、宁波、镇江、温州、马尾和厦门等重要渔港。其中，浙东的舟山渔场是中国最大的海洋渔业基地，年产鱼量约占全国的1/10。

4. 南海海区渔场

南海四周较浅，中间深陷，是一个深海盆地，海域十分辽阔，总面积约350万平方公里，大小岛屿800多个，气候终年十分温暖，是中国海洋水产的第二大产区。大小岛屿多是渔场和从事远洋渔业的优良基地。经济价值高的鱼类达300多种，主要有带鱼、鲷鱼、鲅鱼、石斑鱼、红鱼、大黄鱼、小黄鱼、墨鱼、青鳞鱼、金枪鱼、鲱鱼等，鲸、海蜇、虾蟹、贝类及海藻也很丰富，海龟、海参、玳瑁等是著名的特产。合浦、北海称作"珍珠故乡"，所产"南珠"中外驰名。

（二）淡水水产业

中国淡水水产业以养殖业为主体。2006年中国淡水水产品产量为2402.7万吨，其中人工养殖产品占89%。以生产鱼类为主，产量占90%以上。从淡水渔业生产的自然条件、水域资源、鱼类资源的地区差异看，可将全国划分为五大淡水渔区。

1. 长江、淮河流域淡水渔区

长江、淮河流域鱼区包括秦岭—淮河以南、南岭以北的广大地区。本区热量、雨量充沛，水质肥沃，水域广大，水产资源极为丰富。本区水产业历史悠久，基础良好，是中国淡水水产业最集中的地区，也是中国最大的淡水渔区。这里有各种鱼类260多种，主要经济鱼类有青、草、鲢、鳙、鲤、鲫、银鱼等，还有虾、蟹、贝、螺龟等，长江中游还有溯游性鱼类如鲥鱼、鳗鱼、刀鱼等，广大湖区的莲、藕、菱、芦苇等也很丰富。

2. 珠江流域淡水渔区

珠江流域淡水鱼区主要包括珠江三角洲及西江、东江、北江、农村池塘等水面。本区高温多雨，鱼类生长期长，生长速度快，是全国淡水鱼单产最高的地区。以养殖为主，养殖的品种主要有草、鳙、鲫、鲢、鲤、青等。珠江三角洲地区形成了农渔结合最经济、最合理的"桑基鱼塘"、"蔗基鱼塘"和"果基鱼塘"的农业生态体系，是华南商品性鱼生产基地。这一地区还是港澳水产的主要供应区，每年还有一部分鱼苗远销南洋各地。

3. 黄河、海河流域淡水渔区

本区包括秦岭—淮河以北，长城以南的广大地区。主要经济鱼类有鲤鱼、鲫鱼、鳊鱼、鳜鱼、草鱼等。黄河鲤鱼、白洋淀河蟹等极为有名。过去重捕轻养，近年来养殖发展较快，但管理粗放，单产较低。

4. 黑龙江、辽河流域淡水渔区

包括黑、吉、辽三省，地处高纬度，河湖、水库面积较大。本区气候寒冷，结冰期长，是中国冷水性鱼类产区之一。名贵鱼品种多，出产有镜泊湖的鱼、兴凯湖的大白鱼、嫩江上游的哲罗鱼、细鳞鱼，特别是黑龙江、乌苏里江、松花江的大马哈鱼、鲑鱼、鲟鱼和鳇鱼是全国稀有的名贵鱼类。本区捕捞历史悠久，但养殖历史短，基础薄弱，宜积极开发利用潜在水域，大力发展养殖业。

5. 蒙、新、青、藏地区的内陆渔区

本区气候寒冷、干旱，因是内陆水系，大型湖泊以咸水湖为主，一般盐度较大，浮游生物少，水产业发展受到一定限制。鱼类品种较少，以鲤鱼为主。由于民族习惯及交通等原因，渔业资源未充分开发。

第五节 林 业

林业是以森林植物及其产品为开发对象的生产部门，是国民经济的组成部门。它包括育林、造林、护林、采伐、集运、加工等一系列环节。

一、世界林业生产概况

在历史上，世界陆地曾经有三分之二为郁郁葱葱的森林所覆盖。随着农牧业的发展，尤其是工业的发展，以及战争和自然灾害等原因，森林遭到破坏，森林面积不断减少。世界现有森林和林地面积为40.9亿公顷，占世界土地面积的30%左右，其中森林面积约28亿公顷，森林覆盖率为22%左右。这40余亿公顷的森林面积的地理分布很不均衡，集中在南美洲、北美洲、亚洲北部和东南部、非洲赤道。各大洲的森林覆盖率为：拉丁美洲50%，北美洲32%，欧洲31.5%，亚洲21%，大洋洲21.9%，非洲20.1%。

在世界森林总面积中，针叶林约占1/3，绝大部分在欧亚大陆北部诸国和北美洲。阔叶林约占2/3，主要产在亚非拉地区。世界木材总蓄积量共约2400亿立方米，其中针叶材和阔叶材约各占一半左右。

世界原木生产主要集中在发展中国家，发达国家以美国、加拿大产量较大。1998年世界原木产量为32.69亿立方米，其中美国、印度、巴西、印度尼西亚、加拿大、俄罗斯等国年产原木都在1亿立方米以上，是世界主要原木生产国。中国的原木产量居世界第8位。

林产品加工工业发达是发达国家林业生产的一大特色。芬兰、瑞典和加拿大等国家森林资源丰富，原木采伐量虽不大，但森林资源开发利用比较广泛，林产品加工工业发达。亚非拉的一些发展中国家森林资源较差，林产品加工工业也不够发达，林业生产落后。

二、中国林业生产的发展

新中国成立后，政府一直很重视林业的建设，林业得到了较快的发展。为了进一步保护好森林资源，加速林业建设，合理开发森林资源，1984年中国颁布《森林法》。《森林法》一方面强调要保护和经营管理好现有的森林，坚决制止乱砍滥伐、毁林开荒等现象；另一方面大力倡导植树造林，绿化祖国。中国已提出要把森林覆盖率提高到30%的奋斗目标，以初步改善中国的自然环境。

为了加速实现绿化祖国的宏伟目标，发扬中华民族植树爱林的优良传统，中国正在广泛深入地开展全民性的义务植树运动。每个公民每年应义务植树3~5棵。这是建设社会主义，造福子孙后代的事业，是治理山河，维护和改善生态环境的重大战略措施。现在中国人工造林成绩显著，人工林保存面积居世界第1位。

三、中国林业的地区分布

森林按用途可分为用材林、经济林、防护林、薪炭林、特种用途林等五大类，中国以用材林为主，占森林总面积的83%，其次为经济林。

（一）用材林

用材林是以生产木材为目的的森林，主要是为生产部门和人民生活提供各种木材。中国用材林主要分布在东北和内蒙古、西南和南方三大林区。

1. 东北、内蒙古林区

该林区包括东北三省和内蒙古东部的大、小兴安岭及长白山林区，是中国最大的天然林区，素有"东北林海"之称。该区森林面积约3600万公顷，木材蓄积量约30亿立方米，木材蓄积量和森林覆盖率均高于其他地区。树种主要是针叶林，其中以落叶松为主，红松次之，还有云杉、桦树、柞树、水曲柳等用材料。林区物产中还有号称"东北三宝"的人参、貂皮、鹿茸。

本区森林集中连片，林区铁路运输发达，林业生产基础好，不论是采伐、集运、制材，机械化程度都比较高，森林工业比较发达。本区木材产量占全国的1/2以上，木材运出量约占的70%，是中国建筑用材、坑木、枕木、造纸用材的主要供应基地，也是全国木材加工工业最发达的地区，集中了全国木材加工能力的大部分。所产木材除供应本区需要外，还供应西北、华北、华东等地，是中国最大的木材供应基地。

本区由于长期集中过量采伐，加之森林火灾等原因，资源枯竭问题严重，而林地更新工作又跟不上，致使林地面积、木材蓄积量逐年减少。今后应加强管理，坚持合理采伐，加强林地更新，采育结合，扩大木材综合利用，为国家提供更多的木材和林产品。

2. 西南林区

该林区包括四川、西藏、云南、贵州四省区，森林面积超过800万公顷，木材蓄积量约15亿立方米，是中国第二大天然林区。

本区纬度较低，地形复杂，垂直高差大，植物的垂直分布显著，从寒温带到热带的树种几乎都能生长，是中国树种最丰富的地区。主要树种有马尾松、冷杉、油松、云杉、铁杉等，还有楠木、檀木、柚木、樟木等珍贵树种。

西南林区地处偏远，山高谷深，交通不便，开发较晚，因此成熟、过熟林所占比重大，病腐严重，森林资源浪费极大。采伐过程中又重采轻育，采伐过度，对水源林保护不够，水土流失加剧，破坏了生态平衡。今后应加速交通建设和林业基地建设，合理采伐，积极营造防护林，搞好水土保持，在江河上游地区，严禁任意采伐，确保生态平衡。

3. 南方林区

该林区包括秦岭—淮河以南、云贵高原以东的广大地区，包括湖南、湖北、安徽、江西、浙江、福建、广东、广西8个省区及苏南的一部分。本区以次生林和人工林为主，林种除用材林外，还有多种经济林木，是中国最大的经济林区。

本区地处亚热带、热带，气候温暖，降水充沛，林木生长快，树木种类多，林木生长的环境优越，加之本区交通便利，地处经济发达的消费区，林业生产历史悠久，经验丰富，是中国木材、竹材的主要供应地之一。主要品种有杉木、毛竹、油茶、油桐、漆树等。本区今后要加强森林保护,合理采伐更新,积极建设速生丰产用材林,提高林木供应能力。

(二)经济林

经济林是以生产果品、木本油料、木本粮食、工业原料和药材为主要目的的森林。其树叶、树干、树皮、花果等,往往具有独特的用途,在生产和生活中具有重要的经济价值。

中国经济林树种繁多,分布广泛,但以秦岭—淮河以南的长江流域居多。南岭以南地区则为特种经济林的生产基地。

中国目前经济林面积已达0.16亿公顷,经济林面积超过60万公顷的省区有11个,经济林产品达2000多万吨。以经济林为重点的山区林业综合发展,带动了二、三产业的相应发展,许多山区县林业已成为当地经济发展中的支柱产业。

中国主要的经济林树种有橡胶、油桐、漆树、油茶、柏、五倍子、樟树、栎树、杜仲、金鸡纳树等。经济林木经济价值高,适应性强,应因地制宜,大力发展。

(三)防护林

防护林是为了调节气候,防止水、旱、风、沙等自然灾害所营造的林带或大片森林。新中国成立以来,已营造了大规模的防护林,主要防护林有:

1."三北"防护林

"三北"防护林体系是指东北西部、华北北部、西北一带,以防风固沙、保持水土、改善农业生产条件和生态环境为目的的防护林。"三北"地区有面积广大的沙漠、沙地和戈壁,水土流失严重,旱涝灾害频繁发生,人口的增长超过了当地的自然承载能力,是中国生态平衡最为脆弱的地带。从1978年开始,国家开展了被誉为"世界生态工程之最"的"三北"大型防护林体系工程建设,地跨新疆、青海、甘肃、宁夏、陕西、内蒙古、山西、河北、北京、天津、辽宁、吉林、黑龙江13个省、市、自治区的551个县(旗、市),按照规划,有步骤地大规模营造防护林。计划到2050年,共造林3500万公顷,彻底改变万里风沙线的生态状况和社会经济状况。

2.冀西、豫东沙荒林

冀西、豫东地区是黄河、漳河、沙河泛滥而造成的沙荒地带,特别是黄河故道绵延数省,沙荒面积最大。在这些沙荒地带上营造了沙荒林,兼有固沙和降低地下水位的双重作用。现已有不少沙荒地改造成了果园和农田,收到了多方面的经济效益。

3.沿海防护林

沿海防护林是指北起鸭绿江,南至北仑河口的沿海地区防护林。1989年开始建设,到2000年建成一期工程已完成,森林覆盖率由原来的24.9%提高到34.8%。二期工程计划到2010年建成。该防护林主要是为了防御台风、暴雨、风沙、洪涝等自然灾害,改善沿海地区的生态环境。

4.长江中上游防护林体系

长江流域是中国经济最发达的地区之一。长期以来,由于不合理的耕作方式,森林的过度采伐和人为破坏,使长江中上游地区森林植被大大减少,水土流失面积大量增加。国家决定从1989年起,用30~40年时间,在本地区11个省的200个县植树造林,建设长江中上游防护林体系,以改善生态环境。

5.平原绿化工程

为了保护农田,国家在被称为"森林空白地带"的平原地区,开展了大规模的平原绿化工程。经过10多年的努力，现已营造起世界规模最大的农田防护林体系，3000多万公顷耕地实现了林网化。

◇◆ 复习思考题

1. 简述世界粮食生产概况。
2. 概述中国主要粮食作物的地区分布。
3. 说出中国主要经济作物的集中产地。
4. 试比较分析中国四大畜牧业生产类型特征。
5. 简述世界及中国水产业和林业地区分布特征。

第三章　轻工业地理

第一节　概　述

轻工业是从事生活消费品生产的加工工业部门,其产品主要通过贸易部门供应消费者,也有部分作为生产资料,满足经济建设的需要。

一、轻工业在国民经济中的地位

轻工业产品与人们衣、食、住、行息息相关,为人人所需、日日必用,因此,轻工业生产的发展关系着亿万人民生活,直接影响人民生活水平提高和社会的安定,也是繁荣市场、扩大贸易的重要物质基础。

轻工业具有投资省、见效快、积累多、创汇高的特点。大力发展轻工业,可以为一国的经济腾飞积累和提供资金。世界各发达国家实现工业化无一例外地都从轻工业开始起步。

发展轻工业可促进重工业、农业、旅游业等经济部门的发展。一方面,轻工业生产所需要的机器设备和原料,主要由重工业和农业提供,发展轻工业能为农业和重工业开辟广阔的市场;另一方面,一部分轻工业产品还是重工业原料和农用生产资料,如工业用布、工业陶瓷、工业用纸和农用薄膜、五金工具等。轻工业产品尤其是手工业品还是重要的旅游商品。

轻工业的许多行业属劳动密集型,能吸收较多的社会劳动力就业。对于人口多的国家,发展轻工业可在一定的程度上缓解就业压力,维护社会的安定,加速劳动生产率的提高。

综上所述,轻工业在国民经济中占有重要的地位。在中国,轻工业是重要的经济支柱之一,在国民经济各行业中,轻工业的产值仅次重工业,居第2位,高于农业、建筑业和商业。轻工业产值占工业总产值的49%左右;在对外贸易方面,轻工业产品的出口值约占全国总出口值的40%,为重要的优势出口产品。

二、轻工业生产的布局要求

轻工业门类众多,主要包括纺织、食品、文化用品和日用品工业等部门。其生产布局深受原料因素、消费因素、技术因素和劳动力因素的影响。由于轻工业行业很多,各行业之间有着较大的差异,因此其布局要求也各不相同。根据影响其布局的主导因素的不同,可分为以下几种类型:

(一)趋向原料产地

原料是影响轻工业布局的重要因素,尤其是对那些原料需要量大、加工后失重多的行业的布局具有决定性的影响,如缫丝、轧花、洗毛、制糖、榨油、纸浆等行业。有的轻工业部门虽原料加工后失重不大或基本不失重,但由于原料不易保存和长途运输,其布局亦趋向原料产地,如葡萄酒、罐头、乳制品等行业。

(二)趋向消费地

轻工业产品是人们生活的必需品。由于消费水平、消费习惯、民族和气候条件的差异,各地对轻工业品的花色品种、质量要求也会有很大的不同。因此，消费因素是影响许多轻工业行业布局的主导因素。

布局趋向消费地的轻工业有三种不同情况：第一种是原料加工后基本不失重，原料与产品在运费上的支出差别不大，建在消费地主要是为了更好地生产适销对路的商品。如棉纺织行业等。第二种情况是原料基本不失重，但产品的体积增大，如铝制品、塑料制品、搪瓷制品、家具等行业或在生产过程中采用了某些广泛分布的原料如水、砂子等，其产品的重量大于地方原料的重量，如啤酒、饮料等行业在消费地建厂可节省运费，提高经济效益。第三种情况是产品易腐烂，或易碎，不宜远运，如面粉、糕点、陶瓷、玻璃制品等行业，建在消费地是为了保证产品的质量，减少运输过程中的损耗。

(三) 趋向技术发达地区

轻工业产品花色品种复杂，产品寿命周期短，具有不断变化和更新的特点。技术因素成为影响轻工业布局的重要因素之一。尤其是对新产品和高档产品的生产布局具有决定性的影响。拥有大量熟练工人和较强科研力量的大中城市往往成为轻工业产品的生产中心。技术因素对日用机械、家用电器、乐器、工艺美术品等行业的布局影响较大。

此外，轻工业是一个劳动密集型行业。在人口稠密、劳动力丰富的地区发展轻工业，既可充分利用廉价劳动力，降低生产成本，又可解决劳动力就业问题。目前，中国有些轻工业部门布局正在向劳动力丰富、劳动力价格低廉的地区转移，这在纺织行业表现尤为突出。

三、中国轻工业在世界上的地位

中国轻工业发展历史悠久，早在新石器时代就有彩陶工艺和海水煮盐。不少轻工业产品如丝绸、瓷器、茶叶、工艺美术品等早已驰名世界。近代，世界许多国家利用产业革命技术成果，发展了机器化大生产，而中国由于封建生产关系的束缚，轻工业生产停滞在手工生产阶段，相对衰落下来。

新中国成立后，随着经济的发展和人民生活水平的提高，轻工业生产发展较快，现已形成了门类齐全、行业结构合理、产品基本配套、原料和设备主要立足国内、布局趋于合理、具有相当生产技术水平的轻工业生产体系。早在2000年轻工业增加值达9506亿元，生产的轻工业产品除满足国内市场需要外，还远销世界各国，成为中国重要的"拳头"出口商品之一。

中国的许多轻工业产品产量在世界上占有重要地位。中国既是世界最大的纺织品和服装生产国，也是世界最大的纺织品和服装出口国。同时还拥有了世界最大量级的纺织品和服装市场，是世界上最大的纺织用原料、纺织品和服装进口国之一。中国食品工业规模庞大，食用植物油、饮料酒、卷烟居世界第1位；茶叶产量约占世界1/4强，仅次于印度，居世界第2位；食糖产量仅次于巴西、印度，居世界第3位。日用工业品，尤其是家用电器工业近年发展迅速，电视机、电冰箱、洗衣机、电风扇、钟表、日用陶瓷、自行车等产量居世界第1位，洗涤剂、家用冷藏冷冻箱等产量居世界第2位。但应当看到，虽然中国许多轻工业产品产量居于世界前列，但目前中国只是一个轻工业生产大国，在产品档次、质量、生产技术等方面与发达国家有着较大的差距，跻身于世界轻工业强国尚需时日。

第二节 食品工业

一、制糖工业

(一)世界制糖业概况

世界产糖大国依次为巴西、印度、中国、美国、澳大利亚、泰国、墨西哥、法国、德国等。其中巴西、印度的食糖产量分别为2100万吨、1683万吨。仅巴西和印度两国的食糖产量就占世界1/4强。

目前,世界食糖贸易量一般每年在2700~3300万吨之间。20世纪90年代以来,欧盟、澳大利亚、巴西、泰国、古巴和乌克兰的食糖出口量约占世界食糖出口量的70%左右。近年来,巴西的食糖产量和出口量大幅度增加,目前已成为世界最大的食糖出口国。

世界食糖按所用原料的不同,可分为甘蔗糖、甜菜糖和甜叶菊糖等。虽然甜叶菊糖糖度为蔗糖的300倍,但由于消费等方面的原因,发展不快,在食糖产量中所占比例很低。世界食糖主要是甘蔗糖和甜菜糖。目前甘蔗糖和甜菜糖的比例大约为7:3。由于适宜种植甜菜的地域宽广,近年来甜菜糖所占比例有上升趋势。

世界食糖的生产分布与糖料生产的地区分布基本一致。甘蔗喜高温多雨,集中分布在热带和亚热带地区,称"南方糖料"。世界甘蔗糖生产主要集中在发展中国家,约占92%,印度、巴西、中国和泰国是世界著名的甘蔗生产大国。甜菜喜冷湿,集中分布在温带和寒温带,称"北方糖料"。甜菜糖生产主要集中在发达国家,约占产量的90%。其中欧洲集中了世界甜菜糖产量的80%,几乎各国都有种植,以乌克兰、俄罗斯、德国和波兰最为集中。

(二)中国食糖生产的发展

在中国,食糖既是人民生活的必需品,同时又是许多食品工业的重要原料。

中国制糖业历史悠久,早在公元647年就制造出结晶砂糖,南宋时蔗糖已成为主要出口商品,远销伊朗、罗马等地。鸦片战争后,由于"洋糖"大量输入和台湾被日本侵占,糖的生产出现停滞局面。20世纪30年代,在广东陆续建立了几家甘蔗机制糖厂。1908年在黑龙江阿城建成第一座甜菜糖厂。1936年全国(未含台湾)产糖41.4万吨,是食糖量最高的一年。到1949年降为19.9万吨,其中机制糖仅为3万吨。仅有广东的东莞、顺德和黑龙江的阿城三家糖厂维持生产。

新中国成立后,制糖工业发展速度较快。尤其是改革开放以来,食糖年产量从250万吨增加到现在的600万吨左右。在1992年,全国产糖量高达815.5万吨,创历史纪录,并首次实现食糖自给并略有结余。此后,因糖价暴跌,产量有较大幅度下降。到1999年,中国食糖产量又重创新高,达861万吨,居世界第4位。2010年食糖产量为1400万吨。由于中国食糖生产成本高,在国际市场上的竞争力不强,但中国人口众多,人均食糖消费量远远低于世界平均水平,如何开拓国内食糖市场潜力,是摆在制糖工业企业面前的重要课题之一。

(三)中国制糖工业的地区分布

中国制糖的主要原料也是甘蔗和甜菜。甘蔗的含糖率为8%~17%,甜菜为14%~20%,生产1吨糖需甘蔗6~12吨或甜菜5~7吨,加之糖料体积大,收割后糖分易损耗,因此制糖工业布局趋向原料地。

中国制糖工业地区分布特征是：集中南北两端，南方为甘蔗糖产区，北方为甜菜糖产区。由于中国制糖工业以生产甘蔗糖为主，约占产量的80%，因此，南方各省区是主要产糖区。中国制糖工业地区分布见图3–1，主要产糖省区产量见表3–1。

表3–1　　　　　　　　中国主要产糖省区食糖产量　单位：万吨

省区名称	甘蔗糖产量	省区名称	甜菜糖产量
广西	565.32	新疆	53.84
云南	139.2	黑龙江	22.2
广东	108.68	内蒙古	16.6
海南	20.3	甘肃	1.06
福建	3.87	辽宁	1.33
湖南	2.80	山西	2.87
江西	0.21	河北	6.41
四川	3.67		

资料来源：根据《中国统计年鉴·2006年》有关资料整理而成。

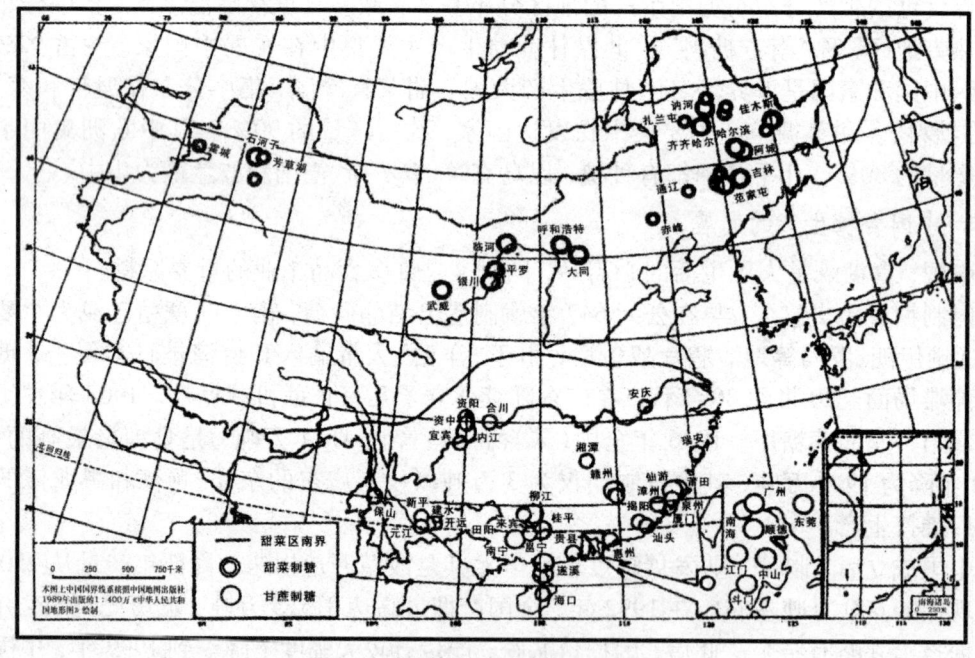

图3–1　中国制糖工业分布示意图

1. 蔗糖工业

甘蔗糖生产主要分布在广西、广东、云南、海南、福建、湖南、四川和江西等省区，由于湖南、江西、四川等省易受冻害，难以大面积种蔗，所以90%的甘蔗集中前5个省区。广西是中国最大的产糖区，产量约占全国食糖总产量的2/5。大型糖厂主要分布在郁江、浔江和钦江流域的贵港、南宁、桂平、邕宁、柳州、梧州等地。

广东食糖产量曾长期稳居全国第1位，珠江三角洲也有得天独厚的种蔗条件，但近年来由于植蔗比较效益低，糖业萎缩，被广西食糖超越。广东糖的生产主要分布在珠江三角洲和潮汕平原，主要的制糖工业中心有中山、顺德、番禺、江门、东莞、广州、南海、汕头、揭阳等地，尤以顺德、江门和中山规模为最大。

云南的制糖工业近几年来发展迅速，已成为第二大产糖省。制糖工业主要分布在滇南河谷地带的元江、开远、建水和西部的瑞丽等地。海南制糖业近年发展迅速，糖产量已超过四川和福建，成为仅次于广西、广东和云南的第4大蔗糖生产省，以澄迈等为生产地。福建的制糖工业集中于闽南地区的仙游、漳州、莆口、厦门等地。四川是一个位置偏北的蔗糖生产省，制糖业主要集中在沱江流域的内江、资中、资阳和简阳等地。川西南的米易等地的蔗糖生产近年来发展较快。江西的制糖业主要分布在以赣州为中心的赣南地区。

2. 甜菜糖工业

甜菜糖生产集中在新疆、黑龙江、内蒙古和甘肃四省区，吉林、宁夏、辽宁等省区也有少量生产。黑龙江曾是最大的甜菜糖生产省，1998年被新疆超越，食糖产量居全国第5位，主要制糖工业中心有哈尔滨、佳木斯、阿城、讷河和齐齐哈尔等。

进入20世纪90年代，新疆制糖业发展迅速，已成为中国第四大产糖省区，也是最大的甜菜糖生产区。制糖工业主要分布在石河子、呼图壁、伊宁等地。

内蒙古的制糖工业主要分布在临河至呼和浩特之间的京包铁路沿线，在临河、包头和呼和浩特等地均建有大型糖厂。

二、卷烟工业

(一)世界卷烟业概况

烟草种植主要集中在中纬度的温带地区。就世界范围而言，主要有四片产区：最大产区是亚洲，约占世界总产量的50%，以中国、印度、土耳其等国为多；北美洲的南部，其中以美国为主，约占世界总产量的20%；欧洲的中部和南部；拉丁美洲亦有一定的产量。中国是世界最大的烟草生产国，1998年世界烟叶产量为708万吨，其中中国为最大生产国，产量约占世界总产量的1/3。印度、巴西、美国、土耳其、日本的烟草分别列世界的第2~6位。烟草的主要出口国有美国、巴西、土耳其、印度等。烟草的主要进口国有英国、德国、日本、法国等。

世界卷烟生产中，发展中国家在产量上占居优势，发达国家在质量和技术上占优势。美国、英国、德国等国家卷烟非常发达，而中国则是世界最大的卷烟生产国。

(二)中国卷烟工业的发展

卷烟工业是中国重要食品工业部门之一。卷烟生产一方面可满足某些人的嗜好消费，另一方面为国家积累资金。

中国卷烟工业始于1902年。当时在天津建立了北洋烟草公司。旧中国的卷烟业是仅次于纺织、面粉的第三大工业部门。但当时的卷烟市场基本上为外商和进口商控制，国产卷烟的市场占有率只有30%，且烟厂偏集于沿海大城市，上海、天津和青岛是当时三大卷烟工业中心。

新中国成立后，卷烟工业有了很大的发展。在2000年中国卷烟产量达到3397万箱，居世界第1位。卷烟的花色品种明显增多，已由单一的烤烟型发展到晒烟型、混合型、雪茄型、特殊香型等多种类型。现代医学研究成果早已证明，吸烟与许多恶性疾病密切相关。因此，很有必要控制卷烟生产数量的过快增长,提高卷烟质量,重视无烟草型卷烟的研制。

(三)中国卷烟工业的地区分布

卷烟生产过程可分初加工和卷烟制造两个环节。初加工是将收获的鲜烟叶进行复烤,以降低烟叶中所含的水分,生产宜布置在烟叶产地。卷制是将复烤的烟叶,再经发酵、配方、投料、抽梗、切丝、卷制、包装等过程制成卷烟。因烟叶在加工过程中失重小,烟叶运输较卷烟方便、经济,卷制宜布局在消费地。卷烟厂设在消费地还可使烟厂利用不同地区、不同等级的烟叶进行配制,生产适合当地消费者口味的产品。

卷烟生产地区分布广泛。除西藏外,各省、市、自治区都有卷烟生产,云南、河南、湖南、湖北、山东等5省区年产卷烟1100亿支以上,为中国卷烟的主产省区。其中云南省2006年卷烟产量高达3240亿支,占全国总产量的16%,为最大的卷烟生产省。2006年中国卷烟主要生产省市产量见表3-2。

表3-2　　　　　　　　　　中国主要产烟省区卷烟产量　　　　　　　　　　单位:万箱

省市名称	卷烟产量	省市名称	卷烟产量
云南	3240	安徽	1066
河南	1484	广东	1092
湖南	1444	江苏	845
山东	1202	上海	829
湖北	1153	四川	699
贵州	1059	浙江	671

资料来源:根据《中国统计年鉴·2006年》有关资料整理而成。

中国卷烟厂很多,生产优质烟的大型卷烟厂主要分布在玉溪、昆明、曲靖、上海、北京、天津、广州、重庆、郑州、贵阳、武汉、济南、青岛、营口、沈阳、蚌埠、杭州、哈尔滨和长春等地。其中上海卷烟厂创建于1925年,是中国历史最悠久的大型卷烟厂之一;玉溪是目前中国规模最大的卷烟厂,年产卷烟百万箱以上。

上海生产的中华、红双喜、牡丹、凤凰,昆明生产的云烟、大重九、茶花、红山茶,玉溪生产的红塔山、阿诗玛、恭贺新喜,长春的黄人参,北京的金键、牡丹、中南海,天津的恒大,郑州的彩蝶,广州的双喜,贵阳的黄果树和曲靖的石林等被中国烟草总公司定为名烟。上海生产的特级熊猫是中国最优质的卷烟,因其很少进入市场销售,未被定为名烟。

三、酿酒工业

(一)世界酿酒业概况

酒是一种含有酒精的饮料,是人民日常生活中重要的消费品。酒类生产地区分布广泛,以发达国家和人口较多的非伊斯兰发展中国家较为发达。酒的种类众多,啤酒、葡萄酒和蒸馏酒为世界主要酒种。

啤酒是以大麦芽为主要原料,经发芽、糖化、发酵酿造成的原汁酒。它是酒类中含酒精量最低的酒,营养丰富,是目前世界产量最大的酒种。啤酒的生产主要集中在美国、中国、德国、巴西、日本和欧洲其他国家,其中德国是世界著名的啤酒生产大国,也是世界人均啤酒消费量最大的国家,所产"慕尼黑"啤酒驰名世界。

葡萄酒是以葡萄为原料,经发酵酿制成的一种低度原汁酒。世界葡萄酒年产量达3000余万吨,仅次于啤酒,年进出口贸易量近千万吨。因葡萄不易保存和运输,葡萄酒生产布局趋向于原料产地。意大利、法国、西班牙、美国、俄罗斯和德国是世界著名的葡萄酒生产大国,这6国的葡萄酒产量占世界70%以上。地中海沿岸各国盛产优质葡萄,所产葡萄酒质量好。法国是世界上最著名的葡萄酒生产国,以生产优质葡萄酒及葡萄酒制品,尤以波尔多的葡萄酒和香槟省的香槟酒最为著名。葡萄酒的消费以欧美居多。

世界蒸馏酒可分为六大类,即以葡萄或其他水果为原料的白兰地,其中法国所产的科涅克和阿尔马涅克是举世闻名的高档酒;用大麦、黑麦、玉米为原料的威士忌,以英格兰的最为有名;用甘蔗、糖蜜为原料的兰姆酒;用精制酒精串香杜松子的金酒;高纯度的酒精饮料俄得克(又称伏特加)和中国白酒。其中又以白兰地和威士忌消费面最广,国际贸易量也最大。中国白酒在世界蒸馏酒中独树一帜,以酒香醇厚闻名于世,但由于多方面原因,中国白酒目前绝大多数仍局限于国内消费。

(二)中国酿酒工业的发展

中国是世界上最早发明酿酒的国家之一。早在4000多年以前就已开始酿酒。长期以来,随着酿酒经验和技术的不断积累和提高,酿造出了许多不同品质和风味的美酒,驰名中外,并成为酒类生产大国。1949年,中国酒产量为15万吨。新中国成立后,特别是改革开放之后,酿造业发展迅速。1978~1997年,中国酒类产量从247为吨上升到2800万吨,其中啤酒发展最快,产量从1978年的40万吨猛增到2006年的3544万吨。

如今,中国酒的生产和消费已由高度酒转向低度酒,酒类产销顺序依次为啤酒、白酒、黄酒、葡萄酒和果露酒。从发展趋势看,营养价值较高的啤酒、葡萄酒和黄酒最具发展潜力。

(三)中国酿酒工业的地区分布

中国的饮料酒,按原料和工艺的不同,可分为白酒、黄酒、葡萄酒、啤酒和果露酒五大类。

1. 白酒

白酒被认为是"中国酒"的代表,长期以来一直是中国产销量最大酒类。进入20世纪80年代末,啤酒生产异军突起,白酒才退居第2位。1999年中国白酒产量为502万余吨,居世界第1位。白酒是高耗粮油类,酒精含量高,对人体健康有危害。今后,白酒生产应向低酒度、高营养方向发展。

白酒生产地区分布趋向原料地。由于原料来源广泛,地区分布普遍,加之酒液运输难度高,宜地产地销。因此,白酒生产地区分布广泛,遍布全国各省、市、区,甚至极大多数县市,尤以四川、山东、江苏和安徽等省区的产量为最大。

名酒生产分布取决于传统的制作工艺、特种优质原料和特定的水源,特别是水质,直接影响着细菌的生长繁殖和糖化发酵作用及成品风味,是各地名酒酿造的基础条件。仁怀的茅台酒、汾阳的汾酒、宜宾的五粮液、泗阳的洋河大曲、绵竹的剑南春、遵义的董酒、凤翔的西凤酒、泸州的老窖特曲、成都的全兴大曲、武汉的黄鹤楼酒、泗洪的双沟大曲、古蔺的郎酒、常德的武陵酒和射洪的沱牌曲酒等质量优良,是中国的"国家名酒"。其中茅台酒和法国科涅克的白兰地和英格兰的威士忌是世界著名的三大名酒。

2. 啤酒

啤酒的酿造在国外已有几千年的历史,传入中国约100余年,是中国最年轻的一种饮料酒。19世纪末英德啤酒公司在青岛成立。中国自建的啤酒厂首推创立于1915年的北京双合盛。啤酒工业在近十余年中迅速发展。在20世纪80年代初期,中国啤酒产量在世界上还排不上名次,1993年已超越德国,跃居世界第2位,仅次于美国。2006年啤酒产量达3454万吨,为产量最大的酒类。

相对于原料(大麦)而言,啤酒产品难以运输,且不易保存,故而其生产分布趋向消费地。中国啤酒生产分布几乎遍布全国各地,除西藏外,各省、市、自治区均有生产,但地区分布不平衡,80%的厂家集中在沿海和东北地区。2006年年产啤酒200万吨以上的省市有70个,它们分别是:山东、浙江、广东、河南、辽宁、黑龙江、江苏。其中山东省啤酒产量达366万吨,是中国最大、也是最有名的啤酒生产省和出口基地。

中国啤酒的生产中心大多为大中城市,如青岛、上海、北京、天津、广州、哈尔滨、沈阳、杭州等。青岛啤酒色泽清亮透明,泡沫洁白细腻,口味香醇爽口,畅销国内外市场,深受中外消费者喜爱,中国最有名的啤酒。

3. 黄酒

黄酒是以糯米、酒曲为原料发酵酿制而成的一种低度酒,是中国最古老的酒种。它营养丰富,集饮料、调味、药用于一身,用途之广在中国各酒类中首屈一指。黄酒为低度酒,营养丰富,少量饮用对健康有益无害,今后应大力发展。

黄酒生产地区分布广泛,全国各省、市、区均有生产。由于酿造所用的原料以大米居多,因此,集中分布在南方,尤以浙江、江苏、福建三省为最多。浙江是全国最大的黄酒生产省。北方黄酒以小米为原料,生产主要分布在山东、辽宁、河北和内蒙古等省区。浙江绍兴的加饭酒、福建龙岩的沉缸酒是中国黄酒中的佼佼者,多次被评为国家名酒。北方的小米黄酒以山东的即墨黄酒、内蒙古呼和浩特的青城黄酒和辽宁大连黄酒等较为有名。

4. 葡萄酒

葡萄酒的生产在中国已有2000多年的历史。清末,华侨张弼士在烟台建立了张裕葡萄酒公司,开始近代葡萄酒生产。新中国成立后,葡萄酒生产得到了迅速的恢复和发展。1997年中国葡萄酒产量为30余万吨,只占饮料酒1%左右,与世界相比,差距较大,有待于进一步发展。

中国葡萄酒生产集中分布于北方地区,以山东、天津、北京、河北、河南和江苏等省市的产量较大。著名的葡萄酒产地有烟台、天津、北京、青岛、沙城、民权等。烟台是中国最著名的葡萄酒产地,有"葡萄酒城"之美名,所产的红葡萄酒、味美思、金奖白兰地等享誉中外。此外,天津的王朝牌葡萄酒、北京的中国红葡萄酒、沙城的白葡萄酒、民权的白葡萄酒、青岛的白葡萄酒品质优良,也深受消费者的喜爱。

(五) 果露酒

果露酒包括果酒和露酒。果酒是以水果为原料酿制而成,它既有果香,又有酒香,生产分布趋向水果产地。中国果酒生产分布深受水果分布的影响,如柑橘酒产于南方柑橘产区;苹果酒主产于山东、辽宁等苹果产地;菠萝酒产于华南地区等。黑龙江尚志县的紫梅酒、辽宁熊岳的苹果酒、沈阳的山楂酒、四川渠县的红橘酒等都是优质果酒。

露酒是一种配制酒,其生产分布趋向原酒产地。中国露酒生产遍布全国各地。汾阳的竹叶青、湖北的园林青酒、广州的五加皮酒、吉林的五味子酒、广西梧州的蛇酒等都是著名的露酒。

四、制茶工业

茶叶具有杀菌消炎、提神醒酒、增进食欲、帮助消化等功用,是人民生活中不可缺少的生活资料,与咖啡、可可并称世界三大饮料。

(一)世界制茶业概况

茶叶为世界三大饮料之一。近年来随着茶叶的保健作用被广泛宣传,世界茶叶的生产量和销售量都有较大提高。1999 年全球的茶叶生产量为 287 万吨,其中亚洲占 80% 以上,非洲也占近 1/8。主要茶叶生产国有印度、中国、斯里兰卡、肯尼亚、印度尼西亚、土耳其、日本、伊朗、缅甸和孟加拉国等。其中印度的茶叶产量达 75 万吨,占世界总产量 26.1%。

世界主要的茶叶出口国为斯里兰卡、中国、印度和肯尼亚,世界主要的茶叶进口国为英国、巴基斯坦、美国、埃及、俄罗斯和伊朗等。

世界茶叶平均单产约为每公顷 1 吨,平均单产最高的是肯尼亚,平均每公顷 2.01 吨,印度和日本的平均单产也在 1.65 吨以上。

在各茶类中,红茶占世界总产量的 70% 以上,绿茶占世界总产量的 23.4%。中国和肯尼亚以生产绿茶为主,其他国家大多以生产红茶为主。中国是主要的绿茶生产国,产量约占世界绿茶总产量的 70%。

(二)中国制茶工业的发展

中国是茶叶的原产国。在漫长封建社会,中国一直是世界最大的茶叶生产国,所产的茶叶曾长期独占国际市场。19 世纪 20 年代每年外销茶叶在 10 万吨以上,占当时世界茶叶贸易量的 90% 左右。近代,因印度、斯里兰卡、肯尼亚、印度尼西亚等国相继发展了茶叶生产,使中国茶叶在国际市场上的地位逐渐下降。

新中国成立后。茶叶生产得到了较快的发展。2000 年茶叶产量达 68 万吨,占世界茶叶总产量的 1/5 强,次于印度,居世界第 2 位。2006 年,茶叶产量达到 82 万吨。

(三)中国制茶工业的地区分布

制茶工业包括初加工和精加工两个过程。初加工是将采摘的鲜茶叶加工成毛茶,一般为地方性分散经营,直接在茶区进行。精加工是对毛茶进行技术处理,精制成各种商品茶,一般规模较大,布局在茶区附近的城镇。由此可见,制茶工业的布局趋向原料地。中国的茶叶生产分布与茶树种植区基本一致,集中于秦岭—淮河以南的丘陵山区。福建、浙江、云南、四川等是中国茶叶主要生产省,2006 年茶叶产量在 10 万吨以上。福建已成为中国最大的产茶省,2006 年的产量为 20 万吨,居全国第 1 位。

根据加工方法的不同,茶叶可分为红茶、绿茶、乌龙茶、花茶和紧压茶等类别。由于不同品种的茶树适宜加工不同的茶类,而不同的茶树品种又要求不同的生态环境,因此,各茶类的生产分布带有很强的地域性。根据茶类结构、生态条件和生产特点,可将中国茶叶产区划分为长江下游、长江中游、西南高原山地和华南丘陵山地等四大茶区。

红茶是一种全发酵茶,是传统的出口茶类,为世界主销茶类。中国生产的红茶以外销为主。红茶生产遍布各茶区,尤以安徽、湖南、广东、四川和云南等省为多。著名的红茶有安徽祁门红茶、云南凤庆滇红、湖南安化湘红等。祁门红茶以苗秀的外形、持久的甜香和醇厚的滋味,博得世人的赞誉,为世界三大名茶之一。

绿茶是一种不发酵茶,是产量最大的商品茶类,也是中国重要的出口茶类。国际绿茶市场以中国货源为主。绿茶生产以长江下游茶区规模最大,其次是长江中游茶区和西南高原山地茶区。浙江、安徽、江西、湖南等省是主要的绿茶生产省。著名的绿茶有杭州的西湖龙井、苏州的碧螺春、雅安的蒙顶茶、六安的瓜片、庐山的云雾茶、黄山的毛峰和君山的银针等。

花茶属再制茶,它是在成品茶的基础上,采用鲜花窨制而成。花茶既有花香,又有茶香,主要品种有茉莉花茶、玉兰花茶、桂花茶等,以茉莉花茶产量为最大。花茶是中国北方广大消费者偏爱的茶类,以内销为主。中国花茶生产以广西、福建、浙江、江苏为主产省区。横县、苏州、福州、杭州、金华是著名的花茶产地。此外,广州、成都、南京、黄山、长沙、桂林等地也是重要的花茶制作基地。

乌龙茶属半发酵茶类。它既无红茶的甜味,又无绿茶的涩味,是华南地区人们品饮的主要茶类,出口主要面向东南亚和日本等地。乌龙茶主产于华南丘陵山地茶区。福建是中国最大、也是最著名的乌龙茶生产省。福建的武夷岩茶和安溪铁观音享誉国内外市场。

紧压茶是用毛茶蒸压处理而成的一种再制茶,又称砖茶。紧压茶其滋味浓厚,有助于消化脂肪,为边疆少数民族喜欢饮用的茶类,亦称边销茶。紧压茶是国家计划商品,湖南、湖北、四川和云南是国家确定的定点生产省。著名的紧压茶有西双版纳的普洱茶、益阳的茯砖、下关的康砖和苍梧的六堡茶等。普洱茶是一种别具一格的茶中珍品,古往今来,备受赞誉,深受藏族同胞的喜爱。

五、制盐工业

(一)世界制盐业概况

制盐是食品工业中比较特殊的部门。盐既是人们日常生活的必需品之一,是牲畜的饲料和水产加工的原料,又是"化工之母",基本化学工业的三酸二碱中的盐酸、纯碱、烧碱都是以盐为基本原料。盐的工业用途广泛,世界许多先进工业国家工业用盐的数量已大大超过了食用盐。

由于盐业资源丰富多样,产品价格低廉且运输不便,世界各国的盐以地产地销为主,以沿海国家和内陆气候干燥、多盐湖国家产量较大。中国是世界最大的食盐生产国。

(二)中国制盐工业的发展

盐是人们不可缺少的生活资料,也是化学工业的重要原料。

中国盐业生产历史悠久,早在仰韶文化时期就有海水煮盐。但近百年来,制盐工业发展缓慢。新中国成立后,制盐工业有了很大的发展,盐产量由1949年的289万吨增加到了2006年的5663余万吨。中国生产的盐除满足国内生活和生产需要外,还可出口国际市场。

(三)中国制盐工业的发展

制盐工业属采掘工业,其生产分布取决于盐业资源的地区分布。中国盐业资源丰富多样,沿大陆1.8万余公里的海岸线和台湾、海南诸岛的周围,有辽阔平坦的滩涂,可以发展海盐生产;西北和内蒙古等地有储量丰富的湖盐;西南、华中和华南等地的井盐、矿盐储量较为丰富,开发历史悠久。因此,制盐工业地区分布广泛,除黑龙江、吉林、北京、上海、贵州、山西等少数省、市、区外,其他各地都有盐的生产。其中山东、河北、湖北、天津、四川、辽宁、内蒙古和江苏等省盐产量在100万吨以上,为中国主要产盐省。

1. 海盐

海盐是中国最主要的盐种,产量约占总产量的3/5。海盐生产分布在沿海地区,分北方盐区和南方盐区。北方盐区北起辽宁,南到江苏连云港一带。这里降水少,有明显的干湿季,风速大,蒸发量大于降水量;河流径流量少,沿海海水含盐量较高,一般可达31‰;海滨地带平坦宽广,淤泥质平原岸线多,极有利于晒盐生产的发展,是海盐的主产区,产量约占海盐产量的4/5以上。山东省1999年盐产量高达613万吨,居全国第1位。北方盐区的长芦盐场、辽东盐场、胶东盐场和苏北盐场是著名的四大盐场。

南方地区气温虽高,但降水多,雨季长,岩岸海岸线长,一般不易开辟大盐场。南方盐区的主要盐场有浙江的庵东、玉环,福建的惠安、莆田,海南的莺歌海等。其中莺歌海盐场是南方最大的盐场。

2. 湖盐

湖盐又称池盐,产自内陆咸水湖。湖盐是仅次于海盐的第二大盐类,产量约占总产量的1/6。中国的湖盐要分布在西北和内蒙古地区,以青海的储量为最大。青海境内有大小盐湖上百个,探明储量500多亿吨,占全国内陆盐一半以上,1999年产盐48.9万余吨,为最大的湖盐生产省。湖盐产地主要有青海的茶卡、察尔汗、柯柯,新疆的七角井、精河、达板城,内蒙古的吉兰泰、雅布赖等。

3. 井盐

井盐是地下卤水熬制而成,主产于西南地区。四川省是最大的井盐生产省,1998年产盐195万余吨,次于山东、河北、江苏、辽宁、湖北、天津,居全国第7位。四川的井盐生产主要分布在川中和川南地区的自贡、五通桥、盐源等地。自贡井盐生产历史悠久,产量大,所产盐质细味纯,有"西南盐都"之称。云南也盛产井盐,禄丰的盐含甜硝,是腌腊制品的上等用盐。

4. 矿盐

矿盐,又称岩盐,是蕴藏在地下的盐矿石。矿盐的氯化钠含量可达99%,但缺碘。主要分布在湖北的应城、云梦,河南的平顶山,湖南的澧县、衡阳,云南的一平浪等地。湖北是最大的矿盐生产省,1999年产盐236万余吨,以应城为最大的产地。

第三节 纺织与服装工业

纺织工业是以棉、麻、丝、毛等天然纤维和化学纤维为原料,加工成纱、丝、线、绳、织物及其染整制品的工业部门。它主要包括棉纺织、毛纺织、丝纺织、麻纺织、化学纤维、服装和鞋帽等行业。

一、棉纺织工业

棉纺织工业是纺织工业系统中规模最大、基础最好的一个行业。产品主要有棉纱、棉布、棉针织品等。

(一)世界棉纺织业概况

20世纪初和19世纪,世界纺织工业的中心是在工业革命发源地欧洲,90%的棉花出口是进入欧洲,主要集中在英国。二次世界大战后的60~70年代,欧洲纺织工业逐步在产业结构调整中实施了向亚洲劳力较充裕、经济发展态势较好国家的转移。首先是向日本、香港、台湾及韩国等不产棉国家或地区,继后是中国大陆、印度、巴基斯坦、土耳其等产棉国纺织工业兴起,这后一批均为产棉大国,具有劳力低廉及自产原料的双重优势。

20世纪70年代以来,尤其是近10多年,世界主要产棉国大都已逐步改变过去仅生产和提供棉花原料,由欧洲工业发达国家纺织加工成棉纱、棉布和服装的状况,而纷纷致力于尽快增强本国纺织能力。因为棉纱、棉布、针织品和服装的出口价值比原棉高出数倍、数十倍乃至上百倍。当今世界的大产棉国几乎都已成为纺织大国。

(二)中国棉纺织工业的发展

中国手工棉纺织业兴盛于宋末元初。明清时期,棉纺织品已取代传统的丝绸和麻布,成为广大人民主要的衣着来源。近代棉纺织业起自于1890年,逐步发展成为旧中国最大的工业部门。但旧中国的棉纺织工业基本上为外资所控制,部门结构残缺不全,布局限于沿海少数城市。1949年全国棉纱和棉布的产量分别为32.7万吨和18.9亿米,远不能满足消费需要。

新中国成立后,根据国家的需要和生产的可能性,稳步发展了棉纺织工业,棉纺织品生产能力成倍增长。到1986年,中国棉纺已达2000余万锭,超过印度,居世界第1位。1993—1997年,中国棉纱和棉布产量一直居世界第1位。2006年纱产量达到1743万吨,布(包括棉布、棉混纺交织布、纯化纤布)产量达599亿米。1998年开始,棉纺织全行业亏损局面已初步扭转。中国棉纺织产品的质量不断提高,花色品种显著增加,大多数城市均能生产府绸、卡其、平绒、玻璃纱、防绒布等中高档棉纺织品,并开始大量使用化纤原料生产各类混纺布和纯化纤布,化纤布的比重已达30%以上。地区分布也日趋合理,已从根本上改变了旧中国偏集于上海、天津、青岛等少数几个大城市的不合理局面。

中国棉纺织行业还存在许多问题,如设备普遍落后国际先进水平,4000余万锭棉纺设备中,陈旧设备占1/3;产品品种质量与国际水平差距大,以量取胜的出口模式并未根本改变;地区布局集中在沿海省份和内地中心城市。这些因素都制约着中国成为纺织工业强国。为了增强棉纺织工业的实力,中国将实施"东锭西移"战略,其中心内容是全国在不增加甚至是压缩棉纺锭规模总量的基础上,将中心城市、发达地区的棉纺初加工能力向产棉区转移。新疆成为实施这一决策的首选地区。沿海发达地区的棉纺织业向技术、资金密集型行业转移,逐步实现产业的升级换代。

(三)中国棉纺织工业的地区

棉纺织工业布局深受消费因素、原料因素和劳动力因素的影响,其中消费因素是影响布局的主导因素。因此,中国棉纺织工业分布广泛,相对集中,主要集中于长城以南、南岭以北、贺兰山和横断山以东的地区。这里既是主要产棉区,又是人口集中地区,拥有广阔的消费市场和丰富的劳动力资源,具有发展棉纺生产的良好条件。随着"东锭西移"战略的实施,新疆的棉纺能力不断提高,将在21世纪成为新的大型棉纺基地。

表3-3　　　　　　　　中国主要棉纱、布生产省市区的棉纱及布产量

省市区名称	纱产量(万吨)	布产量(亿米)	省市区名称	纱产量(万吨)	布产量(亿米)
江苏	382	95	浙江	115	143
山东	475	113	福建	100	21
湖北	107	35	河北	86	40
河南	186	35			

资料来源:根据《中国统计年鉴·2006年》有关资料整理而成。

从省区看，全国除西藏外，各省、市、自治区都有棉纺织工业。中国主要棉纱、布生产省区的棉纱及布产量见表3-3。

从棉织工业中心看，主要有上海、天津、武汉、石家庄、青岛、无锡、南通、郑州、北京、西安、咸阳、邯郸、济南、重庆、广州、大连、宁波、苏州、常州、南京、乌鲁木齐等地。上海在中国近代棉纺业发展过程曾经起过重要作用，占有重要地位，进入20世纪90年代，随着产业结构调整，其在中国棉纺业中数量地位逐渐降低，1999年纱产量为12.57万吨，布产量2.94亿米。在21世纪将主要凭质量优势取胜。

东部地区，尤其是东部沿海地区，棉纺生产历史悠久，拥有一批技术熟练的工人，设备较先进，生产管理水平也较高，是优质绵纺织品生产基础。这里的上海、无锡、常州、青岛、武汉、石家庄、沙市、广州、天津等地，都是著名的高档棉布生产中心。

中国棉纺织业地区分布见图3-2。

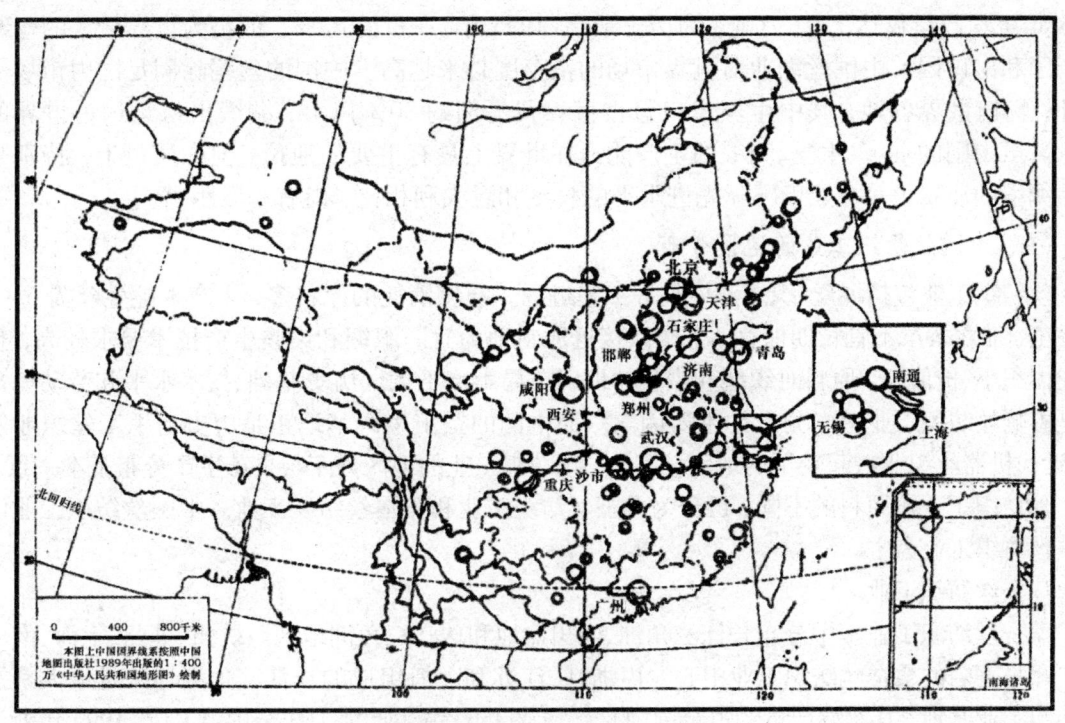

图3-2 中国棉纺织工业分布示意图

二、丝纺织工业

（一）世界丝纺织业概况

丝纺织工业是以蚕丝为主要原料，生产高级纺织品的纺织行业。目前世界每年丝织品的产量约20亿平方米。丝织工业由于受生产工艺、原料和消费习惯的制约，长期以来，中国、印度、日本、朝鲜是传统的丝绸生产大国。生产丝绸除满足国内市场需要外，每年大量出口。近年来，意大利、法国和日本等发达国家利用其强大科技力量，出口生丝或丝绸加工附加价值较高的成品绸，逐步发展为重要的高档成品绸生产国。

(二) 中国丝纺织工业的发展

中国是世界上最早生产丝绸的国家。早在4000多年前的新石器时代，就开始出现养蚕和织绸。西汉时期，中国的丝绸产品已通过"丝绸之路"源源不断地输往欧亚各国。自唐宋以来直到20世纪初期，中国丝绸产品一直独占世界市场。19世纪中叶开始了机器丝织业，上海、无锡、苏州、杭州、顺德和广州等地相继成为近代缫丝和织绸工业中心。20世纪以来，由于帝国主义侵略和国际市场的变化，中国的丝绸工业一落千丈，到1949年生丝产量不到2000吨，绸缎仅5000万米。

新中国成立后，丝绸生产得到了迅速恢复和发展。丝绸产品的产量成倍增长，质量稳步上升，地区分布日趋合理，已形成了一个包括养蚕、缫丝、绢纺、织绸、印染、丝绸机械等行业的完整丝绸工业体系。丝纺织工业规模次于棉纺织工业，为第二大纺织工业部门。目前中国已具有年产12万吨的生丝加工能力，已超过全世界的消费需求。由于受国际丝绸市场影响，1998年生丝产量仅达7.02万吨，为历史最高(1995年)产量的62%，但仍为世界最大的丝绸生产国和出口国。中国丝绸业对世界市场的依存度越来越高。中国的丝绸除满足国内市场需要外，畅销世界各地，其中生丝出口量占世界贸易额的80%以上，绸缎出口量约占世界的40%。虽中国的蚕茧、生丝、绸缎的生产能力在世界上具有重要的地位，但在质量上，特别是成品绸缎的质量上，与处于国际先进水平的日本和意大利相比，尚有一段距离。

(三) 中国丝纺织工业的地区分布

丝纺织工业包括缫丝、织绸和染整等工艺过程。缫丝消耗的原料多，生产1吨生丝需6~7吨蚕茧，加之蚕茧不宜长期保存，生产以接近原料地为宜。织绸和染整生产技术要求较高，且生丝体积小、价值高，原料对织绸和染整的地区布局影响不大。历史基础、技术水平和劳动力素质是影响丝纺织工业生产分布的主要因素。而中国的蚕茧生产基地正是历史上手工丝织业发达、近代机器丝织业兴起较早的地区。因此，丝纺织工业的地区分布与蚕茧生产分布基本一致。

丝纺织工业按原料的不同，可分为桑蚕丝纺织工业和柞蚕丝纺织工业。中国丝纺织工业以桑蚕丝纺织工业为主。

1.蚕丝纺织工业

桑蚕丝纺织工业集中分布长江三角洲、四川盆地和珠江三角洲地区。杭州、苏州、上海、南充和广州是著名的桑蚕丝纺织工业中心。由浙江、江苏和上海组成的长江三角洲地区是最大桑蚕丝纺织工业基地，其丝绸产量约占全国的1/3。浙江的丝绸生产能力居全国第1位，1999年浙江生丝产量为3.26万吨，占全国46%左右。主要生产中心有杭州、湖州、嘉兴、海宁和德清等地。杭州是著名的丝绸城市，与湖州和苏州并称"三大绸市"，出产杭纺、双绉、织锦缎、丝绸被面等各类丝绸产品。湖州以出产生丝和真丝绫驰名中外。嘉兴是最大的绢纺工业中心。江苏的丝纺织工业规模以苏州为最大，宋锦和塔夫绸为其传统名产。此外，无锡、常州、镇江、南京、扬州也是重要的丝织工业中心。上海的丝绸生产以织绸和印染为主，其原料依赖于浙江、江苏和四川等地，主要依靠强大的技术力量生产高档丝绸产品。

四川的缫丝能力大于织绸能力，织绸能力又大于印染能力，每年有大量的生丝和坯绸外调。主要的丝织工业中心有南充、阆中、成都和遂宁等。南充是四川省最大的丝纺织工业中心，以生产爱司缎、乔其纱等高级丝织品。重庆也是重要的丝纺织工业中心，"巴缎蜀绵"自古有名。

珠江三角洲的丝纺织工业中心主要有广州、佛山、顺德、中山等地，以生产纱绸为主，传统的名产有香云纱和莨绸等。

2.柞蚕丝纺织工业

柞丝绸质地厚实、穿着舒适，是一种深受人们喜爱的丝织品。中国是世界最大的柞丝绸生产国，生产集中分布于辽东丘陵、山东丘陵和豫西丘陵。

山东、辽宁和河南是重要的柞丝绸生产省。以山东规模为最大，其产量占全国总产量的1/2以上。著名的柞蚕丝纺织工业中心有丹东、本溪、凤城、盖平、烟台、青岛、南阳、平顶山等。一直以来，丹东是著名的柞蚕丝纺织工业基地，所产的"鸭绿江绸"驰名中外。

三、毛纺织工业

(一)世界毛纺织业概况

呢绒是以天然毛纤维或仿毛化纤为主要原料生产的织物。世界毛纺工业主要集中在欧洲发达国家。其生产历史悠久，工艺先进，产品亦符合当地民族服饰习惯。世界毛纺织品主要生产国有俄罗斯、意大利、德国、中国、日本、印度及东欧各国。英国的毛纺织品则以质优著称于世。

(二)中国毛纺织品生产的发展

中国机织呢绒生产起始于1876年。当时，左宗棠在兰州创办了"甘肃织呢总局"。旧中国毛纺织业发展缓慢，到1949年呢绒产量只有544万米，产值在纺织工业中的比重不足3%。在地区分布上，又主要集中在东部沿海地区。仅上海一地就拥有占全国73.5%的毛纺织设备。

新中国成立后，毛纺织工业迅速发展，已形成了一个包括粗纺、精纺、绒线、毛毯、长毛绒、工业用呢等十大类产品的毛纺织工业体系，原料基本立足国内。1999年呢绒产量已达2.73亿米，居世界第2位。现在，中国不仅能生产普通毛纺织品，而且能生产高档毛纺织品和兔毛羊绒、化纤与羊毛混纺产品。产品除满足国内需要外，不少毛纺织品还远销国际市场。毛纺织工业的地区分布也日趋合理。

(三)中国毛纺织品生产的地区分布

毛纺织工艺可分为洗毛、织造和染整等环节。洗毛生产失重大，生产1吨净毛需2吨左右的原毛，因此，洗毛厂一般布局在原毛产地。由于纺织和染整工艺基本不失重，从更好地满足市场需要、生产适销对路产品的角度出发，生产分布以接近消费地为宜。在技术力量强、协作条件好的大中城市，可利用技术优势和市场优势，建立较大规模的毛纺织工业。

中国毛纺织工业地域分布广泛。除海南外，全国各省、市、自治区都发展了毛纺织业。尤以东部沿海地区和西北羊毛产地最为集中。

东部沿海地区凭借其历史基础、技术优势和广阔的消费市场，发展了最为发达的毛纺业，成为最主要的毛纺织工业基地，其呢绒和毛线产量占全国3/4以上。中国年产呢绒1000万千米以上的10个省、市、区中，有8个是在东部沿海地区。它们是江苏、上海、浙江、河北、山东、辽宁、北京和天津。东部沿海地区生产的毛纺织品除满足当地需要外，畅销国内外市场。江苏省的毛纺织极其发达，其呢绒的产量约占全国总产量的1/3，为最大的毛纺织品生产省，其主要的毛纺织工业中心有无锡、南京、常州、江阴等地。江阴的阳光集团生产的毛纺织品质量优越，深受消费者的喜爱。上海也是著名的毛纺织工业中心，其产品的质量居全国领先地位。浙江毛纺织工业的规模仅次于江苏和上海，主要的生产基地有嘉兴、杭州和桐乡等。此外，东部沿海地区重要的毛纺织工业中心有北京、天津、济南、青岛、保定、沈阳、抚顺、丹东、广州、淄博、烟台等。

西部地区利用原料优势,发展了较为发达的毛纺织业,尤以新疆和内蒙古最为突出。西部地区主要的毛纺织工业中心有乌鲁木齐、石河子、伊宁、呼和浩特、通辽、赤峰、海拉尔、咸阳、南宁、兰州、天水、银川和林芝等。

中部地区既无原料优势,又无技术优势,建立的毛纺织业大多以满足当地市场需要为主,规模不大。中部地区的主要毛纺织工业中心有开封、吉林、哈尔滨、太原、武汉、重庆、长沙、衡阳、蚌埠和襄樊等。

四、化学纤维工业

(一)世界化纤业概况

化学纤维工业是一个重要的纺织原料工业部门。化学纤维的生产基本不受自然条件的影响,产量稳定,原料来源广泛,无需占用大量的耕地;另一方面化学纤维里有天然纤维所不具备的耐磨、耐酸碱、不蛀、不霉等优良性能。过去,纺织工业以天然纤维为主要原料,自从化学纤维问世以来,品种不断增多,为纺织工业开辟了新的原料来源,使纺织工业的生产技术和生产品种发生了巨大的变化,如今,世界新用的纺织纤维中,化纤约占50%。

化学纤维主要有人造纤维和合成纤维两大类。目前,世界以生产合成纤维为主。世界化纤产量约为2000多万吨,美国、中国、日本、德国和韩国等是世界主要的化学纤维生产国。

(二)中国化纤工业的发展

中国人口多,耕地少,化纤原料丰富,因此大力发展化纤工业对中国纺织工业的发展具有重要的现实意义。

化纤工业基本上是新中国成立后发展起来的。旧中国只有丹东和上海两个化纤厂,年产化纤仅几百吨。新中国成立后,尤其是1978年以后,化纤生产发展迅速。到2000年,中国的化纤产量已达471.62万吨,仅次于美国,居世界第2位。2006年化纤产量达2073万吨。

(三)中国化纤工业的地区分布

中国化纤生产分布广泛,除青海和西藏外,全国各省、市、自治区都有化纤生产,尤以江苏、浙江、上海、山东、福建和辽宁等省市的规模为最大,年产化纤均在50万吨以上。浙江是中国最大的化纤生产基地,2006年产量达827万余吨,占全国总产量的40%。

中国化纤生产以合成纤维为主。合成纤维产量约占化纤总产量的85%以上。在合成纤维中又以涤纶最为重要,其产量约占合成纤维总产量的1/2。

合成纤维生产主要集中分布在天然纺织纤维原料紧张,但水运便捷的沿海和沿江地区。仪征、上海、辽阳、天津、北京、新会、长寿和兰州等地,是著名的合成纤维生产基地。江苏仪征是一个以石油为原料主要生产涤纶纤维的化纤中心。仪征化纤联合公司是中国规模最大的现代化化纤企业,也是世界第四大化纤企业。上海是中国第二大合成纤维生产中心,以金山石油化工总公司为骨干企业。辽阳是一个以石脑油为原料,生产涤纶和锦纶的大型化纤中心。四川长寿是以天然气为原料生产维尼纶的大型化纤工业中心。广东的新会采取引进资金、设备、技术,发展化纤进口替代产品,主要生产涤纶,也生产锦纶,为最大的锦纶生产中心。

人造纤维生产企业一般建在天然纤维素原料丰富的地区。人造纤维原料来源广泛,人造纤维生产地域分布广,遍布全国大多数省、市、自治区。丹东、吉林、杭州、余姚、南京、上海、新乡和保定等地是主要的人造纤维生产中心。

五、服装工业

(一)世界服装业概况

服装是纺织工业的最终产品。它既是人类赖于生存的基本生活用品,也是一个国家和民族的传统、文化素质及精神面貌的反映,更是人民生活水平的重要标志。

自 1990 年起,世界服装出口总值已超过纺织品出口总值,成为世界纺织品贸易的主体。

由于各国经济发展上的差距,在世界范围内织物和服装生产已形成了在纺纱织布、染印整理、款式设计、缝制成衣的 4 个阶段中,发展中国家占两头,发达国家居中间的国际化分工,这种局面在短期内还不会发生大的变化。

目前世界成衣出口市场可分三个层次:一是欧盟、日本等发达国家,以生产高档成衣为主;二是韩国、台湾、香港地区等亚洲出口市场,原以产廉价成衣起家,现致力于提高产品档次,以生产中档成衣为主;再就是中国、印度、巴西、越南等发展中国家,以生产低档产品为主。

目前,世界服装市场已形成了西欧、北美、日本和东南亚四大市场称雄的局面,其中西欧是进出口并重的第一大地区,北美、日本市场以进口为主,东南亚市场以出口为主。自 1994 年起,中国已成为世界第一大服装出口国,但中国服装出口的换汇率较低。中国服装出口要改变目前缺乏统一规划和控制、廉价竞争的不利局面,首先必须改变服装设计与生产脱节,生产与贸易脱节,面料开发与成衣生产脱节的落后状况。

(二)中国服装工业的发展

服装工业是中国的传统产业。旧中国的服装业极其落后,大多为手工制衣作坊,只在上海、青岛、广州等沿海城市有少量的洋服店。新中国成立,服装工业发展较快,并在 60～70 年代打下规模生产的基础。但由于技术落后、设备陈旧等原因,发展一直缓慢。改革开放以来,特别是近十年来,服装工业通过调整、改造、提高,摆脱了落后局面,已由生产型和内向型向生产经营型和外向出口型转变,目前正走向国际加工和自主设计生产并重的发展阶段。

中国是世界第一大服装生产国,也是世界最大的服装出口国和消费国。纺织品和服装已成为国内出口创汇重要产业之一。随着人民生活水平的提高,服装零售额持续增长。

中国服装业生产规模居世界第一。但服装工业整体水平目前基本处于劳动密集型产业阶段,而发达国家服装工业已进入向技术、资金密集型转化的新时期,并占领了大部分高档产品市场。中国和意大利为服装出口大国,但意大利服装换汇额每吨比中国高 5 倍多。因此,迈向新世纪的服装工业必须实行战略转移,即从量的扩张进入质的飞跃。

(三)中国服装工业的地区分布

中国服装生产地区分布广泛,遍及全国所有省、市和自治区。东部沿海地区,不仅服装产量大,而且式样新、质量好。主要服装生产省市有广东、浙江、江苏、山东、上海、北京、天津和辽宁等。这 8 个省市的服装产量合计约占全国总产量的 3/4。

上海一直是全国最大的服装生产中心,其生产历史悠久,名牌产品众多,服装产值约占全国总产量的 1/8。近年来受国际服装流行款式的影响,国内服装的流行趋势呈现出由南向北推进的特点,广州独得地利,在全国服装业中地位日益重要,已成为著名的时装生产中心。除上海和广州外,北京、天津、大连、石狮(福建)、青岛、深圳、汕头、武汉、宁波、珠海、哈尔滨、南京和成都等地也是重要的大型服装产销中心。

第四节 家用电器工业

家用电器是指供家庭使用的各种电器产品，其门类繁多，新产品层出不穷。这里我们仅对电视机、电冰箱、洗衣机和个人计算机等主要的家用电器工业作简单的介绍。

一、电视机工业

(一)世界电视机工业概况

在世界消费类电子产品中，电视机一直居重要地位。1997年世界电视机总产量为13714万台。中国、美国、韩国、马来西亚、巴西和日本是目前世界上电视机产量最多的国家，见表3-4。

表3-4　　　　　　　　部分国家电视机产量　　　　　　　　单位:万台

国家名称	产量	国家名称	产量
中　国	3637	日　本	756
韩　国	1872	西班牙	539
美　国	1144	新加坡	304
马来西亚	890	英　国	302
巴　西	864	土耳其	251

资料来源:根据《中国统计年鉴·2000年》有关资料整理而成。

虽然许多发展中国家已成为电视机生产大国，但电视机生产的关键技术大多控制在发达国家手中。日本、德国和美国是世界电视机生产强国。

(二)中国电视机工业的发展

中国的电视机工业是新中国成立后发展起来的。1958年上海试制成功第一台黑白电视机。中共十一届三中全会以后，电视机生产迅速发展，1985年中国黑白电视机产量突破了1000万台，一跃成为世界5大电视机生产国之一。进入上世纪90年代后，彩色电视机已成为中国电视机市场的主导产品。2006年彩色电视机产量为8375万台，居世界第1位。经过数十年的发展，中国电视机工业已经成为技术稳定、成本较低、国内市场竞争激烈、在国际市场上具备一定竞争力的一个重要产业。

(三)中国电视机工业的地区分布

电视机工业地域分布广泛，除少数省、区外，全国各省、市、自治区都有生产。主要集中分布于广东、山东、四川、福建、安徽、内蒙古、辽宁、上海、江苏等地，这9个省市2006年彩色电视机的产量均在200万台以上，合计产量占全国总产量的90%以上。

广东是最大的电视机生产省，电视机产量约占全国总产量的1/2，所产的康佳(深圳)、TCL(惠州)和乐华(广州)电视机为国内著名的名牌商品。山东省的电视机产量仅次于广东，居第2位，2006年彩色电视机产量达890万台。江苏省也是重要的电视机生产省，以南京(熊猫牌)为最大产地。上海曾是中国最大的电视机生产中心，所产的飞跃、金星、凯歌电视机质量稳定，深受消费者欢迎，近年产量有所下降，2006年彩色电视机产量为252万台。此外，天津(北京、长城)、厦门(厦华)、福州(福日)、青岛(海信)等都曾是重要的电视机生产基地。目前市场上销售的彩色电视机品牌中，长虹、康佳、TCL和海信四个品牌的彩色电视机销量占市场总销量的2/3。

二、电冰箱工业

(一)世界电冰箱工业概况

发达国家和地区的电冰箱普及率已高达90%以上。近年来世界电冰箱的总产量基本稳定在4000万台，年国际贸易量1000万台左右。西欧电冰箱进口量约占世界总量的50%，美洲占15%，东欧占10%，东南亚占5%，其他地区占20%。

虽然发展中国家电冰箱在20世纪90年代发展迅速，但关键生产技术仍由日本、意大利、德国、美国等发达国家控制着。因此，不少国家虽然发展成为电冰箱生产大国，但其产品的档次、质量与发达国家相比差距较大。

(二)中国电冰箱工业的发展

中国电冰箱工业起步于20世纪50年代中期。从1954年沈阳医疗器械厂试制出中国第一台电冰箱开始，到1977年全国累计生产冰箱15万台。这一时期的电冰箱主要供社会集团使用。改革开放以来，电冰箱行业得到了突飞猛进的发展。电冰箱产量由1978年的2.8万台猛增到2006年的3560万台。经过数十年的发展，电冰箱已形成一个独立的工业生产体系，远远超过市场的实际需求。今后，中国电冰箱生产将向大型化、小型化、多门多温区化、低噪化和无氟化方向发展。

(三)中国电冰箱工业的地区分布

中国电冰箱生产的分布偏集于东部地区。山东、安徽、江苏、浙江、广东等省的电冰箱年产量均在300万台以上。山东是第一大电冰箱生产省，2006年生产电冰箱1064万台，以青岛(海尔)为主要生产基础。安徽是第二大电冰箱生产省，以合肥(美菱)为最主要产地。此外，重要的电冰箱产地还有新乡(新飞)、宝鸡(长岭)、上海(上菱)、杭州(华日、西泠)、南京(伯乐、扬子)、长沙(中意)、吉林(吉诺尔)等。

三、洗衣机工业

(一)世界洗衣机工业概况

洗衣机按其结构和工作方式，可分为滚筒式、波轮式、搅拌式、喷流式、喷射式、振动式六大类。其中生产较多且在中国流行的是滚筒式、波轮式两种。搅拌式洗衣机在美国有较多生产。德国、荷兰、意大利等欧洲国家是世界滚筒式洗衣机的主要产地，德国的"西门子"和荷兰的"菲利浦"是滚筒式洗衣机的著名品牌。日本和中国则以生产波轮式洗衣机为主，日本的"松下"、"日立"、"东芝"和中国的"小天鹅"、"海尔"、"小鸭"等为著名品牌。

(二)中国洗衣机工业的发展

中国家用洗衣机工业起步于20世纪60年代，到1978年产量只有400台。洗衣机可大大减轻家务劳动负担。80年代，随着人民生活水平的迅速提高，家用洗衣机工业发展十分迅速，1988年产量达到1046.8万台，初步建立起一个能生产包括单缸、双缸、半自动、全自动等各种规格在内的波轮式洗衣机生产体系,并开始试制滚筒式和模糊型洗衣机。90年代以后,洗衣机生产进入了以提高质量和增加花色品种为目标的发展阶段,较大规模地发展了滚筒式和模糊型洗衣机的生产。2006年洗衣机产量为3561万台。

(三)中国洗衣机工业的地区分布

中国洗衣机工业集中分布于东部地区,尤其是东部沿海地区。浙江、江苏、安徽、山东、上海是中国主要的洗衣机生产地,年产洗衣机均在300万台以上,合计产量占全国总产量的3/4以上。济南、合肥、广州、中山、江门、无锡、杭州和上海是著名的洗衣机生产中心,它们生产的小鸭·圣吉奥、荣事达、威格玛、威力、金羚、小天鹅、金鱼及水仙洗衣机质量稳定,造型美观,为市场畅销产品。天津(天洋)、长治(海棠)、宝鸡(双鸥)等地都曾是重要的洗衣机生产中心。

四、计算机

(一)世界个人计算机业概况

计算机俗称电脑,它是人类制造出来的信息加工工具。自1946年美国制成了世界上第一台电子数字计算机以来,世界进入了一个计算机科学技术的新纪元。

随着微电子技术的发展,集成电路的出现,微型计算机应运而生,并在70~80年代得以迅速发展。特别是IBM(国际商用机器公司)个人计算机(PC机)的推出,以及随之而来的计算机网络技术和多媒体技术应用的日益普及,大大拓宽了计算机的应用领域,使计算机技术成为一种既代表国家现代化水平又与人民生活息息相关的高新技术。

目前世界上最先进的计算机技术基本上为美国所控制,计算机硬件和软件的产量也以美国最多。美国的IBM是世界最大的电脑和办公设备公司,素有世界电脑工业"蓝色巨人"之称。除美国外,日本、德国、英国、法国等发达国家有较强实力,韩国和中国的台湾省也是世界重要的计算机零部件和整机的重要产地。尤其是台湾作为全球最大的计算机OEM(设备原产者)基地,在世界计算机业中起着举足轻重的作用。

个人计算机是计算机的主流机种。据统计,近年个人计算机销量上升幅度惊人。1993年世界个人计算机销量为3870万台,到1995年已增至5970万台(其中多媒体机约占30%),销售金额为1160亿美元。美国是世界最大的个人计算机生产国和消费国,世界销量最大的5个电脑公司有4个是美国公司,它们分别是国际商用机器公司(IBM)、苹果(Apple)、派克贝尔(PackardBell)。此外,AST、惠普(HP)和戴尔(Dell)等也较为著名。

日本个人计算机产量居世界第2位。NEC、东芝、日立、富士通是日本著名的四大电脑公司,以NEC规模最大。

除上述电脑巨头外,世界著名的电脑公司还有德国的西门子、汉高,荷兰的菲利浦,加拿大的北方电讯,英国的BOC、韩国的三星和台湾的宏基等。

便携式电脑又称笔记本电脑,由于其功能的不断扩展正日益受到市场的关注。世界三大便携式电脑公司为东芝、康柏和IBM。台湾也是笔记本电脑的主产地,产量约占世界生产总量的1/4左右,只是台湾产品多数用美国、日本的品牌。

美国的IBM和Microsoft(微软)公司是世界计算机软件业的巨人。

(二)中国个人计算机工业的发展

中国的电子计算机研制始于1958年,在1958~1959年先后研制成小型和大型电子管计算机。60年代后期,开始研制集成电路计算机,到70年代,若干部每秒百万次以上的大型集成电路计算机相继研制成功。80年代以后重点研制微型计算机,并逐渐推广应用,同时大型及巨型机技术也取得了重大进展。

进入90年代后,中国计算机工业产业规模迅速扩大,1990年,计算机产业产值规模仅有50亿元,到1997年全国计算机产值规模已高达1350亿元,年平均增长速度达60%。在产业规模扩大的同时,中国计算机技术与国外的差距也明显缩小。"七五"期间,国产微机比国际同类产品推出的时间落后三年;"八五"中期推出386微机,与国外相差一年;到"八五"末期"奔腾"机推出时,与国外只差3个月。2006年微型电子计算机产量9336万部。

"九五"期间,计算机工业被列为国家重点发展的产业。21世纪中国已成为世界主要的计算机生产国之一和最大的计算机市场。

(三)中国计算机生产的地区分布

中国计算机工业地区分布集中于沿海各省市和内陆的四川、陕西和贵州等地,以深圳和北京规模为最大。深圳目前拥有计算机及相关企业1000余家,其桌面计算机、硬盘驱动器、硬盘磁头、软磁盘产量分别占全国同类产品的40%、95%、90%和40%。

北京拥有国内最强的科研开发力量,发展计算机产业条件优越。中国著名的计算机企业联想、长城、北大方正等公司总部均设在北京。

目前较有影响的计算机公司有:联想计算机集团公司、中国长城计算机集团公司、北大方正集团公司、同创信息产业集团、得实发展集团、彩虹电子集团公司、浪潮电子信息产业集团公司、北京希望高科技集团公司、清华紫光集团、长江计算机集团公司、潍坊华光电子集团公司、常州国光电子总公司、北佳信息技术公司、康拓公司、华远自动化系统公司、华远创意新技术公司、中国教育电子公司、湖南计算机厂、东北大学软件中心和联邦软件发展公司等30余家。

联想集团有国内最大的微机板卡生产基地,在国外设有20多个分公司,是中国计算机行业中最大的企业集团,1996年联想集团的销售收入达到77亿元,列中国电子百强第2位。

北大方正集团拥有世界上最先进的中文电子出版系统的开发、生产技术,是世界上最大的中文电子出版系统专业公司。

同创集团1995年下半年与美国Intel公司合作生产同创牌奔腾PC,目前每月微机生产能力逾万台,已成为中国最大的奔腾机生产基地。

中国目前软件产业有企业逾千家,绝大部分是小型企业。软件企业在国内已形成较广泛的分布,但以北京、上海、深圳、沈阳及沿海发达城市中数量较多。其中上海和珠海已被国家确定作为软件产业的两大基地,将建成最重要的两个软件园区。

中国计算机软件与技术服务公司、深圳新欣公司、用友、阿尔派、新大地、方正、华光等公司是中国著名的计算机软件销售大户。

第五节　造纸工业

一、世界纸张产销概况

造纸工业是以植物纤维为原料，制成各种纸浆和纸张的工业部门。纸张是科学文化和教育事业的必需品，也是不少工业部门的重要原料。纸张的生产量和消费量的大小是衡量一个国家文化教育事业和经济发展水平的重要标志之一。

目前世界纸张产量和消费量均以发达国家为主。1998年世界新闻纸产量达3630余万吨。世界纸张生产主要集中在发达国家，尤其是新闻纸生产，加拿大、美国、日本、瑞典、韩国、德国、芬兰、俄罗斯、挪威和法国等国家是世界著名的新闻纸生产国。中国和印度是发展中国家中的纸张生产大国。

二、中国纸张生产的发展

造纸术是中国古代的四大发明之一。远在东汉时期，中国就有了手工造纸业。唐代是造纸业兴盛时期，手工造纸遍布全国各地。中国机器造纸起步较晚，发展慢。欧洲于1799年发明了造纸机，中国在1881年才有外商在上海兴建华伦造纸厂。到1949年，全国机制纸及纸板产量仅10.8万吨，生产二三十种普通印刷、书写、生活和包装用纸。造纸工业偏集于东部沿海的上海、江苏、浙江、辽宁和天津等少数城市。

新中国成立后，造纸工业被列为轻工业的重点发展部门之一，发展速度较快。1999年中国机制纸及纸板产量达到2159万吨，仅次于美国、日本、加拿大，居世界第4位。2006年产量达6863万吨，纸张的品种已增加到400多种，包括生活、文化、出版、工业、建筑、包装等方面用纸，基本上适应了国民经济建设的需要。造纸工业的布局也有了较大的改善，在原料产地新建和扩建了一批大中型企业。

中国造纸工业虽发展较快，但在人均产量和技术等方面仍落后于世界先进水平。加之经济和科技文教事业的蓬勃发展，纸张，特别是高级纸张的生产远不能满足需要，每年需进口部分纸张和纸浆。今后，应大力发展造纸工业，增加纸张的产量，调整原料结构，逐步改变以草类纤维为主的原料结构，以提高纸张的质量。此外，还须加强管理，改善生产工艺，使造纸工业在飞跃发展的同时，减少对环境的污染。

三、中国纸张工业的地区分布

造纸工业需要的原料多，平均每生产1吨纸张需用木材5立方米或3~4吨竹子、蔗渣，而且造纸原料体积大，笨重价廉，不宜长距离运输，其生产布局趋向原料地。造纸工业所需的燃料和辅助原料也较多，耗水量大。因此，原料充足、交通方便和水源充足的地区是造纸工业理想的布局地点。同时，由于纸浆可浓缩，每生产1吨纸张只需1.3~1.5吨纸浆，在消费地建立造纸企业，便于吸收各地分散纸浆集中发展纸张的生产，以获取规模效益。消费地有大量废纸、废棉、废布和废木材可回收制造纸浆，在一定意义上，接近消费地即接近原料地。

中国植物纤维资源丰富，造纸原料来源广泛，为造纸工业普遍发展提供了条件。全国除西藏外，各省、市、自治区都有机制纸生产。其中山东、浙江、广东、河南、江苏纸张产量较大，

2006年年产纸张在700万吨以上,为主要的纸张生产省区。

沿海地区造纸工业发展历史悠久,造纸原料丰富多样,纸张消费量大,造纸工业规模也大。主要的造纸工业中心有上海、天津、芜湖、镇江、嘉兴、南平、北京、保定、广州、江门等。上海利用其技术优势发展成为高级纸张生产中心,其原料主要依靠外来纸浆和"四废"。南平和广州利用竹木和蔗渣资源,发展了新闻纸生产。宁波是中国目前最大的白纸板生产基地。

东北地区木材和芦苇资源丰富,具有发展造纸工业的良好条件,曾是重要的造纸工业基地。目前纸张的产量约占全国总产量的7%。大型的造纸工业基地有吉林、图们、开山屯、石岘、白城、佳木斯、齐齐哈尔、锦州、营口、沈阳、丹东和抚顺等。东北地区在新闻纸的生产中具有十分重要的地位,生产的新闻纸除满足本地需要外,尚有余可运销其他地区。吉林、石岘、开山屯是著名的新闻纸生产中心。中国内陆地区的造纸工业近几年取得了很大的发展。河南省2006年纸张产量达822万吨,居全国第4位。内陆地区的造纸工业中心主要有宜宾、重庆、武汉、岳阳、咸阳、宝鸡、郑州、太原等。

中国造纸工业地区分布见图3-3。

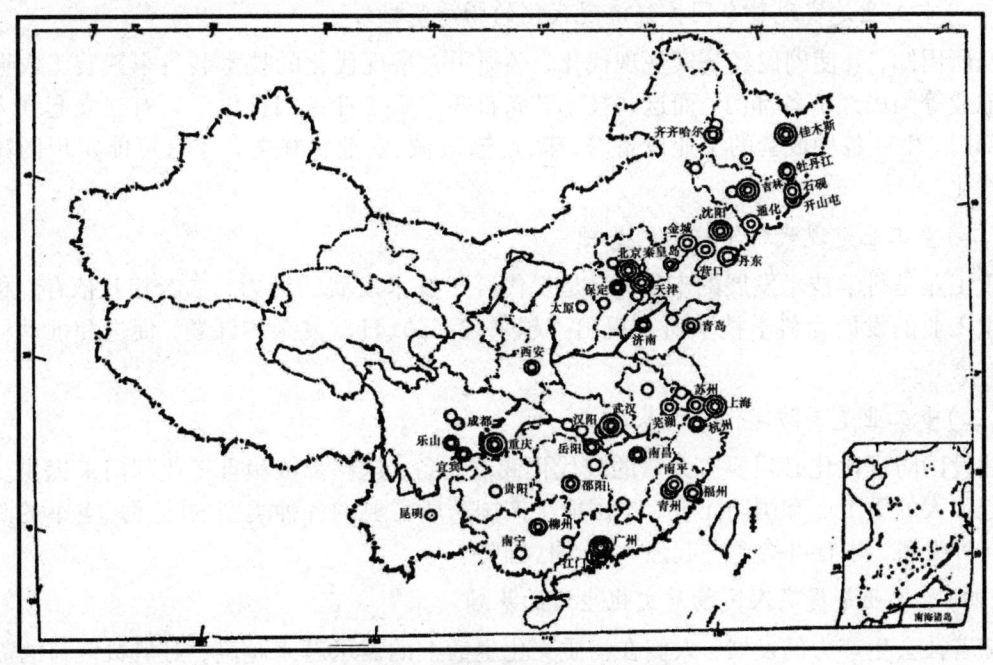

图3-3 中国造纸工业分布示意图

◇◆ 复习思考题

1. 举例说明轻工业布局类型。
2. 概述中国制茶工业的地区分布。
3. 分析中国棉纺织工业的地区分布形成。
4. 从世界服装业发展看中国服装工业发展与布局前景。
5. 某地贸易机构欲组织一批电视机、洗衣机、电冰箱、纸张、酒类、糖等货源,问分别从哪些地区为目标采购地较为合理?
6. 概述中国个人计算机业发展与分布。

第四章 重工业地理

第一节 概 述

一、重工业在国民经济中的地位

重工业是为国民经济提供生产资料的经济部门,在工业乃至整个国民经济发展中起着主导作用。

(一)重工业是实现整个国民经济现代化的物质基础

众所周知,要使国民经济实现现代化,必须用大量现代化的技术装备来武装工农业和交通运输业等国民经济各部门,而这些技术装备都需要重工业部门提供。只有建立起强大的重工业部门,生产各种成套的工业设备、机床、运输机械、农业机械等,才有可能实现国民经济的现代化。

(二)重工业是现代科学技术的基础

重工业是科学技术发展的产物,又是现代科学技术发展的动力,二者相互依存,相互促进。重工业的发展为科学技术研究提出了越来越多的、日益复杂的课题,促进和推动科学技术的发展。

(三)重工业是国防现代化的基础

建设国防现代化必须要有大量的现代化武器装备,这些都依赖重工业部门来提供。只有建立起强大的重工业和国防工业,本国能生产国防所需要的各种类型的陆、海、空军的武器装备和各种设备,才有可能建立起强大的现代国防。

(四)重工业是提高人民物质文化生活的基础

随着社会生产力的发展,人们在物质文化生活上的需求越来越高,对消费资料的需求量越来越大。而消费资料的生产又离不开重工业为其提供生产设备和物质支持。

二、重工业生产布局的特点

(一)受原料、燃料因素限制大

许多重工业部门生产过程中需消耗大量原料、燃料,其地区分布受原料、燃料因素限制大,这就决定了重工业生产需布局在接近原料、燃料产地或便于原料、燃料及产品运输的交通枢纽地区。

(二)受社会经济条件和技术条件影响大

重工业部门一般需要大量投资,且要求较高的生产技术水平和较好的生产协作条件,多数部门适合进行大规模的专业化生产,要求集中布点,相关企业成组布局,追求规模效益。

因此，重工业布局受社会经济条件和技术条件影响大，多数企业适宜布局在各方面条件较好的大中城市。

(三)重工业应布局在有利于环境保护的地区

与其他生产部门相比较，重工业部门的生产过程对环境的污染一般较大，如化工、冶金、能源等企业，其生产过程中往往排放出污染性的气体、液体、固体物质等，造成环境污染。为减小重工业生产对环境的污染程度，重工业部门除在生产工艺方面应做出努力外，还应在布局上予以重视，如污染较重的企业应尽可能远离城市中心或布置在城市的下风向地区等。

三、中国重工业在世界上的地位

旧中国从19世纪60年代才有民族工业。到新中国成立前，近代工业总产值仅占工农业总产值的17%，用近百年的时间，仅积累起100多亿元的工业固定资产，工业在国民经济中的比重很低，且以轻工业为主。1949年的全部工业产值中，重工业只占26.4%，且部门残缺不全，发展落后，基础薄弱。

新中国成立后，重工业得到了迅速发展，逐步形成门类齐全、科学合理的重工业生产体系，重工业产品产量大幅度增长，生产布局显著改善。中国重工业已在世界工业中占据重要地位。2006年中国的煤炭产量达23.73亿吨、钢产量41915万吨、化肥产量达5345万吨、水泥产量12.37亿吨，均居世界第1位；发电量居世界第2位；原油产量居世界第6位。

第二节 能源工业

一、世界能源工业概况

(一)能源及能源分类

能源是指可以提供能量的物质和自然过程，包括煤炭、石油、天然气、风、流水、海流、波浪及草木燃料等。从能源的来源来看，可分为三类：一类是来自地球以外的能量，如太阳辐射能；二类是地球本身蕴藏的能量，如原子能、地热等；三类是地球和其他天体相互作用而产生的能量，如潮汐等。这三种能源都以现成形式存在于自然界，称为"一次能源"。由一次能源直接或间接地转化为另一种形式的能源叫做"二次能源"，如电能、汽油、煤气等。

在人类历史上，能源的发展经历了三次重大变革：18世纪瓦特发明蒸汽机，以蒸汽代替人力、畜力为动力，开始了产业革命；19世纪60年代后，以电力取代蒸汽，使煤炭得以广泛应用，社会生产力有了惊人的提高；20世纪50年代以后，廉价的石油、天然气的大规模开发，世界能源结构从以煤为主转向以油、气为主，西方经济进入"黄金时代"；70年代，世界出现能源危机，使煤炭得以重新发展，并走向煤的气化、液化道路。

能源是经济发展的物质基础。能源充足，经济发展才有巨大的动力；能源短缺，则会造成巨大的经济损失。据分析，能源短缺所造成的经济损失，大约相当于能源本身价值的20~60倍。

(二)能源结构

在世界能源的生产和消费中，人们把各类能源的生产量占能源总产量的比重，称为能源生产结构或生产构成;把供给消费的各类能源占能源消费总量的比重,称为能源消费结构或消费构成。

近几十年来,随着世界各国经济的迅速发展,特别是许多国家实现现代化进程的加快,能源消费呈现很大的增长。同时,能源结构也在不断变化,主要表现为:煤炭的地位基本呈下降趋势,近年有所回升,石油微降,天然气、水电、核电一直缓增。从长远看,今后能源消费结构将从传统的矿物燃料转化为可再生能源为基础的持久能源系统。

(三)能源地区分布

受能源地域分布不均及生产力发展水平地域间不平衡等因素的影响,世界能源生产和消费,在地域分布上也是不平衡的。目前,在全世界200多个国家和地区中,有3/4能源不能自给。亚洲、非洲、拉丁美洲的发展中国家,特别是中东、北非、西非和拉丁美洲北部的石油生产国,能源丰富,而工业还不够发达,因而能源生产量大于消费量,是世界能源市场的主要供应者;在经济发达的国家中,除加拿大、英国、挪威等少数国家外,其余各国所需能源在不同程度上都依赖进口,是世界能源的主要消费者。

1. 煤炭

世界煤炭资源十分丰富,约占能源总储量的90%,按目前规模可开采300年。1997年世界煤炭产量47.64亿吨。中国、美国、印度、俄罗斯、澳大利亚、德国、南非、波兰是世界最重要的煤炭生产国。其中中国煤炭产量约占世界的30%,美国约占21%。

2. 石油

石油可燃性好、热值高、污染少、运输方便、用途广泛,因而成为世界主要能源和优质化工原料,被称为"工业的血液"。石油、天然气又是有机化工原料,特别是合成材料的重要基础,石油还是重要的战略物资,是历来工业发达国家激烈争夺的重要原料。

全球常规可采石油储量为3113亿吨,天然气资源约为328万亿立方米。世界原油探明储量为1370亿吨,其中欧佩克(OPEC)国家的探明储量占世界总量的73%,其成员国中又以中东4国(沙特阿拉伯、伊拉克、科威特、伊朗)的储量最为丰富,4国合计占世界石油资源总量的54%。除欧佩克外,俄罗斯、墨西哥、美国、中国也拥有比较丰富的石油资源。以目前石油开采速度计算,世界的探明石油资源还可开采30~40年。

1997年世界原油产量达31亿多吨。美国、沙特阿拉伯、俄罗斯、伊朗、中国、墨西哥、委内瑞拉、挪威、英国、阿联酋是世界主要石油生产国。

二、中国能源工业的发展

中国能源资源丰富,是世界能源大国之一。中国煤炭保有储量10071亿吨,居世界第1位。水力资源极为丰富,理论蕴藏量为6.8亿千瓦,可开发量3.8亿千瓦,居世界首位。石油资源地质储量为660亿吨,初步估计,居世界第7位;沿海潮汐动力资源也很丰富,居世界第4位;太阳能量居世界第2位。此外,还有丰富的风能、铀矿资源和地热资源。

中国能源资源的分布,具有相对集中、配合良好、各具优势的特点。中国华北多煤炭,东北多石油,西南多天然气和水力资源。

新中国成立以来,中国能源工业发展很快,基本形成了一个部门齐全、具有相当规模、布局比较合理的独立完整的能源工业体系。目前,中国能源生产量和消费量均居世界前列。2006年能源生产总量为221056万吨标准煤,消费总量为246270万吨标准煤,求大于供,需进口部分能源产品才能满足需要。

中国能源生产结构以煤为主,其次是石油、天然气、水电,其他能源还很少。2006年,煤炭占76.7%,石油占11.9%,水电、核电、风电占7.8%,天然气占3.5%。能源消费结构与生产结构类同,其比例为:煤炭69.4%、石油20.4%、天然气3.0%、水电、核电、风电7.2%。

尽管如此,中国能源生产仍不能满足国民经济发展的需要,能源不足,使中国工业生产能力近1/3不能充分发挥。因此,积极发展能源工业,合理利用能源资源是当务之急。

三、中国能源工业的地区分布

中国能源工业的主要部门是煤炭工业、石油工业和电力工业。在能源工业体系中,以煤炭工业为首要部门,这是中国以煤炭为主要能源资源的国情所决定的。

(一)煤炭工业

煤炭是一种笨重、价廉、消费量大、商品性强的大宗物质,极不适于长途运输。因此,接近消费区的大型煤田应优先开发。但是,由于煤田分布不均衡,长途运输煤炭仍然是许多国家和地区所不可避免的。制定合理的煤炭产销区和不断改善运输方式,已成为发展煤炭工业不可缺少的重要措施。对于远离消费区的大型煤田,也应积极创造条件逐步建设,因为它们的开发不仅可以供应缺能地区,而且还可促进新工业区的形成,这对推动工业进一步均衡布局有重要意义。中、小型煤矿也应因地制宜发展。

1. 中国煤炭资源的特点

(1)煤炭资源丰富。截止到1999年底中国已探明的煤炭储量达10071亿吨,高居世界榜首。按目前煤炭产量,中国的煤炭资源可供开采300余年,是中国可供开采年限最长的非再生性能源资源。

(2)分布广泛而又相对集中。中国煤炭资源分布遍及全国各地。在全国2000多个县(市)中,半数以上蕴藏有煤炭资源。但在分布上仍有北方多、南方少的特点。煤炭资源集中分布于华北地区,其中山西省是中国煤炭资源储量最为丰富的省份,煤炭储量占全国煤炭总储量的1/3;内蒙古、陕西、新疆、贵州、河南、河北、山东、安徽、黑龙江等省区也是中国煤炭分布集中的地区。华北地区不仅有丰富的煤炭资源,而且地理位置适中,离缺煤区较近,交通便利,这些优势使该区成为中国理想的能源基地,同时也决定了中国"北煤南运"的煤炭工业布局特点。

(3)煤种齐全,煤质优良。中国煤炭资源中动力煤、炼焦煤、化工原料煤等应有尽有,而且2/3以上是用途广、发热量高的烟煤,其中炼焦煤占1/3以上,且气、肥、焦、瘦等各种配焦煤品种齐全,为钢铁工业发展提供了良好的条件。

(4)开采条件较好。中国大多数煤炭资源埋藏浅,煤层厚度大,煤层倾角小,且埋藏地区地质构造简单,利于开采。

2. 中国煤炭工业发展概况

中国是世界上最早开采和利用煤炭的国家,距今约有2500年的历史。但由于旧中国长期的封建统治和近百年来帝国主义的侵略及掠夺,使得中国近代采煤工业发展非常缓慢,设备简陋,技术落后,产量很低。从1878年到新中国成立前的70余年间,平均年产原煤1000多万吨,1949年原煤产量为3243万吨,居世界第9位。

新中国成立50年来,中国煤炭工业得到了迅速发展,煤炭产量成十倍增长,1998年中国原煤产量为12.5亿吨,约占世界煤炭总产量的1/3,成为世界上产煤最多的国家。受供求关系等多种因素影响,1999年和2000年产量有所下降。2000年煤炭产量仅为9.98亿吨。2000年以后煤炭产量迅速增长,2006年工业煤产量为23.7亿吨。

3. 煤炭工业的地区分布

新中国成立前,中国煤炭工业布局极不平衡,偏集于沿海的辽宁、河北等少数省份。1949年沿海地区产煤量占全国煤炭总产量的80%,广大内地煤炭工业相当落后,煤炭资源得不到开采利用。

新中国成立后,为适应经济发展并充分发挥内地丰富的煤炭资源优势,以适应内地工业发展的需要,迅速改变煤炭工业畸形分布的状况,使煤炭工业布局发生了明显变化。目前,全国已有开滦、大同、阳泉、兖州、峰峰、西山、淮北、徐州、抚顺、阜新、鸡西、鹤岗、平顶山、双鸭山、枣庄、淮南等众多的煤炭基地。见图4-1。

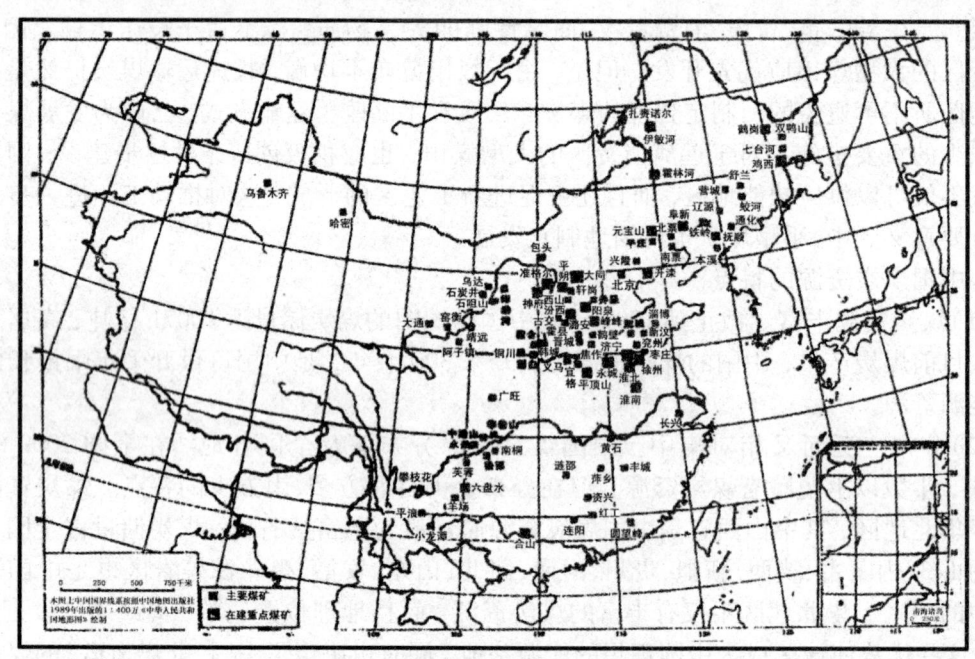

图4-1 中国煤炭工业分布示意图

(1)华北区。它是全国最大的煤炭生产基地,储量和产量均居全国第1位,而且品种齐全,质量好,开发条件优越,可以支援全国,并有部分出口。

山西省素有"乌金之乡"、"北方煤海"之称,其储量和产量均居全国首位。煤炭保有储量为2035亿吨,约占全国保有储量的27%。2006年煤炭产量达5.81亿吨,占全国总产量的24%,为中国最大的煤炭基地。目前山西省共有各种煤矿3000多个,其中年产量达千万吨以上的矿区有平朔、大同、阳泉、西山、潞安、晋城等。平朔煤矿是中国最大的露天矿,也是世界上较大的露天矿之一,为中国重要的出口煤生产基地。大同煤田位于山西省的最北部,面积1872平方公里,探明储量370亿吨以上,煤层浅、开采条件好,是中国最大的煤炭基地,是良好的动力用煤基地。阳泉煤矿是中国重要的无烟煤矿,这里的煤硫分低,发热量高,可供化工和民用,主要供华北及上海等地。西山煤田位于太原以西,煤炭储量大,开采方便。

内蒙古是中国"第二大煤乡",煤炭资源十分丰富,探明储量仅次于山西,居全国第2位。

煤炭探明储量达1982亿吨，占全国已探明储量的21%，主要煤矿有准格尔煤矿、乌海煤矿、霍林河、伊敏河、元宝山等。准格尔煤矿，煤炭储量丰富，煤质优良，开采条件好，将建成为中国最大的露天煤矿。内蒙古因地处内陆，开发较晚，一直以来，产量不是很大。20世纪80—90年代内蒙古煤炭资源得到开发，2006年内蒙古原煤产量为2.98亿吨，居全国第2位。内蒙古将是中国最有潜力的能源工业基地之一。

河北省也是中国重要产煤区之一，1999年原煤产量0.55亿吨，产量仅次于山西、内蒙古、河南、陕西、山东、贵州、黑龙江，居全国第8位，煤种多是优质炼焦煤，而且大多接近铁矿和工业中心，交通便利，对煤炭开发十分有利，大型煤炭基地主要有开滦、峰峰等。开滦煤矿是仅次于大同的中国第二大煤矿。峰峰煤矿是中国重要的优质焦煤产地，所产焦煤主要供华北地区钢铁企业，部分外调。

(2)东北区。本区是中国的重工业基地，煤炭工业早已十分发达，开发程度很高，1999年原煤产量1.26亿吨，占全国的12%，仅次于华北区，居全国各大区第2位。东北三省煤炭产销基本情况是：辽宁不足，吉林基本自给，黑龙江有余，区内煤炭流向是北煤南运。大型煤炭基地有阜新、鸡西、鹤岗、双鸭山等。阜新煤矿是东北的大型露天煤矿，以产长焰煤为主，是良好的动力煤基地。鸡西、鹤岗、双鸭山煤矿群，是东北最大的炼焦煤基地，以气煤、焦煤为主，供鞍山、本溪钢铁基地炼焦及供大连作化工原料。黑龙江省已成为东北最大的产煤省。抚顺曾是东北最大的煤矿，目前产量已不到1000万吨。

(3)华东区。本区煤炭储量少，但这里的轻、重工业、交通运输业都十分发达，煤的消耗量大，历来是中国最大的缺煤区。新中国成立后，重点开发了徐州、兖州、两淮等煤田，还开发了江南各小煤田，使本区煤的自给率逐步提高，大型煤矿有徐州、淮北、兖州等。徐州煤种齐全，以气煤为主，且水陆交通发达，开发条件好，所产煤炭主要供江苏、上海，并有少部分出口。两淮煤炭探明储量223亿吨，占华东区储量的一半以上。淮南是老矿，以气煤为主。淮北是新矿，资源丰富，煤种齐全，气、肥、焦、瘦煤均有，为华东地区最大的煤矿。山东兖州煤矿储量较大，开采条件好，以气煤为主，可作炼焦、化工用煤。

(4)中南区。本区煤炭储量最少，而且集中在北部河南省。全区所需焦煤不能自给，要从华北调入。河南省煤炭储量大，品种全，开发条件好，是中国重要的产煤省，原煤产量仅次于山西省和山东省，居第3位。本区的大型煤炭基地有平顶山、义马等。平顶山煤矿号称"中原煤仓"，规模仅次于大同和开滦煤矿，居第3位，主要产气煤、肥煤、焦煤，是钢铁、化工、电力工业所需的宝贵资源。

(5)西南区。本区煤炭资源丰富，探明储量约占全国的十分之一。煤炭资源主要集中在川、云、贵之间。其中以贵州省最多，储量占全区2/3，仅次于山西、内蒙古，是全国第三大富煤省，号称中国"南方煤海"。重要的煤炭基地有六盘水煤矿、南桐煤矿、芙蓉煤矿等。六盘水矿区资源丰富，煤种齐全，煤质优良。该矿地处西南腹地，位置优越，交通较方便，已成为中国重点煤炭基地之一，对保证西南、两广的煤炭供应发挥了重要的作用，且有部分出口。

(6)西北区。本区煤炭储量丰富。新疆、陕西均为中国最有开发潜力的煤炭产区。新疆的预测储量达1.6万亿吨，居全国之首。陕西北部的神府煤田，探明储量达782亿吨，且煤质好，开发前景广阔。该区重要煤矿还有铜川、石炭井、韩城、阿子镇、石咀山、大通、哈密、乌鲁木齐等。

中国煤炭工业布局的主要任务，既要重点开发资源条件优越、经济价值高的煤田，又要尽可能缩短煤炭的运输距离，以节约运费和相关运输投资。为了加快经济建设步伐，尽快改善中国能源供应，一是集中力量开发大露天矿，二是抓紧现有矿井的技术改造和中心矿井建设，同时积极进行煤田地质、水文地质勘探工作，改造和加强现有运输线及有关港口，为近期内开辟更多的新矿区作好准备。

（二）石油工业

1. 石油资源

石油工业是重要的能源工业部门，主要包括采油、采气、油气炼制、人造液体燃料的生产以及原油、天然气和石油产品的储运。

中国是世界上最早发现和利用石油资源的国家。石油资源主要分布在沉积岩地层中，而中国沉积岩地层广泛分布。陆地上主要集中在东部的东北平原经渤海湾到华北平原，南至江汉平原乃至广西盆地；其次是西北的塔里木盆地、吐鲁番盆地、准噶尔盆地、柴达木盆地及河西走廊地带。海上沉积岩地层主要集中在渤海、黄海、东海至南海的沿海大陆架上。

根据中国油气资源的地质、交通条件和经济上的可开发性，可将中国油气资源划分为四种类型区：①目前重要勘探开发区。包括东北、华北和沿海大陆架，油气资源丰富，埋藏条件简单，交通方便，投资少，见效快。现已开发的有大庆油田、辽河油田、胜利油田、大港油田等。②重点勘探准备开发区。主要是西北地区，油气资源丰富，埋藏条件中等，交通不方便，投资大，成本高。③次要勘探开发区。主要是西南和中南地区，油气资源较为丰富，勘探程度较低，埋藏条件差，而交通条件便利，开发投资和产品成本为中等。④开发利用差的地区，主要是西藏地区，油气资源目前尚不清，勘探程度低，埋藏条件中等，交通不便，投资成本高。

此外，中国人造石油资源也很丰富。全国有20个省区储藏有油母页岩，主要分布在辽宁的抚顺，吉林的桦甸，黑龙江的北安，广东的茂名、电白等地。在黑龙江、广西、山西等省区还有含油率高达10%~20%的烟煤和褐煤，也是很好的炼油原料。

2. 采油工业的发展与布局

中国石油工业虽然历史悠久，但旧中国石油工业的基础极为薄弱，发展缓慢。从1904年到1949年的45年间，天然石油总产量只有63万吨，包括人造石油在内，只不过295万吨，平均年产只有6.5万吨。1949年产原油12万吨，可同时期"洋油"进口却达2880万吨，石油自给率不到10%。

新中国成立后，年轻的石油工业得到了迅速发展。从1949年到1979年的30年中，原油产量平均每年以25%以上的速度递增，到1980年原油产量已达10595万吨，由1949年占世界的第27位跃居世界第6位；到2006年原油产量已达1.85亿吨，居世界第6位。已形成一批有一定规模的石油工业基地。见图4-2。

（1）大庆油田。位于东北松嫩平原中部，是中国目前最大的石油工业基地。也是世界上大油田之一。自1960年开发以来，平均每年原油产量以28%以上的速度递增。自1975年以来，年产原油连续稳定在5000万吨以上，为国家生产原油达10亿吨以上。为解决原油外输和出口，大庆油田还建成了从大庆经铁岭、秦皇岛至北京以及铁岭至大连两条输油管道，共计1600多公里，并在秦皇岛和大连各建5~10万吨油码头，保证了原油南运和出口的需要。

（2）胜利油田。位于山东省东北部黄河入海口处，也是中国在渤海湾地区开发的最大油田，是全国第二大油田。现已建成了东营至黄岛、临邑到仪征的输油管道以及东营到临邑、临邑到任丘两条支线。

第四章 重工业地理

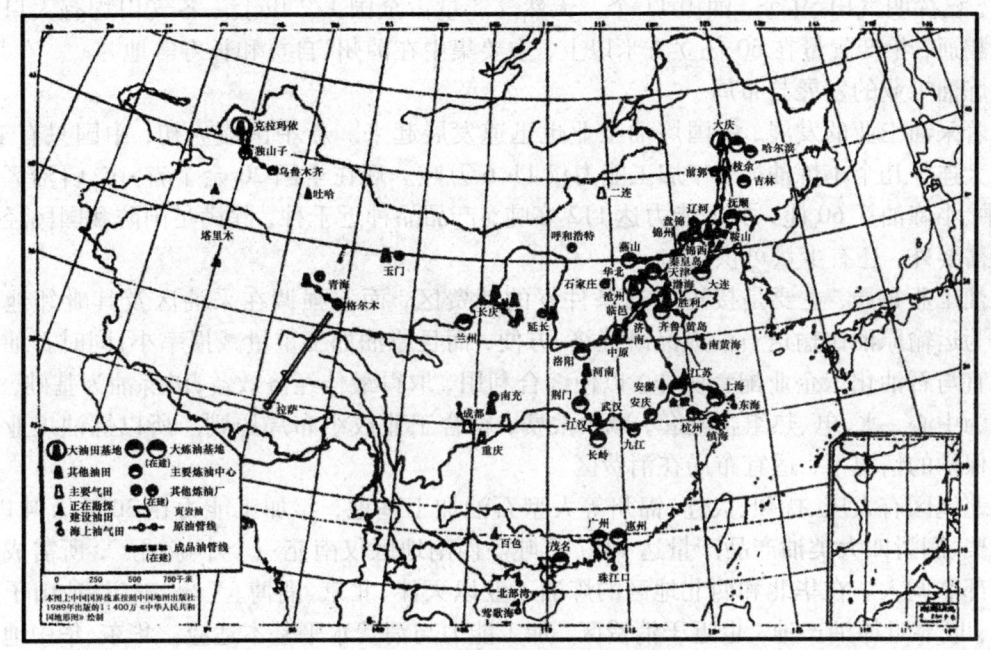

图4-2 中国石油工业分布示意图

(3)辽河油田。位于辽宁省的沈阳、营口、锦州之间,辽东湾东北部的沼泽水网地带。油层厚,含硫低,轻质油成分多。现已成为全国主要油田之一,产量仅次于大庆、胜利,居全国第3位。

(4)任丘油田。即华北油田,位于冀中平原上的任丘至霸县一带,目前已建成任丘—霸县—房山、霸县—雄县两条输油管道,以供应北京所需原油。任丘油田的发现是中国首次在震旦纪古潜山地层发现了油流,为发展古潜山找油理论,也为中国石油勘探开拓了新领域。

(5)大港油田。位于天津市以南,直到黄骅县的渤海岸边。大港油田是一断块油田,地质构造复杂,但分布广,油层厚,渗透性好,含硫低,是一个有较高经济价值的油田,所产石油主要供给天津和当地炼油厂及石油化工需要。

(6)克拉玛依油田。位于新疆准噶尔盆地西部,是中国20世纪50年代重点投资开发的老油田,现有克拉玛依、独山子等油田在开发建设,所产原油除经兰新铁路东运兰州加工利用外,还建设有克拉玛依至独山子和至乌鲁木齐的输油管线,扭转了"以运定产"的局面,为新疆地区炼油工业和石油化工的发展建设提供了充足的资源条件。

(7)玉门油田。位于甘肃省河西走廊酒泉盆地的北缘,是一个老油田。新中国成立后,进行了改造,相继开拓了石油沟、鸭儿峡、白杨河等新采油区,产量有所增加,使玉门油田成为中国西北重要的石油工业基地。

(8)南阳油田。位于河南省的南阳、新野、唐河、泌阳、桐柏等县境内,在京广、焦枝两线之间。油藏储量丰富,是中国中原地区第一个油田。

(9)中原油田。又称东濮油田,位于豫、鲁两省交界处,油田范围跨黄河两岸,油、气资源都比较丰富,埋藏浅、比重轻、含硫低、质量好。原油主要通过濮(阳)临(邑)输油管线转临邑至仪征管道输往南京。

（10）四川油气田。包括四川省和鄂西部分地区，是中国最大的天然气生产基地。开采历史悠久，已探明气田59个，油田11个。天然气产量占全国1/2以上。各气田均有大口径输气管道相通，年产气量在60亿立方米以上，主要集中在泸州、自贡和长寿等地。

3. 炼油工业的发展与布局

随着采油工业的发展，中国炼油工业也迅速发展起来。新中国成立初，中国只有玉门、抚顺和大连等几个小炼油厂，年加工能力仅11.6万吨。现在全国20余个省、市、自治区建设了大、中、小炼油厂60座，加工能力达112多吨，产品品种近千种，除满足国防和国民经济各部门的需要外，还有少量可供出口。

炼油工业布局，主要是接近交通条件好的消费区，而不强调在采油区及其毗邻地区布点。因为运输原油比输送石油成品既经济、方便，而且原油加工重量减损率小；同时石油加工副产品宜与石油化工企业配套协作，以便综合利用，取得最佳经济效益；以炼油为基础，以石油化工为中心，水、电、热组合配套，减少浪费，符合工业成组布局原则。所以炼油工业在注意环境保护的情况下，适宜布局在消费区。

东北地区有大庆、抚顺、大连、锦州等大型石油加工基地，年加工能力在3000万吨以上，汽、煤、柴、润滑四大类油产品产量达1337万吨。西南地区仅南充一个小炼油厂，所需成品油几乎全部靠调入。在华北和西北地区的炼油工业以天津、北京、淄博、兰州、玉门、独山子炼油厂为主，既靠近原油产地，也近于消费区，加工能力与消费水平基本适应。华东、华中地区近些年来沿长江两岸新建和扩建了一批炼油厂，在东南沿海的镇海、广州、茂名等地利用优越的海运和港口条件，也建立了大型炼油厂以满足当地需要。

（三）电力工业

电力是由煤炭、石油、天然气和水力等"一次能源"转化的"二次能源"。它的效率高，便于控制、调节和远距离输送，使用方便，污染较少。电力工业是"二次能源"工业的最重要部门，是国民经济发展的物质技术基础，是工业、农业、交通运输业现代化和自动化生产赖以存在和发展的动力，是国民经济的先行部门，其发展速度是国民经济和工业发展的制约因素。

根据电力资源的不同，电力工业又分为火电工业、水电工业和核电工业等。其布局要求也不尽相同。

1. 电力工业布局原理

火电工业是指用煤炭、石油和天然气等为燃料发电的工业，是目前国内外最重要的一种发电形式。中国的火电工业以燃煤为主。火电工业的布局主要受原料、消费、交通和水源等因素的影响，其布局也主要分为以下几种：①接近燃料产地。中国火电站80%左右烧煤，耗煤量很大，火电工业布局在燃料产地，可节约燃料运输费用。②接近负荷中心（消费区），可节省投资，减少输送损失，节约变电设备和器材；③交通便利地区，如港口电厂、路口电厂，交通便利，可确保燃料供应及灰渣排除；④以上几种类型的混合型。既靠近煤炭产地，又接近负荷中心，且附近有良好的交通和水源条件。这是最理想的一种布局形式。

水电工业受自然条件制约大，基建投资大，建设周期长，但建成后运行成本低，污染少，水力资源可永续利用。水电工业的布局主要受水力资源和河流水文特征的影响，应布局在水力资源丰富的地区，同时布局还需考虑防洪、灌溉、航运、供水、渔业、环保等方面的效益。

核电是一种安全、清洁、经济的能源，它消耗的原料少，发电成本低，污染少，占地面积不大，布局灵活性大，一般来说主要布局在消费地。

2. 中国电力工业发展概况

中国电力工业始于1882年，但到1949年的67年间，中国电力工业发展缓慢，总装机容量仅达185万千瓦，所发电量45亿度，居世界第25位。发电厂的布局也极不合理，90%以上的设备集中在东北区和沿海少数城市，广大内地极少。

新中国成立后，中国电力工业得到了迅速发展。2006年发电量达28657亿千瓦时，装机容量和发电量仅次于美国，居世界第2位。但目前中国电力仍无法满足经济发展的需要，电力不足仍是阻碍经济发展的"瓶颈"。

3. 中国电力工业的布局

（1）电站。火力发电是目前中国电力工业的主要形式。受资源分布的影响，目前中国大型火电厂有70%布局在秦岭—淮河线以北的煤炭基地。主要火电厂有大同、朔州、陡河和唐山、马头、邢台、阜新、抚顺、邹县、济宁、徐州、淮北、姚孟、娘子关、太原、淮南、洛河、平圩、浑江、辛店、十里家、莱芜、焦作、安阳、霍州、大武口、元宝山、北京第一热电厂和高井等电厂。港口火电厂有大连、天津、上海、南京、天生港、谏壁、黄岛、镇海、台州、武汉、黄石、黄浦、沙角、重庆、豆坝（宜宾）等。路口电厂有锦州、朝阳、吉林、富拉尔基、佳木斯、牡丹江、通辽、贵溪等。在负荷中心建设的火电厂有哈尔滨、清河、望亭、开封、清镇、秦岭、西固等。

水力发电是中国电力工业重点发展的形式。中国是发展水电条件极为优越的国家，水力资源可开发利用的有3.8亿千瓦，现已开发利用的只有7%左右，其发电量占全国发电总量的25%，潜力很大，前景可观。全国现已建成的大型水电站，约有70%集中分布在秦岭—淮河线以南。主要有长江中上游的葛洲坝电站，汉水的丹江口，湘江支流的东江电站，岷江的映秀湾电站，红水河的大化、岩滩、天生桥（坝索）和鲁布格，大渡河的铜街子和龚咀，乌江的乌江渡，资水的拓溪。闽、浙、赣、粤的古田溪电站、新安江电站、富春江电站、新丰江电站等。中国北方水电站较少，分布也不均衡，多集中在黄河上游，如刘家峡、盐锅峡、青铜峡和龙羊峡等水电站均是西北电力系统的主力电站。东北地区水电所占比重不大，但对东北电网中的调峰、调频和调压作用尤为突出，主要水电站有丰满、白山、桓仁和水丰等。华北地区现仅有三门峡一个大型水电站。此外，全国各地还兴建了近10万座小水电站。

中国利用核能发电已开始起步，中国自行设计、自行研制的秦山核电站、中外合资经营的大亚湾核电站都已建成并投入使用。

中国新能源的开发利用，也正在积极试验推广。如地热发电（西藏羊八井）、潮汐发电（山东、浙江）、风力发电（内蒙古、浙江）、沼气发电（四川、湖北等）、太阳能发电等。

（2）电力网。各电站与用户之间通过变电站和不同等级输电线所组成的电力网联系起来，形成统一调度的强大电力系统。电力网的主要作用是：可以经济合理地利用各种能源；合理利用设备，减少备用装机容量；提高供电的安全性、可靠性；有利建设大电站和大机组，节约基础建设投资，降低成本，提高经济效益。

经过50年的建设，大批水、火电站投入运行，区域性小电网迅速形成并逐渐扩大并入全国性区际大电网，组成区际电力系统。到目前全国已形成装机容量在2500万千瓦以上的大型电力网5个。它们是华东电力网、华北电力网、华中电力网、东北电力网、南方4省联营电力网。

第三节 钢铁工业

一、影响钢铁工业布局的因素

钢铁是制造机械设备、电气用品和国防装备的主要原材料,是经济建设和国防建设的重要物质基础。钢铁工业的布局主要受以下因素的影响。

(一)资源因素

钢铁工业要消耗大量的原料、燃料和辅助材料,如铁矿石(原矿和人造富矿)、焦炭、石灰石、耐火材料等,所以资源条件影响着大型钢铁工业的布局。建立一个年产100万吨规模的钢铁企业,如用含铁量30%~40%品位的铁矿石,每年约需400万吨矿石,按持续生产30年计算,就需要12000万吨铁矿储量,此外,每年还需要炼焦煤和动力用煤200~300万吨,以及其他原料。一般来讲,生产1吨钢需要6吨多冶炼物质,其中以铁矿石和煤的消耗量最大,这就要求钢铁工业布局在原料、燃料产地,我们称之为资源型布局。

目前,世界钢铁工业由布局中属资源型布局的有以下三种:①近煤型。在钢铁工业发展初期,由于配煤技术差又多使用富铁矿,用煤量大于铁矿石,钢铁厂布局多靠近煤矿。在现代,一些大型煤炭基地,煤种齐全,也形成了钢铁基地,如德国的鲁尔。②近铁型。随着冶炼技术的提高,焦比的降低,冶炼耗煤量减少,又因铁矿石品位低,富矿少,相对地讲,用铁矿石量大,所以钢铁厂布局多靠近铁矿区。③钟摆式。在铁矿区和煤炭基地建立钢铁企业,煤、铁资源相向运输。这种情况要充分考虑煤、铁资源的供应量及开采的具体条件。

(二)消费因素

现代化的钢铁联合企业与机械、化工、建材和电力等许多部门有着紧密联系,往往组成一个综合性的工业基地,钢铁产品按不同品种需要就地销售。这种工业集中区有大量废金属材料作为炼钢原料。在钢铁工业发达国家,利用废金属炼钢已占整个原料的45%~50%。所以,钢铁企业布局在大工业区,既减少多品种钢材运输的复杂性,又在某种意义上接近原料地(废金属)。

(三)厂址因素

这是钢铁工业的微观布局时考虑的因素。因为大型钢铁联合企业对建设场地要求非常严格;占地面积大(所产100万吨钢要占地100~300万平方米场地);土地承压力大;地形要平坦;地下水位要低,并靠近水源;给、排水条件要好(每生产1吨钢耗水约25~30吨);要有厂内外运输线路,具备方便的运输条件。此外,还要考虑其他建厂的协作条件、社会服务设施等。

总之,确定钢铁工业的合理布局,必须充分考虑各种有关的自然、经济和技术因素,要做具体的技术经济论证,多方面比较,选择最优方案。

二、世界钢铁工业发展概况

第二次世界大战后,世界钢铁工业发展较快,1980年钢产量达71500万吨,比1950年增加了近3倍。到1998年,世界钢产量达到7.28亿吨。钢产最多的10个国家是中国、美国、日本、俄罗斯、韩国、德国、加拿大、意大利、巴西、乌克兰。

目前，世界钢铁生产的中心出现了由欧美向亚洲和拉美地区、由发达国家向发展中国家转移的趋势。韩国、印度、中国是世界钢铁产量增长速度最快的国家。从1996年起，中国已超过日本和美国，成为世界第一大产钢国。日本和美国钢产量虽然有所下降，但其生产的钢中，优质钢和特殊钢占有较大比重，仍为世界钢铁生产强国。

三、中国钢铁工业的发展

（一）钢铁工业资源

中国铁矿资源的特点具有以下特点：

第一，储量丰富。中国是世界上铁矿石储量最丰富的国家之一，铁矿资源的保有储量为458.9亿吨，居世界第3位。按合理服务年限50~70年计算，可保证生铁产量发展到年产8000万吨规模的需要。

第二，贫矿多，富矿少。中国铁矿平均品位在34%左右，含铁量在50%以上的富矿，只占总储量的6.4%，其中可直接火炉冶炼的富矿仅占2.3%。

第三，共生、伴生矿多。据调查，中国铁矿资源中有1/3伴生多种元素。如攀枝花钒钛磁铁矿，含铁33%，还有钛、钒等10余种金属元素，其中钒储量居世界首位。白云鄂博铁矿是铁、稀土等20余种元素组成的综合矿床，其中稀土储量超过世界其他国家探明储量的总和。

第四，"上红下黑"类型矿多。中国有不少铁矿上部是赤铁矿，下部是磁铁矿，上红下黑矿层分布，增加了选矿难度和开采成本。

第五，分布广泛而又相对集中。据统计，中国已探明的铁矿产地有1800余处，广泛分布于27个省区的600多个县内。总的看是北多南少，相对集中在鞍本、攀西、冀东、太（原）古（交）岚（县）、宁芜、鄂西和包白七大片的16个产区，其储量占铁矿总储量的70%。这一分布特点为各省区发展中小型钢铁工业和建立全国大型钢铁工业基地提供了资源保证。

（二）钢铁工业发展概况

中国是世界上炼铁工业发展最早的国家，距今已有3000多年的历史。但旧中国近代工业发展缓慢，基础薄弱，部门结构和布局很不合理，带有深刻的半殖民地烙印。从1890年建立汉冶萍钢铁公司到1949年的60年间，中国兴建了10多个中小型钢铁企业，共产生铁2275万吨，钢材702万吨。钢铁工业内部结构也极不合理，采矿能力大于炼铁能力，炼铁能力大于炼钢能力，炼钢能力大于轧钢能力，致使大量铁矿石和生铁流向国外。生产布局则主要集中在鞍山、本溪、大连、抚顺、唐山、天津和上海等沿海少数城市。

新中国成立以后，中国钢铁工业发展较快，现已形成具有相当规模的、布局比较合理的现代钢铁工业体系，钢铁产量迅速增长。2011年中国钢产量达6.83亿吨，居世界首位。

中国钢铁工业在数量增长的同时，结构也发生了巨大变化，已能生产各种碳素钢、合金钢。高温合金、精密合金等1000多个钢种，能轧制上万种规格的钢材、铁路、汽车、造船、发电和石油等行业急需的各种高档次的钢材品种增长很快，质量稳步上升，自给率不断提高。但是仍有一些技术要求较高的钢材需进口。中国虽已成为世界钢铁生产大国，但尚未成为世界钢铁强国，钢铁工业的技术层次仍有待提高。我们还需要依靠正确的战略决策和体制改革，依靠技术进步和技术改造，依靠科学管理，使中国钢铁工业稳步、快速发展。

四、中国钢铁工业的地区分布

在大力发展钢铁工业的同时,中国钢铁工业布局也有了明显改善,初步改变了钢铁工业分布畸形和西北、西南基本空白的不合理局面。首先利用原有钢铁企业集中力量进行更新、改造和扩建,增强其实力;其次在经济基础、煤铁资源、运输等条件好的地区,有计划地重点建设各地区的大型钢铁工业基地;三是积极发展中小型钢铁企业,使内地钢铁工业相继发展壮大,有力地支援和带动内地经济建设和工业部门的发展。

中国大型钢铁工业基地集中分布在北纬30°和北纬40°两线。在北纬30°左右沿长江分布,从东到西依次为:上海、宝山、马鞍山、武汉、重庆、攀枝花等;北纬40°左右,从东到西依次为:本溪、鞍山、唐山、天津、北京、太原、包头等。见图4-3。中国主要的钢铁工业基地有:

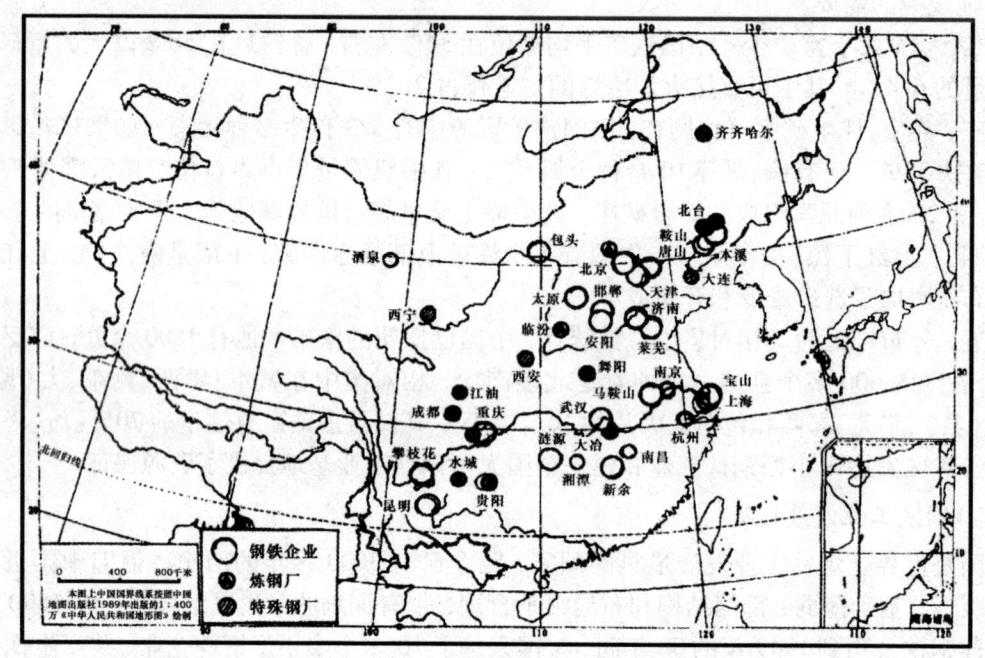

图4-3 中国钢铁工业分布示意图

(一)鞍本钢铁工业基地

鞍本钢铁工业基地包括鞍山钢铁公司和本溪钢铁厂,属近铁型钢铁工业基地。鞍山钢铁公司是中国最大的钢铁联合企业,被誉为"钢都"。主要产品有型材、板材、管材、特殊轧制品等,品种齐全。本溪钢铁厂是鞍钢的兄弟厂,生铁质量好,含磷低,是中国优质生铁的基地。

(二)京津唐钢铁工业基地

京津唐钢铁工业基地以首都钢铁公司为中心,包括天津和唐山钢铁厂,是中国重要的钢铁基地之一。这里发展钢铁工业条件优越:冀东铁矿储量丰富,是中国第二大铁矿区;附近有开滦、峰峰、井陉等丰富的煤炭资源;位于京津唐电力网,能源和原料资源充足;交通方便。京津唐地区是中国重要的工业基地,钢材消费量大,本区钢产量约占全国12%左右。首钢是从采矿到轧钢,从普通钢到特殊钢均有的大型钢铁联合企业,其中精矿粉品位、高炉利用系数、转炉利用系数等已跃居国际先进水平。天津钢铁企业是中国以中型钢材和金属制品为主的钢铁生产基地之一。唐山钢铁公司临近冀东铁矿和开滦煤矿，耐火材料充裕，水电、交通条件良好，是中国重要的钢材基地。

（三）上海钢铁工业基地

上海钢铁工业基地拥有上钢一厂、二厂、三厂、六厂及宝钢等10多个钢铁企业。上海钢产量居全国首位，且钢铁产品门类齐全、品种规格配套，钢材品种及利润率居全国首位。本区无煤、无铁矿、无辅助材料，全靠工业化程度高，生产协作条件优越，水陆交通方便，技术力量强，实践经验多等优点发展起来的。上海各钢厂都是炼钢、轧钢企业，生铁产品少。南京梅山炼铁厂和马鞍山钢铁厂是其生铁主要供应地。上海宝山钢铁总厂是中国成套引进国外先进设备的现代化大型钢铁联合企业，是中国最大的优质钢材生产基地。

（四）武汉钢铁工业基地

武钢位于武汉市青山区，其铁矿由鄂东地区的大冶、灵乡、金山店、程潮等铁矿供应，不足部分从海南岛或进口矿石补充，平顶山及鹤壁供煤，锰矿取于湘潭，水陆交通十分便利。武钢年产钢450万吨左右。这里拥有目前全国最先进的一米七轧机，轧钢能力强，它是中国最大的钢板产地，板材产量占全国的20%以上。

（五）包头钢铁工业基地

包头钢铁工业基地不仅是中国大型钢铁基地之一，也是中国重要的稀土生产基地。包钢的原料来自附近的白云鄂博，燃料由临近的石拐沟、大同供给，资源条件良好。京包和包兰铁路干线为包钢提供了良好的交通运输条件。白云鄂博铁矿石中含稀土等多种金属元素，原料特殊，选冶难度大，要依靠科技进步提高综合利用的能力。包钢的发展对西北、华北地区经济发展具有重要意义。包钢年产量约200多万吨。

（六）攀枝花钢铁工业基地

攀枝花钢铁工业基地位于四川渡口市金沙江北岸，攀西地区有驰名中外的钒钛磁铁矿，附近宝鼎等地有丰富的煤，贵州六盘水炼焦煤基地距此不远，附近的辅助材料也很丰富，有丰富的水力资源，是中国西部最大、最理想的钢铁基地。年产钢300多万吨，钢产量小于铁产量，其原料含钒、钛等多种金属，在炼铁的同时，可提炼钒、钛等。目前资源尚未充分合理利用，其发展受地形及技术条件的限制。

（七）太原钢铁工业基地

太原钢铁工业基地是一个大型特殊钢生产基地。其附近燃料资源和原料资源都很丰富，临近的岚县铁矿是中国大型铁矿之一，此外，还从海南岛或国外调进富铁矿。太钢以生产特殊钢为主，板材优质，还有较多的军工生产，年产钢200万吨左右。

（八）马鞍山钢铁工业基地

马鞍山钢铁工业基地濒临长江，水陆交通便利，附近煤炭资源较丰富，早在建国前就有铁矿开采，1964年建成为一座亚洲最大的车轮轮箍厂，其产品除满足国内需要外，还出口东南亚。目前年产钢200万吨左右，部分生铁供应上海，是江南重要的生铁基地。

（九）重庆钢铁工业基地

重庆是以重庆钢铁公司和重庆特殊钢厂为主体的钢铁基地。附近有较丰富的煤炭资源和辅助材料,铁矿石虽有綦江铁矿,但不能满足需要,需从外地调入,有优越的水陆交通运输条件、雄厚的技术基础和广阔的销售市场。轧钢能力大,轧钢品种齐全,能生产9600多种钢材品种,年产量100多万吨。

除上述几大钢铁基地外,中国还有年产钢铁10至100万吨的中型钢铁企业近50家,分布在全国各地。其中有独立的特殊钢厂、炼铁厂和钢铁联合企业三种类型。

特殊钢厂有:西南的江油、成都、贵阳;西北的西宁、西安;东北的大连、抚顺、齐齐哈尔;中南的大冶等。

炼铁厂有:南京梅山;河北涉县、宣化;甘肃酒泉;贵州水城等。

钢铁联合企业有:华东的南京、无锡、杭州、合肥、南昌、新余、三明、济南、青岛、莱芜;中南的鄂城、汉阳、湘潭、涟源、韶关、柳州、广州;华北的邯郸、邢台、承德、临汾、长治、呼和浩特;东北的新抚、北台、通化;西北的兰州、乌鲁木齐、石嘴山;西南的昆明、贵阳等。

第四节 水泥工业

一、水泥工业的布局特点

水泥工业是建筑材料工业中最主要的部门。水泥、钢铁、木材合称为三大主要原材料。随着现代科学技术的发展,对水泥的需要已超出了一般建筑材料的范围。水泥进入新的工业材料领域。耐火水泥、耐腐蚀水泥、防辐射水泥、防菌水泥等专用水泥为化学工业、原子能工业、国防工业和其他尖端工业所需要的特殊胶、凝结材料开辟了新的途径。

水泥工业的布局需在原料地、消费地和燃料供应地之间选择最佳区位。

一般来说,生产1吨水泥,需要石灰石1.3~1.5吨,粘土0.3吨,煤0.25吨,石膏0.03吨,在锻烧中失重35%~45%。因此,水泥厂接近石灰石产地是合理布局的主要因素。

由于水泥不宜远距离运输,要求水泥厂布局接近消费区。据统计,大型水泥厂(年产水泥100万吨以上)的水泥平均运距在300~400公里为宜,中型为200~300公里,小型水泥厂应小于100公里。因此,水泥产品在经济上要求有合理的销售半径,要积极进行地区产销平衡。

水泥厂要有经济的能源保证。生产1吨水泥,耗煤200公斤左右,综合耗电100度左右。在水泥成本中,燃料和电费约占36%~42%。因此,有经济的能源做保证,可降低生产成本,提高生产效益,保证水泥生产的顺利、正常进行。

水泥生产要有方便的交通运输条件。生产1吨水泥,货运总吞吐量约3吨左右,运量很大。因此,要有便利的交通运输条件做保证,才能正常生产。

此外,水泥工业布局应尽可能充分利用工业废渣,尽可能和排废的工矿企业联合布点。由于水泥生产过程中,产生大量粉尘使环境污染,水泥厂应尽可能布局在远离市区或市区的下风地带。

二、世界水泥工业发展概况

1998年世界水泥产量为15.08亿吨。中国是世界最大的水泥生产国,产量约占世界总产量的1/3左右。美国、日本、印度、韩国、泰国、巴西等国家也是世界主要的水泥生产国。

水泥一般地产地销,出口贸易量不大。目前世界年出口量约7000万吨。世界最大的水泥市场在亚洲,日本和中国都是世界水泥生产和出口大国。

三、中国水泥工业的发展

中国水泥工业起步于1898年河北唐山开办的第一个立窑水泥厂，到1949年前，产量只有68万吨左右，而且只能生产普通硅酸盐水泥和矿渣硅酸盐水泥两个品种，质量又不稳定，且集中分布于东北和沿海地区。新中国成立后，特别是改革开放以后，中国水泥工业发展迅速，水泥工业的布局也大有改善。1986年中国水泥产量超过15000万吨，成为世界第一大水泥生产国。水泥品种也由解放初期的两种发展到现在的60多种；不仅能生产一般水泥，而且能生产特种水泥。目前水泥生产能力已达5亿吨以上，有7000多个企业，一个具有中国特色的水泥工业体系已经建立。2006年水泥产量达12.4亿吨，居世界第1位。但是，与世界先进水平相比尚存在不小差距。因此，还需要有计划地建设一批现代化的骨干水泥厂，引进先进的生产技术和管理模式，提高水泥产量和质量，以满足中国经济发展和人民生活日益提高的需要。

四、中国水泥工业的地区分布

中国水泥生产大多就地取材，就近产销。各省、市、自治区均有水泥生产企业，而水泥主产省几乎都分布在沿海和长江沿线。目前，中国已形成环渤海、长江沿岸、南方沿海三大水泥生产和出口基地。水泥产量在5000万吨以上的省区有：山东、江苏、浙江、广东、河北、河南、湖北、四川等。

这7个省区的水泥产量约占全国的60%。其中江苏和浙江两个省的产量在1亿吨以上。

中国重要的水泥生产中心有：宁国、柳州、邯郸、鲁南、琉璃河、湘乡、冀东等。冀东水泥厂是中国水泥行业的龙头企业，目前已建成两条日产4000吨生产线，年生产能力已达300万吨。

随着三峡工程建设的进展，为三峡工程配套的葛洲坝水泥厂、湖南特种水泥厂等企业也已成为中国重要的水泥生产企业。

第五节 汽车工业

一、汽车工业的特点

1. 汽车工业技术复杂，协作面广，需要的原材料量大、质量好、品种规格多。因此，生产高度集中化、大企业主宰市场是汽车生产的最大特点。
2. 汽车工业生产需要大量的资金投入。
3. 汽车工业生产关联度大，对国民经济的带动作用强，是工业的支柱产业部门。

二、世界汽车工业的发展

世界汽车工业起步于19世纪末期的德国，20世纪初（1913年）才在美国进行汽车的批量生产。第二次世界大战后，汽车生产进入迅速发展时期，20世纪前半期，美国汽车产量一直居世界首位，被称为"汽车王国"。50年代中后期，欧洲发达国家汽车产量明显增加，到60年代中期超过美国。60年代中后期，日本汽车工业腾飞，到1980年产量跃居世界首位。目前，世界汽车工业基本形成了西欧、北美（主要是美国）、日本三足鼎立的局面，日本汽车产量居世界第一，美国次之，德国第三。发展中国家和地区，特别是新兴的工业化国家，近年来汽车工业发展迅速，其中韩国和巴西的汽车工业尤其引人注目，巴西已成为世界汽车生产大国之一，中国、印度、墨西哥、阿根廷、比利时、西班牙等国家的汽车生产发展也十分迅速。

1998年世界生产汽车5518万辆，美国、日本、德国、法国、西班牙、加拿大、英国、意大利、韩国、中国是世界十大主要汽车生产国家。

日本是世界最大的汽车出口国，其产量的60%以上用于出口，约占世界汽车贸易总量的40%以上。主要流向美国、西欧。美国是世界上最大的小轿车进口国。主要来自西欧和日本。西欧各国的进口车绝大多数来自日本。随着汽车生产的国际分工进一步扩大和深化，今后世界汽车的生产可能出现这样的趋势：美国及其他发达国家的汽车公司将逐步以进口发展中国家的廉价低档车代替本国低档车的生产，而把主要力量集中在高档汽车的研究和生产上。

三、中国汽车工业的发展

中国的汽车工业发展起步很晚，是在旧中国几乎空白的基础上发展起来的，最早的汽车制造厂是始建于"一五"期间的长春第一汽车制造厂，主要生产解放牌4.5吨载重汽车，2.5吨越野汽车和"红旗"牌高级轿车。湖北十堰第二汽车制造厂是1969年兴建的大型现代化企业，整个企业在十堰市由24个专业厂组成，是中国目前最大的汽车厂。二汽的产品主要是东风牌2.5吨越野车和5吨载重汽车等。自从改革开放以来，中国的汽车工业有了飞速的发展，2006年中国汽车产量达728万辆，其中轿车387万辆。目前中国汽车工业存在突出问题是汽车生产企业规模太小，除中型载重车外，基本上没有形成经济规模。如轿车在美国、日本、韩国的一些大厂年产量都在100万辆以上，而中国已批准建设的轿车生产总规模还不足100万辆，各大轿车生产厂规模都在15万辆左右，严重制约了中国汽车工业的进一步发展。

四、中国汽车工业的地区分布

一汽和二汽是中国最早建设的汽车工业基地，其所在城市长春和十堰成为中国著名的"汽车城"。进入20世纪90年代后。中国已将汽车工业发展的重点由卡车生产转向轿车生产。中国轿车生产布局目前已形成"三大、三小、两微"的格局。即一汽、二汽、上海3个汽车基地，北京、天津、广州3个生产点，以及四川、贵州2个微型轿车项目。

上海大众为中德合资企业，1985年成立，生产桑塔纳轿车。曾被列为上海工业重点建设项目的上海大众二期工程已于1994年底完成，使其生产能力扩大到20万辆。上汽总公司进一步巨额投资，大手笔，高起点，扩大生产规模，降低生产成本，与美国通用汽车公司合作生产别克轿车，提高了轿车的档次，增加了轿车品种，提高了经济效益。

一汽大众为中德合作项目。其中奥迪车型，1988年由德国引进技术；捷达和高尔夫车型1991年与德国合资。与上海大众一样，已于1994年底完成一汽大众15万辆轿车扩建项目。

二汽神龙为中法合资项目。1992年成立，生产神龙—富康车型。位于武汉经济技术开发区的东风神龙30万辆轿车项目已总投资额达46亿元，总装厂主体工程已经竣工，并投入使用。此外，二汽与日本本田公司合作开发轿车的协议已经签署，先在国内生产零部件，待时机成熟后再生产整车。

天津夏利从日本引进技术，1986年成立，夏利15万辆扩建、改建项目也已实施。

长安奥拓从日本引进技术，1991年成立，生产奥拓车型。由原军工企业长安机器厂和江陵机器厂通过"强强联合"组建的长安汽车责任有限公司,1995年汽车产销量突破10万辆,同时,该公司15万辆汽车扩建和改建工程也已完工。

北京吉普为中美合资企业,1984年成立,生产切诺基车型。具有国际先进水平的北京吉普新总装生产线已全线竣工并投产,使北京吉普生产能力达到日产车420辆,BJ2020、BJ2021(切诺基)两大系列汽车年总装能力达15万辆。

近几年又有北京现代、沈阳宝马、北京奔驰多家合资汽车建成投产。民族品牌的汽车,吉利集团、奇瑞汽车集团也迅猛发展。

第六节 化肥工业

一、世界化肥工业概况

化学肥料是指人们用化学方法大规模生产或机械加工而成的肥料,它是当今世界最重要的肥料,具有养分含量高,肥效快,运输、贮存和施用方便等特点。

目前,世界各国化肥的品种约在100种以上,其中氮、磷、钾肥约50种,微量元素肥在60种左右。产量最大的是氮肥、磷肥、钾肥及氮磷钾按一定比例混合而成的复合肥。化肥是农业生产所需要的重要肥料,化肥所含的有效成分比天然肥料高得多,使用得当,能大大提高农作物的产量,一般来说,粮食的亩产与施肥量是有直接关系的;在国际上,化肥生产能力的大小和使用量的多少,往往成为衡量一个国家农业现代化水平的一个重要标志。凡是农业生产比较发达的国家,如美国、澳大利亚、加拿大、日本等,其化肥的生产和使用量,都处于领先地位。因此化肥是发展农业生产必不可少的重要物质条件,对实现农业现代化具有重要意义。

1998年世界化肥总产量为14996万吨。中国、美国、加拿大、印度、俄罗斯、德国、印度尼西亚等国家化肥产量较大,为世界主要化肥生产国。

二、中国化肥工业的发展

旧中国的化肥工业非常落后,1935年和1937年中国分别在大连和南京建成最早的氮肥生产基地。新中国成立后,化肥工业得到了迅速发展。1950年中国化肥产量仅1.5万吨,到2006年,中国化肥产量已达5345万吨,比1950年提高了3560倍,成为世界最大的化肥生产国。但产品结构不够合理,氮肥多、磷肥、钾肥少,且产量和品种、质量均不能满足农业生产的需要,每年还需进口一部分化肥以满足需要。

三、中国化肥工业的地区分布

(一)氮肥工业

氮肥品种多,用途广,是最重要的化学肥料,主要品种有尿素、氨气、碳酸氢铵、硫酸铵等。其生产原料以煤、石油、天然气和水为主。根据生产规模的不同,中国氮肥工业企业为分大、中、小三大类。

大型氮肥生产企业(年产30万吨合成氨,48万吨尿素以上)主要用天然气、油田气和炼油厂的成品油为原料,多分布在气田、油田和炼油厂附近。目前,中国有大型化肥工业企业24家,生产着全国22%的合成氨产品,氮肥产量占全国25.8%,在全国化肥工业中具有举足轻重的作用。24家大化肥企业见表4-1。

表4-1　　　　　　　　　　　　中国主要化肥基地一览表

企业名称	所在地	年生产能力
沧州化肥厂	河北沧州	30万吨合成氨，48万吨尿素
辽河化工总厂	辽宁盘锦	同上
大庆石油化工总厂	黑龙江大庆	同上
金陵石油化学工业公司	江苏南京	同上
安庆石化总厂	安徽安庆	同上
齐鲁石化公司	山东辛店	同上
湖北化肥厂	湖北枝江	同上
四川化工总厂	四川成都	同上
云南天然气化工厂	云南水富	同上
广州石油化工总厂	广东广州	30万合成氨，52万吨尿素
赤水天然气化肥厂	贵州赤水	同上
镇海炼油化工股份有限公司	浙江镇海	同上
乌鲁木齐石化总厂	新疆乌鲁木齐	同上
宁夏化工厂	宁夏银川	同上
中原化肥厂	河南濮阳	同上
锦西天然气化工总厂	辽宁锦西	同上
渭河化肥厂	陕西渭河	同上
涪陵八一六厂	涪陵	同上
巴陵石油化工总公司	湖南岳阳	同上
内蒙古化肥厂	内蒙古呼和浩特	同上
富岛化学工业公司	湖南东方	同上
中国核工业建峰化工总厂	重庆	同上
泸州天然气化学工业公司	四川泸州	50万吨合成氨，72万吨尿素
山西化肥厂	山西潞城	30万吨合成氨，54万吨硝酸，90万吨硝酸磷肥

中国的中、小型氮肥工业企业多以煤炭为原料，主要布局在煤炭产区或消费区，广泛分布于全国各地。小氮肥厂的氮肥产量占全国总产量的一半以上，为就近满足当地农业生产的需要起了重要作用。

(二) 磷肥工业

磷肥是以磷矿石为原料，经过化学处理或机械加工而制成的化学肥料。磷肥品种比较单一，主要是普通磷酸钙和重过磷酸钙（占磷肥98%）。磷肥对于促进农业生产具有十分重要的意义。因为土壤的含磷量一般很少，必须进行大量补充。在中国，磷肥是产销量仅次于氮肥的主要化肥品种。与氮肥比较，磷肥的加工制取简单、投资少、建设周期短。

由于磷肥生产消耗硫酸较多，磷肥本身运输方便，因此，磷肥工业多布局在靠近硫酸产地或磷矿区。而中国磷矿资源分布具有南多北少的特点，大型磷矿区和富矿集中在西南地区。因而形成"南磷北运"现象。这种现象也决定了中国磷肥生产中心集中于南方，而北方磷肥则基本从南方调磷生产。

中国主要磷矿产地有湖北钟祥、贵州开阳、云南昆明、四川金河、湖南浏阳等。

中国磷肥生产基地有南京、太原、成都、昆明、济南、长沙、株洲、衡阳、石门、湖北大冶、江苏南通、安徽铜陵、浙江绍兴、广东湛江、贵州的平坝和遵义、河南信阳、江西的鹰潭和东乡、广西北海等地。近年来，中国投产的大型磷肥厂有：年产过磷酸钙40万吨的金昌化工厂、年产硝酸磷肥15吨的开封化肥厂、年产硝酸磷肥90万吨的山西化肥厂、年产磷铵48万吨的秦皇岛中阿化肥有限公司、年产磷铵24万吨的南京化学公司、大连化学公司和江西贵溪化肥厂等。

（三）钾肥工业

钾肥以钾盐为主要原料，主要品种有氯化钾、硫酸钾、钾氮肥、钾钙肥等，用于农业生产中，可防止作物倒伏，提高农作物产量。

钾在自然界中分布很广，中国钾盐资源贫乏，保有储量仅约4亿吨。中国现有钾盐矿区约400处，主要分布在柴达木盆地、云南思茅、四川自贡等地，其中柴达木盆地的察尔汗盐湖是中国最大的钾盐产区。

目前，中国钾肥的主要生产基地有青海的察尔汗、云南的思茅、天津、北京、浙江的温州和瑞安等地。位于察尔汗的青海钾肥厂，是中国最大的钾肥生产企业。

（四）复混肥

复混肥（也称复肥）是指含有两种以上养分的化学肥料。它具有体积小、有效成分含量高、对土壤不利影响小、经济效果好等优点，是世界化肥生产的主流产品。中国开始生产复肥的时间不长，但今后发展前途光明。目前中国所产的复肥主要品种有磷酸铵、硝酸磷肥等。

中国已有开封化肥厂、山西化肥厂、南京化学公司、大连化学公司、秦皇岛中阿化肥有限公司、瓦房店化工厂、贵溪化肥厂、湖北无机盐化工厂、南宁复肥厂、成都磷肥厂、四川银山化工集团股份有限公司等企业生产复混肥。

此外，中国近年还出现了硼肥、锌肥、锰肥等微量元素肥料以及腐殖酸、硝基腐殖酸等有机肥料，丰富了中国的化肥品种，以便更好地满足农业生产的需要。

◇◆ **复习思考题**

1. 什么是能源？能源主要有哪几种？世界能源结构和中国能源结构各有何特点？
2. 概述中国能源工业地区分布特征。
3. 钢铁工业布局类型有哪些？中国钢铁工业分布有何特征？
4. 世界主要水泥生产国有哪些？中国水泥在世界上地位如何？
5. 中国汽车工业基地的"三大、三小、两微"各指什么？说出各基地生产的主要车型。
6. 说出中国主要化肥生产基地。

第五章　交通运输业地理

第一节　概　述

交通运输业是一个利用各种不同的运输工具,使人或货物沿着特定线路实现空间位置移动的生产部门。

一、交通运输业在国民经济中的地位

交通运输业是联系生产、分配、交换和消费等社会再生产环节的纽带,是沟通地区之间、部门之间、城乡之间和企业之间的桥梁,是发展社会生产和人民生活的基本条件,在国民经济中占有十分重要的地位,为国民经济基础产业。交通运输的发达程度是衡量一个国家现代化程度的标志之一。

交通运输业是中国重要的第三产业。2006年交通运输仓储邮电通讯业的产值达10835.7亿元,占国内生产总值的5.9%,在第三产业中仅次于贸易业,居第2位。

发展交通运输业,对促进工农业生产、商品流通、旅游业和对外贸易的发展,对加强民族团结、巩固国防、改善人民生活等方面都具有重大的意义和作用。

二、交通运输业的特点和布局要求

(一)交通运输业的特点

交通运输业是一个特殊的物质生产部门,是生产过程在流通领域内的继续,属第三产业范畴。与其他物质生产部门相比,交通运输业有以下几个重要特点:

1. 交通运输业不生产新的物质产品

交通运输业的生产过程并不改变物质的性质和形态,不能创造新的物质产品,只是改变运输对象(旅客和货物)的空间位置。交通运输业的成果是以"人公里"或"吨公里"来衡量的。

2. 交通运输产品的非储存性

运输产品的生产过程和消费过程是同时完成,即随着运输对象到达目的地,运输产品也随之迅速消失。运输产品是看不见、摸不着的,不能被储存,只有储存运力以适应经济发展的需要。因此,交通运输业必须先行。

3. 交通运输业生产的连续性和同一性

从生产地到消费地的整个运输过程往往是由多种交通运输方式共同完成。各种不同的运输方式只表现为不同的运输工具和线路,而其产品是同一的,都是人和货物空间位置的移动。交通运输生产的连续性和同一性为综合交通运输网的建设提供了必要性和可能性。

(二)交通运输业布局要求

交通运输业的布局与其他经济部门布局一样,深受自然条件、社会经济条件和技术条件的影响。但因交通运输业有着区别于其他经济部门的特点,其布局也有其特殊性的一面。交

通运输业的布局要求主要体现在以下几个方面：

1. 保证国民经济发展需要

现代商品生产必须有交通运输业的配合才能顺利进行。农业生产的发展需要交通运输业及时地为它提供各种生产资料和输出各种产品。现代化大工业生产，不论企业内部的产品生产过程，还是企业外部的产品销售过程，都需要交通运输来及时配合。商品流通活动和旅游业的发展更依赖交通运输条件。因此，交通运输业的布局，要与工业生产、商业、旅游业的布局相协调，以保证社会经济活动有条不紊的顺利进行。

2. 促进综合运输网的形成

客货运输任务由铁路、水路、公路、航空和管道等运输方式共同完成。各种运输方式具有不同的经济技术特征和运输要求。因此，交通运输业布局要注重各种运输方式的协调发展，以形成综合运输网。各种运输方式既要合理分工，充分发挥各自的优势，又应相互衔接，互相取长补短，以提高运输效率，降低运输费用，加快客货送达时间，实现社会劳动的最大节约。

中国交通运输业应以铁路为骨干，公路为基础，充分发挥水运，包括内河、沿海和远洋航运的作用，积极发展航空运输，适当发展管道运输，建设全国统一的综合运输体系。

3. 合理利用有利的自然条件

现代科学技术进步使自然条件对交通运输布局影响相对减少。但在运输布局时仍不能忽视它，必须根据各种运输方式对自然条件的不同要求，因地制宜选择，宜水则水，宜陆则陆。在河湖密布的地区应首先考虑发展水路运输，在地形起伏较大的地区，由于铁路造价高，优先发展公路运输以减少投资。

4. 有利于巩固国防和开发边疆

交通运输业对巩固国防、开发边疆、加强民族团结具有重要的意义。因些，在进行交通运输业布局时应充分重视和考虑到这些因素，使边疆要塞、军事要地和少数民族聚集区既有干线与内地相通，又有支线相互连接，以保证一旦发生战争或自然灾害，前方与后方、边疆与内地能保持紧密联系。

三、各种运输方式的经济评价

根据交通线路和运输工具的不同，可以把交通运输方式分为铁路运输、公路运输、水上运输（包括内河运输和海上运输）、航空运输、管道运输和民间运输等。从运输能源和人际交往角度看，输电线路和邮电通讯也是一种运输方式。

（一）各种运输方式的经济评价

国民经济对交通运输的要求是综合全面的。首先，要求运量大、成本低、投资少，以节省运输方面的开支；其次，要求货物运达速度快，以便缩短运输时间，加速流动资金的周转；再次，要求尽可能达到时间上能连续运行、空间上的机动灵活，并保证运输的安全性。各种运输方式对上述经济指标的满足程度不同，各有其不同技术经济性能和适用范围。几种主要运输方式的经济特征参见表5-1。

1. 铁路运输

铁路机车牵引力大，输送能力强，运输成本低。铁路运输受自然条件限制小，能保证一年四季、昼夜不停地运输。现代技术可使铁路线延伸到地面上的大部分地区，满足各地的运输要求。此外，铁路网是相互衔接的整体，便于统一管理和指挥，运输过程的安全性和准确性良好。但铁路造价高,短途运输成本高。这是因为在单位运输成本中,始发和终到作业所占的比例随运输距离增加而呈反比例变化。因此,铁路运输适合承担大宗货物和旅客的中长途运输。

面对高速公路建设和航空运输业的剧烈竞争,铁路运输的高速化已成为一种世界潮流。目前铁路最高时速可达500多公里。

表5-1　　　　　　　　几种主要运输方式经济特征比较

运输方式	基建投资		运输量	运价	速度	连续性	灵活性
	线路	运具					
铁路运输	5	1	2	3	3	1	3
内河运输	3	3	3	2	5	5	4
海上运输	1	2	1	1	4	4	5
公路运输	4	4	4	4	2	2	1
航空运输	2	5	5	5	1	3	2

说明:表中数字表示种运输方式在一方面的优劣次序。1为最优,5为最差。

2. 水路运输

水路运输包括内河运输和海洋运输。运量大、投资省、运价低是水路运输最突出的优点。船舶运载量大,其中内河顶推船队的运量可达3至5万吨,万吨以上的海轮更属常见。但水运受自然条件限制大,连续性差,运输速度慢,联运货物往往要中转换装。因此,水路运输适合承担运量大、运距长、对运输时间要求不紧迫的大宗、廉价、笨重货物的运输。

3. 公路运输

相对于铁路和水路运输而言,公路运输的主要缺点是运载量小、耗能大、成本高,不宜运载大宗笨重货物作远距离运输。但公路运输适应自然环境的能力大,表现出较强的灵活性和机动性,实现"门到门"的运输,货物送达速度快。因此,公路多作为铁路和水运干线的辅助线,主要承运运距400公里以内的旅客和货物的运输。

在易腐货物中,公路运输具有很大的优势。据综合运输研究所研究,运距在700到1000公里以内的水果运输由公路承担比铁路运输承担更为合理。在位置偏僻、无铁路和水运的地区,公路承担着干线运输任务。今后,随着高速公路的大量修建、汽车性能的改进、大吨位汽车的大量使用,公路运输在运输网中的地位将越来越重要。

4. 航空运输

航空运输开行速度快,可跨越各种天然障碍,航线最直,可以到达其他运输方式不易到达的地方。但制造飞机所需的材料及飞机飞行时消耗的燃料价格昂贵,且飞机运载量小。在中国,航空运输主要承担国际和国内各大城市之间的长途旅客运输以及报刊、邮件、急件、贵重货物的长途运输。

5. 管道运输

管道运输具有运量大、可连续运送、安全可靠、自动化水平高、占地少等优点。但管道运输只适合承担气体和液体物质的运输。管道运送固体物质技术复杂,需转化成液体或气体后才能运送。因此,管道运输主要承担原油和天然气的运送任务。

6. 民间运输

民间运输包括畜力车、木帆船、马帮、牦牛、骆驼等畜力驮运和人力背挑。民间运输具有灵活方便、联系面广的特点，虽然运量不大、速度慢、劳动强度大，但仍为城乡之间和交通落后地区的一支不可缺少的运输力量。

(二)各种运输方式合理分工

由于技术经济性能的不同，各种运输方式在综合运输网中分别承担不同的运输任务。

一般来说，国内货物运输中，能捆成件的大宗货物的中长途运输主要由铁路运输来承担；大宗散货、笨重或轻泡货物以及时间要求不迫切的货物的中长途运输，采用水运或水陆联运；鲜活易腐商品的中距离运输和货物的短途运输，一般由公路运输来承担；在水网平原区，水运也分担部分货物的短途运输；城乡之间和无现代化运输方式地区的货物运输主要依靠民间运输；有急迫时间要求的贵重货物的运输主要由航空运输来承担；原油和天然气的运送尽可能用管道运输。

在国内客运中，中长途的旅客运送由铁路运输或长江及沿海水运来承担；航空运输完成部分大中城市之间的长途客运任务；公路运输主要承担短途旅客的运送。在东部水运发达地区，内河运输也是短途客运的主力之一。

国际货物运输主要由远洋运输和铁路运输来承担。远洋运输是外贸货物运输的主要方式。国际旅客运输主要由航空运输来完成。

从中国几种主要运输方式在中国综合运输网中的地位也可得出同样的结论。公路运输已成为客运主力，尤其是在短途运输中占有主力地位；货物运输短途以公路为主，中长途运输中水路和铁路占有较大比重。中国几种主要运输方式在运输网中地位见表5-2。

表5-2　　　　　　　　　　几种主要运输方式在运输网中地位

基本情况运输方式	货运量占比重(%)	货物周转量占比重(%)	货物平均运距(公里)	客运量占比重(%)	旅客周转量占比重(%)	客运平均运距(公里)
铁路运输	12.93	31.70	768	7.18	36.60	413
公路运输	76.62	14.13	58	90.01	54.86	49
水路运输	8.87	52.51	1855	1.37	0.95	56
航空运输	0.01	0.10	2482	0.44	7.52	14007
管道运输	1.57	1.55	310	—	—	—

资料来源：根据《中国统计年鉴·2000年》的有关资料整理而成。

四、实现合理运输的方法

交通运输业与其他物质生产部门一样，也是劳动者(运输工人)使用劳动工具(运具、车站、码头和线路等)作用于劳动对象(货物和旅客)，创造价值和使用价值。它所创造的价值全部追加到被运送的商品中去。对具体商品而言，运输业追加的这部分价值越小越好。因此，在完成运输业务时，应力求节约运输过程中的劳动消耗，避免一切不合理运输，以获得最大的经济效益。

所谓合理运输，就是走最短的线路、用最少的时间、花最低的运费、安全及时准确的把货物运送到目的地。实现货物的合理运输，可以缩短货物的运输距离，减少运输劳动的消耗，降低运输成本，节约货物的在途时间，加速资金的周转。合理运输对于促进经济发展，加速商品流通,节约运力和社会劳动消耗,提高经济效益和增加国家积累等都具有重要的意义。

要实现合理运输,就需要注意以下几个方面的问题:

(一)正确确定货物流向和流量

正确确定货物的流向和流量是实现合理运输的前提。货物在地区间的流向和流量的确定,直接影响到运输方式和运输线路的选择。如果货物的流向不合理,按此流向组织的货物运输不可能是合理的。

正确地确定货物在地区间的流向和流量可从宏观和微观两方面入手。从宏观上说,各级贸易和运输管理机构要根据各类货物产销的地区差别和交通运输网的现状确定各类货物最有利的供应范围和流转线路,编制合理流向图。从微观上说,各企业应按就近、就优、就多的采购原则,正确地确定采购地。

(二)选择合理的运输方式和线路

正确地选择运输方式和运输线路是实现合理运输的基本方法。货物从产地到销地往往有多种运输方式、多条运输线路可供选择。选用哪种运输方式,应根据运送货物的性能、运输量的大小和运输距离的长短及各种运输方式的适用范围来确定。在确定运输方式后,应走一条最便捷的运输线路,尽可能缩短运距,降低运费。

(三)减少运输的中间环节

减少货物运输的中间环节是实现合理运输的重要方法。中间环节的减少可降低货物的装卸、搬运、保管费用和货损,加速货物送达速度。开展直达运输和零担凑整是减少货物运输中间环节的主要途径。

(四)开展集装箱运输

集装箱运输是一种新型高效的运输方式。它是将一定数量的单件货物装入特制的标准规格的集装箱内,以集装箱作为运输单位所进行的运输。采用这种运输方式可提高劳动效率,促进货物装卸作业的机械化和自动化,大大地简化理货交接手续,保证货物运输的安全,并减少货损差和库房的占用量,从而便于扩大联运,综合利用各种运输工具。

(五)消除不合理运输

要实现货物的合理运输,就要注意发现并消除不合理运输。不合理运输是指增加运输工作量或运费,对国民经济无益甚至有害的运输。常见的不合理运输有过远运输、对流运输、迂回运输、重复运输、倒流运输等。这些不合理运输或增加运输工作量和运费,或延长货物送达时间,从而影响运输的经济效益。在完成货物的运输任务时,应尽可能避免这类不合理运输,实现货物的合理运输。

第二节　铁路运输

铁路运输具有载运量大,运输成本低,运送速度快,连续性强,投资大,建设周期长,短途运输成本高等特点,最适合承担大宗货物和旅客的中长途运输。铁路运输至今仍是世界许多国家交通运输的主力,也是一个国家国民经济发展的重要标志之一。

一、世界铁路运输概况

铁路运输有着悠久的历史。世界第一条铁路出现在 1825 年的英国，至今已有 180 多年了。20 世纪 20～60 年代世界铁路运输在各种运输方式中所占的比重渐渐下降。在货物运输中公路运输已取代铁路运输而居主导地位，铁路客运已被航空和公路运输所取代之。70 年代，由于石油危机的冲出，铁路运输业在许多国家又重新得到重视。为了在公路运输和航空运输业竞争中处于有利的地位，上世纪 80 年代以后，世界许多国家非常重视铁路运输的高速化、电气化、重载化。欧洲各国正协力推行一项高速铁路网的规划，日本研制的磁悬浮列车时速可高达 500 多公里。电力机车具有牵引力大，速度快，耗能和成本低的特点，为满足高速、重载、大密度运输和节能的需要，越来越多的国家铁路电气化率日益提高，电气化铁路承担了世界铁路总运量的近一半。

世界铁路运输分布不平衡。目前，世界共有铁路 140 余万公里，主要集中在北美和欧洲，其次是亚洲和南美洲。美国、加拿大南部地区的铁路和欧洲铁路里程分别占世界铁路的 1/3，其余 1/3 分布在世界各地，主要集中在日本、中国大陆东部、印度、巴基斯坦、澳大利亚东南部、非洲南部、阿根廷的潘帕斯草原和巴西东南部地区。从国家看，以美国铁路营业里程最长，约为 30 多万公里，居世界第 1 位。世界铁路总长度在 5 万公里以上的国家有俄罗斯、印度、加拿大、中国等。而有些国家如老挝、阿富汗、阿曼、尼日尔、乍得等国家至今没有铁路。

大陆桥是某一大陆两侧的海上运输连结起来的铁路干线。大陆桥在世界铁路运输网中，具有十分重要的地位，是世界最为重要的铁路干线。大陆桥可以把海上运输变成海陆联运，以缩短运输里程，节省运输时间。目前世界上主要大陆桥有北美大陆桥、南美大陆桥、南亚大陆桥和亚欧大陆桥等。

北美大陆桥是世界最早出现的大陆桥。它东起纽约西至旧金山，全长 4500 公里，连结大西洋和太平洋，使北美地区的水路运输不再绕道巴拿马运河。

南美大陆桥东起阿根廷的布宜诺斯艾利斯，西到智利首都圣地亚哥，连结大西洋与太平洋，便利了国际运输协作，促进了区域经济发展。南亚大陆桥在亚洲南部印度半岛上。从印度东部的加尔各答到西部的孟买，是一条东西向、长约 2000 公里的铁路干线，把阿拉湾和孟加拉湾之间的海上运输连接起来。

亚欧大陆桥目前主要有两条。第一亚欧大陆桥东起俄罗斯的纳霍德卡，经符拉迪沃斯托克、新西伯利亚、莫斯科、华沙、柏林，到荷兰的鹿特丹，全长 12000 公里。第二亚欧大陆桥东起中国连云港，西至荷兰的鹿特丹，途经中国、俄罗斯、哈萨克、乌克兰、波兰、德国、荷兰，全长 10800 公里。此外，东起中国天津港，途经阿拉山口、哈萨克斯坦、乌兹别克斯坦、土库曼斯坦、伊朗，至亚欧交通要冲、世界著名港口伊斯坦布尔，全长 9000 多公里，把渤海和黑海连接起来，为东亚至西欧的水陆交通又一重要通道。

二、中国铁路运输的发展

铁路曾是中国综合运输网的主力。随着公路运输、航空运输和管道运输迅猛发展，铁路运输地位不断下降。但由于中国疆域辽阔，人口众多，资源分布不均，经济发展不平衡，需要铁路承担长途运输大宗货物。西煤东运、北煤南运、北粮南调、南矿北运、西棉东运都适于铁路运输。因此，铁路仍是中国中长途货运主力之一。2011 年铁路完成的旅客发送量达 18.62

亿人次,货物发送量达39.19亿吨。

从1876年修建上海至吴淞的第一条铁路,到1949年的73年时间里一共只修建了2.2万公里的铁路。旧中国的铁路不仅数量少,而且质量差,分布极不平衡,90%以上的铁路分布于东部沿海地区和东北地区,占国土面积60%的西北和西南地区几乎寸轨没有。

新中国成立以后,铁路事业有了很大的发展。铁路通车里程不断增长,截止到2011年底,有铁路营业里程9.9余万公里,初步形成以北京为中心,通达大陆各省、市、自治区及香港特别行政区的铁路网。铁路技术装备有了明显的改进。2006年拥有货车558483辆,客车40945辆,货车总标记载重吨3422万吨,铁路机车16904台,其中内燃机车11348台,电力机车5465台,蒸汽机车91台,内燃机车和电力机车已基本替代蒸汽机车。复线化和电气化的程度不断提高。铁路复线率由1949年的3.9%提高到2006年底的39.8%,其中主干线复线率已达90%以上。随着大秦重载铁路、广深准高速铁路的通车及京沪等高速铁路动工兴建,重载铁路和高速铁路的建设已拉开序幕。近几年,为扭转铁路亏损的局面,低速行驶了几十年的铁路客车普遍提速,京沪、京广、京哈三大干线开行的快速列车,最高时速可达200公里,全国铁路实现了1200公里"夕发朝至",1999年铁路全行业扭亏为盈。

中国铁路线路的地区分布也日趋合理,不仅结束了西北地区的新疆、青海、宁夏等省区无铁路的历史,在西南地区建成了环形路网骨架,改变了西部地区交通闭塞的状况;而且先后在东部地区修建了焦石、大秦、京秦、商阜、武九、阜淮、皖赣和京九等铁路线,在一定程度上扭转了东部地区运输被动的局面。

尽管新中国成立60年以来,铁路运输有了较大的发展,但与世界发达国家相比,仍有不少差距。今后应不断加快新线建设,加快牵引动力的改造,提高运输效率,以满足国民经济发展的需要。为适应大宗货物运输和地区经济发展需要,又建设一批新的铁路,如西北煤炭外运新通道—神(木)黄(骅)线,连接西北和西南地区的安康线和内昆线,横跨琼州海峡和渤海湾的轮渡以及发展民族经济的南疆铁路等。

三、中国铁路运输网

中国铁路已基本形成以北京为中心,以四纵、三横、三网和关内外三线为骨架,联接着众多的支线、辅助线、专用线,可通达全国33个省、市、自治区和特别行政区的铁路网。四纵是指京广线、京九线、京沪线、北同蒲—太焦—焦柳,三横是指京秦—京包—包兰—兰青—青藏线、陇海—兰新、沪杭—浙赣—湘黔—贵昆,三网是指东北铁路网、西南铁路网和台湾铁路网。关内外三线是指京沈线、京通线和京承—锦承线。主要铁路干线见图5-1。

(一)主要铁路干线

1. 津沪线

津沪线北起天津,经德州、济南、兖州、徐州、蚌埠、南京、无锡、苏州,南达上海,纵贯天津、河北、山东、安徽、江苏和上海六省市,跨越海河、黄河、淮河和长江四大水系,全长近1400公里,是东部沿海地区的南北交通运输大动脉。

津沪线在天津交汇了京哈线,衔接天津港;在德州交汇了石德线,与京广线相连通;在济南交汇了胶济线,可达青岛港和烟台港;在兖州交汇了焦石线,接通石臼所港;在徐州交汇了陇海线;在南京交汇了宁芜线,进而与皖赣线相连通,可通安徽、江西、福建等省;在上海交汇了沪杭线。此外,正在建设的西起南京,经扬州、海安、南通到达启东的苏北地方铁路横线在南京与津沪线相接。

津沪铁路沿线经济发达、人口稠密，需要运输的旅客和货物量大。津沪线客货运输十分繁忙，2006年完成货运量5504万吨，货物周转量885亿吨公里，客运量12786万人，旅客周转量716亿人公里。沿津沪线南运的货物主要有钢铁、煤炭、木材、棉花、油料、烟草和温带水果等，北运的货物主要是机械、仪表、日用工业品、纺织品、茶叶和热带、亚热带水果等。

2008年正式开通京津高铁，成为中国首条高速铁路，时速可达350公里/时。截止2011年7月，我国已正式建成京沪高铁、武广深高铁等高速铁路，到2012年底还要建成通车的京石、郑武高铁。这些高铁的建成，极大地带动了沿线经济的发展。

华东南北第二通道是一条与津沪铁路线基本平行的铁路，北起河南的商丘，经安徽的阜阳、淮南、裕溪口、芜湖、宣城等，到浙江的杭州，全长538公里，由商阜、阜淮、淮南、皖赣和宣杭等铁路线组成。

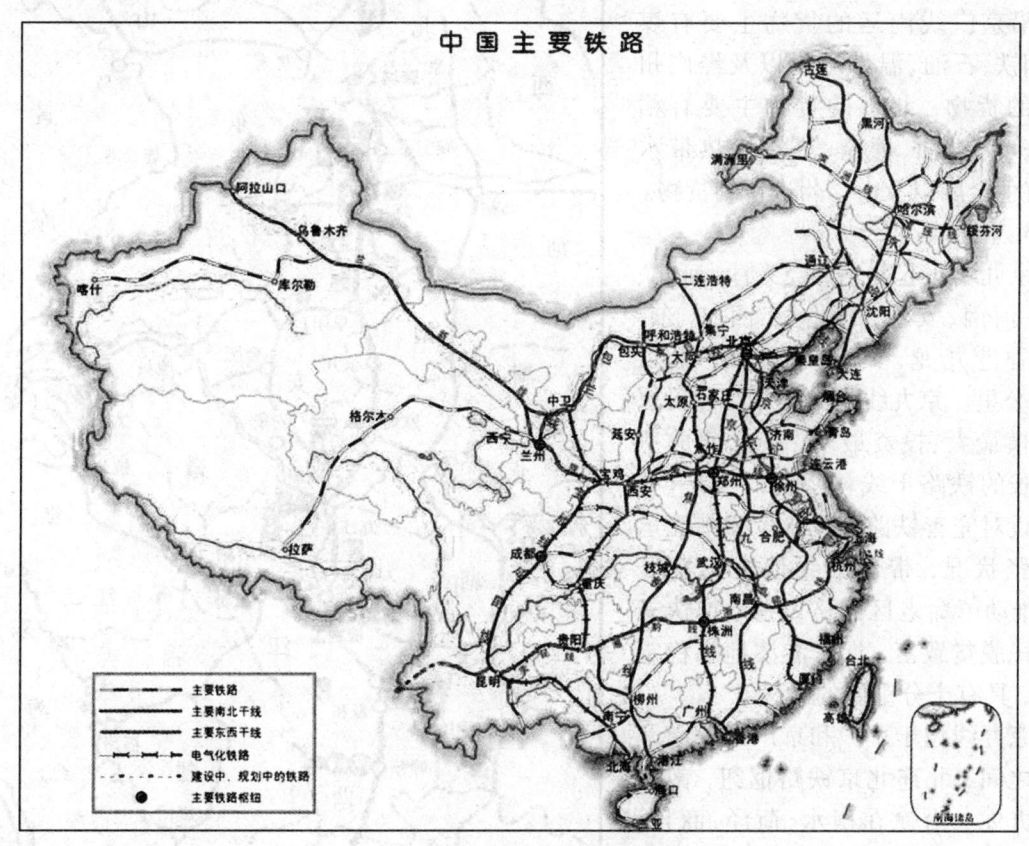

图5-1 中国铁路分布示意图

2. 京广线

京广线北起北京，南止广州，横贯中部地区，经过河北、河南、湖北、湖南、广东等省，跨越海河、黄河、淮河、长江、珠江五大流域，连接华北平原、长江中下游平原和珠江三角洲，全长2324公里。

京广线是关内地区主要的南北向铁路，为中国铁路网的中轴。在北端北京，它交汇了京秦、京包、京原、京通、京承、京哈等铁路线。在南端广州，交汇了广九线、广茂线和广梅汕线，可达香港、茂名和汕头。广九线的广深段可开行时速达160公里的火车，为中国第一条准高速铁路。广州至汕头的广梅汕铁路将廷伸至福建的漳州。广州至珠海的电气化准高速铁路正在建设之中。

京广线沿途还分别在石家庄、新乡、郑州、漯河、武汉、株洲和衡阳等地交汇了石德和石太、焦石、陇海、漯埠、汉丹和武九、浙赣和湘黔、湘桂等铁路线。

京广铁路沿线煤、铁、有色金属及农产品资源丰富，经济发达，人口稠密，城镇广布，客货运输量。京广线是中国运输任务最繁重的一条运输干线，2006年完成货运量6784万吨，货物周转量1416亿吨公里，客运量13123万人，旅客周转量1140亿人公里。沿京广线南运的货物主要有煤炭、钢铁、石油、温带水果以及经广州出口的货物，北运的货物主要有稻米、茶叶、桐油、蔗糖、热带亚热带水果、有色金属以及由广州进口的货物。

3. 京九线

京九线北起北京，经天津、河北、山东、河南、安徽、湖北、江西、广东，南至香港九龙，跨越9省市，全长2364公里。京九线是中国铁路建设史上规模最大、投资最多，一次建成里程最长的铁路干线（见图5-2）。它的建设对完善铁路布局，缓和南北运输紧张状况，带动沿线地方资源开发，推动革命老区经济发展，加快老区人民脱贫致富，促进港澳地区稳定繁荣，具有十分重要的意义。

京九线位于京沪和京广两条南北干线之间，北连北京铁路枢纽，南接香港九龙，沿途在衡水、荷泽、商丘、阜阳、九江、向塘交汇了石德、焦石、陇海、阜淮和漯阜、武九和合九、浙赣等铁路线。京九铁路2006年完成货运量3929万吨，货物周转量960亿吨公里，客运量5286万人，旅客周转量467亿人公里。

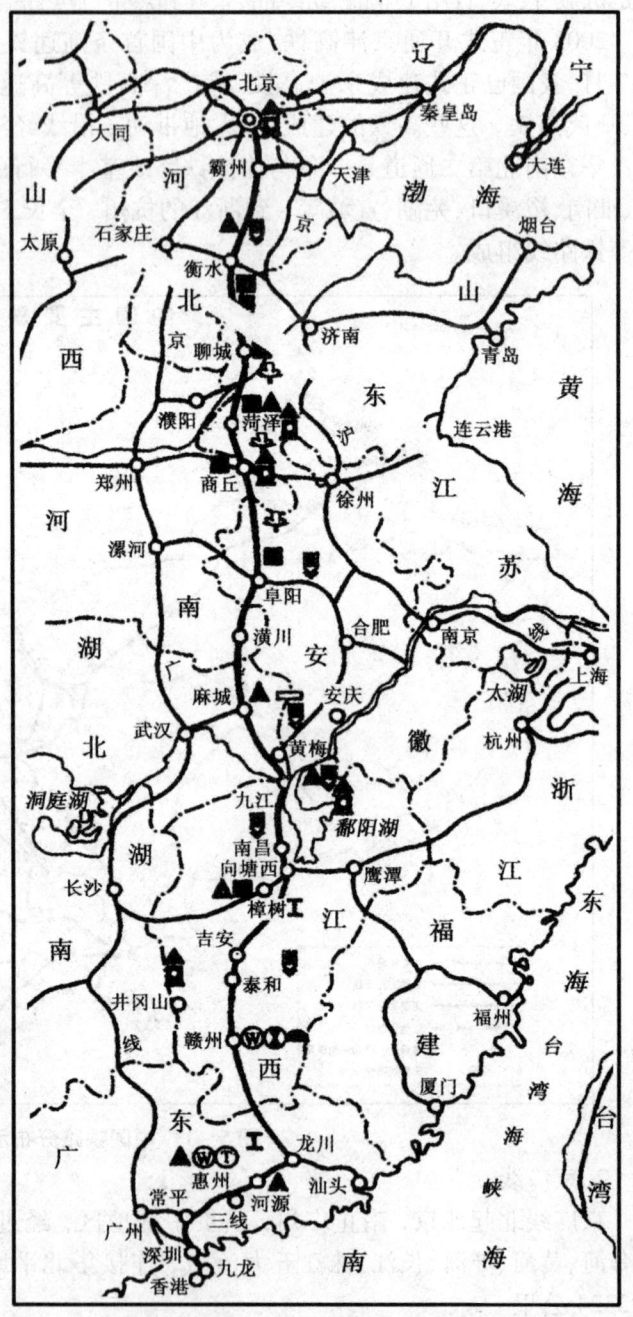

图 5-2 京九铁路示意图

5. 北同蒲—太焦—焦柳线

同蒲线横贯山西南北，从山西的大同到陕西的孟塬，北接京包线，南连陇海线。北同蒲线是指大同到太原这一段铁路。太焦线从太原经长治到焦作;焦柳线自焦作经襄樊、枝城、怀化到柳州。

北同蒲线—太焦—焦柳线北起大同,南到柳州,是一条与京广线平行的南北向的交通大动脉,全长2395公里。该线在北端大同交接了京包线,在南端柳州与黔桂线、湘桂线相接,从湘桂线上的黎塘有通达湛江港的黎湛铁路。该线沿途还交汇了石太线、新焦线、陇海线、襄渝线、汉丹线、湘黔线等铁路线。在枝城和柳州,该线分别与长江和西江航道相连。

这条北起大同南达柳州的铁路沿线地区资源丰富,经济正在起飞。北段承担着晋煤外运任务,十分繁忙。南段运输能力的利用率正在不断提高。同蒲铁路和太焦柳铁路2006年完成货运量分别为19425和9469万吨,货物周转量为424和812亿吨公里。

5. 京秦—京包—包兰—兰青—青藏线

这是中国北部地区一条重要的东西向铁路干线。东起秦皇岛,经丰润到北京的铁路线为京秦线;从北京向西经张家口、大同、集宁、呼和浩特到达包头的铁路线为京包线;从包头向西经银川到兰州的铁路线为包兰线;自兰州到西宁的铁路线为兰青线;从西宁经格尔木到拉萨的铁路线为青藏线。

青藏铁路由青海省西宁市至西藏自治区拉萨市,全长1956公里。其中,西宁至格尔木段长814公里,1979年建成铺通,1984年投入运营。自格尔木到西藏自治区拉萨市的铁路,全长1142公里,已于2001年开工建设,2006年7月1日全线开通。

青藏铁路是当今世界海拔最高、最长的高原铁路。青藏铁路翻越唐古拉山的铁路最高点海拔5072米,经过海拔4000米以上的地段960公里,连续多年冻土区550公里以上。在青藏铁路建设和施工中有效地保护生态环境,是青藏铁路建设的重要任务,也是国内外关注的焦点,也被称之为中国第一条"环保铁路"。

青藏铁路的修建,结束了西藏自治区不通铁路的历史,进一步改善了青藏高原的交通条件和投资环境,促进了西藏资源开发和经济快速发展。对加强内地与西藏的联系,促进藏族与各民族的文化交流,增进民族团结,造福沿线人民,将发挥重要作用。

这条东起秦皇岛,西至拉萨,联结了东北和西南地区,横贯华北和西北地区,是跨越大区最多的一条交通干线。它在集宁交接了集(宁)二(连浩特)和集(宁)通(辽)线。集通线是中国最长的地方铁路。

这条铁路线大同以西的路段,沿线经济尚未起飞,货运量不大,为单线铁路。大同以东的路段是西煤东运的一条重要通道。京包线大同至北京段和京秦线均为复线电气化铁路,年运量可达6000万吨。沿该线东运的货物主要是煤炭,其次是矿石、畜产品和棉花等,西运的货物主要有钢铁、机械、木材、纺织品、日用工业品和茶叶等。京包线2006年完成货运量3715万吨,货物周转量600亿吨公里,客运量1874万人,旅客周转量83亿人公里。

大秦铁路是中国第一条可开行单元重载列车的复线电气化铁路。它西起大同,东止秦皇岛,途经山西、河北、北京和天津四省市,全长653公里,年运输能力可达1亿吨,是中国运输能力最大的铁路线。大秦铁路以货运为主,2006年完成货运量1007万吨,货物周转量1314亿吨公里。随着秦皇岛港的扩建、山西煤炭东运量不断提高及大秦铁路营运正常化,其强大的运输必将得到充分利用。

被称之为西煤东运"第二通道"的神(木)黄(骅)铁路工程西起内蒙古与陕西交界的神府东胜煤田,横穿山西、河北,东至位于渤海之滨的黄骅市,全长820多公里,远期设计年运力为1亿吨。其中神(木)塑(州)段已通车。

6. 陇海—兰新线

陇海线东起黄海之滨的连云港，西止黄土高原上的兰州，全长1754公里，连通江苏、安徽、河南、陕西、甘肃五省，沿线经过徐州、商丘、开封、郑州、洛阳、孟塬、西安、咸阳、宝鸡、天水等重要城市，交汇了津沪、京九、京广、焦柳、同蒲、西(安)延(安)、宝成、宝(鸡)中(卫)等铁路线。21世纪初，西延线延伸至京包线。西安至合肥的铁路线也开工建设。

兰新线起自兰州，向西经张掖、酒泉、嘉峪关、吐鲁番、乌鲁木齐、昌吉、石河子、乌苏、博乐至阿拉山口，全长2459公里。在阿拉山口，兰新铁路与哈萨克斯坦的铁路相连。兰新线在吐鲁番交汇了南疆铁路，可达南疆重镇库尔勒。南疆铁路将在21世纪续建至阿克苏。

兰新—陇海线横贯中国中部地带，把经济发达的东部沿海地区与西北边疆地区连结起来，是一条具有重要经济、政治、国防意义的铁路干线。陇海—兰新线2006年完成货运量分别为12170万吨，货物周转量2163亿吨公里，客运量8117万人，旅客周转量748亿人公里。沿该线西运的货物主要有石油、食盐、粮食、蔗糖、纺织品、日用工业品、机械、钢铁和木材等，东运的货物主要有食盐、煤炭、畜产品和棉花等。

陇海—兰新铁路是"亚欧第二大陆桥"的东段。亚欧大陆桥东起中国的连云港，西至荷兰的鹿特丹，是联接太平洋与大西洋的一条国际铁路干线。走亚欧第二大陆桥比取道印度洋、苏伊士运河的海运节省运费20%左右，运距缩短一半，安全可靠。

7. 沪杭—浙赣—湘黔—贵昆线

沪杭线—浙赣线—湘黔线—贵昆线组成了一条横贯江南地区的东西向交通大动脉。它东起东海之滨的上海，西到云贵高原的昆明，全长2598.5公里，贯通上海、浙江、江西、湖南、贵州和云南五省一市。这条铁路线在加强华东、中南和西南地区的经济联系方面起着重要的作用。

沪杭—浙赣—湘黔—贵昆铁路线串连了南方路网。在萧山和萧甬线相接可达宁波港，在贵溪交皖赣线，在鹰潭接鹰厦线并连来福线，在向塘交汇向九线，在株洲与京广线相交，在怀化与焦柳线相交。在贵阳北经川黔线可达重庆，南经黔桂线可达柳州；在昆明，北有成昆线到成都，南有昆河线到达中越边境的河口。

该线东段经济发达，西段资源丰富，货运极为繁忙。2006年沪杭—浙赣铁路完成货运量3735万吨，货物周转量563亿吨公里，客运量6043万人，旅客周转量455亿人公里，湘黔—贵昆铁路完成货运量5010万吨，货物周转量679亿吨公里，客运量2878万人，旅客周转量258亿人公里。沿该线东运的货物主要有木材、煤炭、粮食、有色金属和毛竹等，西运的货物主要有钢铁、水泥、机械、仪表、纺织品和日用工业品等。

8. 西南铁路网

西南铁路网由连接区内的成昆线、成渝线、川黔线、贵昆线等四条铁路线和联接区外的宝成线、襄渝线、湘黔线、湘桂线等四条铁路线组成，全长5400多公里。

西南铁路网区内四线环通，成都、重庆、昆明、贵阳各占一角，把云南、贵州、四川和重庆三省一市连结起来。通向区外的铁路线主要有四条，一是向北的宝成线，连结西北，并通华北和东北地区；二是向东北的襄渝线，可通中南地区，宝成和襄渝线之间有阳(平关)安(康)线相连；三是向东的湘黔线，连通中南和华北地区；四是向东南的黔桂线，可入两广，并经由湘桂线、南防线或黎湛线可达防城港或湛江港。

西起云南昆明，穿越滇、黔、桂三省区，东抵南宁的南昆铁路已于1997年建成通车。西南地区的货物经南昆—南防线由防城港出海，比经贵昆—湘黔—京广线由广州港出海或经贵昆—黔桂—湘桂—黎湛线由湛江港出海要近。

9. 东北铁路网

东北地区是中国铁路最为稠密的地区。东北铁路网是以南北向的哈大线和东西向的滨洲线、滨绥线为"丁"字型骨架，连接70余条铁路干支线组成。东北地区主要的铁路干线有沈丹线、沈吉线、平齐线、长白线、长图线、哈佳线、滨北线、通让线和通向林区的嫩林线、牙林线等。

哈大线北起哈尔滨，经长春、四平、沈阳、鞍山，直达大连港，是整个东北地区集散物资和旅客的主要通道。哈大铁路2006年完成货运量3854万吨，货物周转量778亿吨公里。

滨洲线西起满洲里，中经海拉尔和齐齐哈尔，到哈尔滨。滨绥线由哈尔滨经牡丹江到绥芬河。滨洲线到滨绥线分别在满洲里和绥芬河与俄罗斯的铁路接轨，是东北北部地区重要的东西向运输干线。

10. 沟通关内外的铁路线

京沈铁路是联结关内外的主要铁路线。它南起北京，经天津、唐山、秦皇岛，出山海关，过锦州，到达沈阳，全长850公里。京沈铁路南连京包、京广等铁路线，中接津沪线、京秦线和大秦线，北交哈大线和沈丹线，是全国旅客列车多、货运量密度大的铁路线之一。沿京沈线出关的货物主要有煤炭、纺织品、日用工业品、仪表、菜叶和热带、亚热带水果等，进关的货物主要有石油、木材、粮食、钢铁和机械等。

京承—锦承线起自北京，经承德到达锦州，是京沈铁路重要的辅助线。

京通线南起北京，经赤峰，到通辽。京通线是连接关内外的第二条重要的铁路通道，为连接东北西部地区与华北地区的一条捷径，对减轻京沈线运输压力，加强关内外的经济联系具有重要的作用。

（二）主要铁路枢纽

铁路枢纽是指在两条或两条以上的铁路线交汇处，由若干个车站、线路及一系列设备组成的运输生产综合体。在某些铁路干线的终端点，虽引入的铁路干线仅一个方向，但由于客货运输繁忙，需修建几个专业车站及相关设备，也可形成铁路枢纽。

铁路枢纽的任务是办理各线间大量客货列车的解体、编组、转线等业务。铁路网就是由众多的大大小小性质不同的铁路枢纽和铁路线组成的。

中国铁路枢纽众多。重要的铁路枢纽有北京、郑州、天津、广州、株洲、武汉、上海、徐州、石家庄、哈尔滨、沈阳、贵阳、重庆、昆明、成都、柳州、西安、乌鲁木齐、兰州和呼和浩特等。其中北京是铁道部所在地，哈尔滨、沈阳、兰州、乌鲁木齐、呼和浩特、成都、济南、郑州、上海、广州和柳州是大铁路局的所在地。

1. 北京铁路枢纽

北京铁路枢纽位于京广、京沈、京包、京秦、京九、京通、京承和京原等铁路线交汇处，是中国最大的铁路枢纽，由20多个车站和一些站间联络线及支线所组成，是一个巨大的混合枢纽，负责通向全国各地的列车编组作业。2006年通过北京铁路枢纽的客运量为6269万人，货运量为2025万吨，是中国客运量最大的铁路枢纽。

2. 天津铁路枢纽

天津铁路枢纽地处津沪和京沈两大重要干线交汇处，并与天津港相衔接，为华北地区最大的水陆联运中心，承担着繁重的运输任务。天津枢纽由20多个车站组成，其中天津站既是客货混合站，又是编组站，为本枢纽内的最大车站。2006年通过天津铁路枢纽的客运量为1632万人，货运量为8410万吨。

3. 郑州铁路枢纽

郑州铁路枢纽位于陇海和京广两条重要铁路干线交汇处，居全国铁路网的中心。在全国铁路网中行驶的列车很多都要经过这里。郑州北站是全国著名的大型编组站，通过的客货运量较大。

4. 武汉铁路枢纽

武汉铁路枢纽位于京广、汉丹和武九等铁路线的交汇处，与长江航道相连，是一个以水陆中转为特点的交通枢纽。武汉铁路枢纽的各车站分别设于武昌、汉口和汉阳，是一个延伸式的铁路枢纽。早在1998年通过武汉铁路枢纽的客运量为1974万人，货运量为5004万吨，是中国货运量最大的铁路枢纽。

5. 上海铁路枢纽

上海铁路枢纽由津沪线和沪杭线交汇而成，与上海港相结合，组成了中国最大的水陆交通枢纽。上海枢纽有10多个车站组成，上海站是客运站，南站和北站是主要的货运站，南翔站是主要的编组站。

6. 广州铁路枢纽

广州铁路枢纽地处京广、广茂、广九、广梅汕等铁路线的交汇点，衔接广州港，是中国南方地区最大的水陆交通中心

7. 兰州铁路枢纽

兰州铁路枢纽既是包兰、兰青、陇海、兰新四大铁路干线的相交处，又是"亚欧大陆桥"的必经之地，为中国西北地区最重要的铁路枢纽。兰州枢纽东起兰州东站，西到河口南站，全长47公里，是中国最长的延伸式铁路枢纽。1998年通过兰州铁路枢纽的客运量为431万人，货运量为742万吨。

8. 沈阳铁路枢纽

沈阳铁路枢纽地处哈大、京沈、沈丹和沈吉等铁路线的交汇处，是东北南部地区最大的铁路枢纽。沈阳枢纽由10多个车站及一些联络线组成，过境运输量很大，枢纽内的编组任务特别繁重。

9. 哈尔滨铁路枢纽

哈尔滨铁路枢纽位于哈大、滨洲、滨绥、滨北、滨吉等铁路线的交汇处，是东北北部地区最重要的铁路枢纽，是一个由10多个车站及站间联络线所组成的环形枢纽。

10. 成都铁路枢纽

成都铁路枢纽地处宝成、成昆、成渝等铁路线交汇处，为一环形枢纽。由于成都枢纽站地处人口稠密、城镇众多的成都平原，所以，接发和中转的货物很多。

11. 重庆铁路枢纽

重庆铁路枢纽位于襄渝、成渝、川黔等铁路线的交汇处，联接重庆港，是中国西南地区最大的水陆交通中心。

12. 贵阳铁路枢纽

贵阳铁路枢纽位于黔桂、贵昆、川黔和湘黔等铁路干线交汇处，系新中国成立后形成的铁路枢纽。枢纽内的贵阳站为客运站，南站为编组站，东站为货运站。

第三节 水路运输

水路运输是以天然或人工水道为运输线路的一种运输方式。它具有载运量大、运价低、投资省等优点，但其运输速度慢，连续性和灵活性差，适合承担时间要求不高的大宗货物的中长途运输。

一、世界水路运输概况

水路运输是国际贸易货运最重要的运输方式。按水道的地域的特点不同，水路运输可分为内河运输和海洋运输两大类。

内河运输是现代化运输方式的一个重要组成部分。在欧洲，货物运输的40%左右是通过内河运输完成的。美国密西西比河的运量已相当于10余条铁路的运量。德国西部、比利时的内河货运量分别占全国总运量的25%和17%。近年来，世界上主要发达国家大力发展现代化的内河运输，积极进行内河航道的建设，采用分节驳船，组建顶推船队，开展河海直达运输，船舶不断向大型化方向发展。

世界内河航道的总长度约为50万公里。比较健全的河运系统主要集中在经济发达国家，发展中国家的内河航道建设大多数仍处于起步阶段。以内河航道的长度看，俄罗斯、中国、美国、法国、德国、荷兰、波兰、乌克兰等国较为突出。世界著名的内河航道有密西西比河、伏尔加河、莱茵河、长江和亚马逊河等。

海洋运输是国际贸易最重要的运输方式，国际贸易货运量的2/3以上是通过海运来完成。第2次世界大战后，海运业的发展速度仅次于公路，比铁路和内河航道要快好几倍。在海运量增长的同时，世界商船总量不断上升，其中集装箱船增长迅速。商船不断地向大型化、高速化、自动化和专用化方向发展。

世界海运业主要承担了大宗货物的远程运输。目前，国际海运货物中最重要的是石油和石油制品，占40%以上，其次是铁矿砂、谷物、煤炭、铝土、磷矿和其他矿石。

世界海运能力居前列的国家和地区是：利比里亚、巴拿马、挪威、日本、希腊、俄罗斯、美国、塞浦路斯、中国、菲律宾、英国、香港、意大利、新加坡、韩国等国家和地区。但国际海运业主要为美国、英国、日本、俄罗斯等经济大国所控制，发达国家几乎垄断了世界商船队。在发展中国家注册的商船吨位数占世界的30%，但大多属于发达国家的"方便旗船"。方便旗船是指在外国登记，悬挂外国国旗并在国际市场上进行营运的船舶。目前，公开允许外国船舶在本国登记的国家主要有利比里亚、巴拿马、巴哈马、塞浦路斯、新加坡、洪都拉斯、哥斯达黎加和索马里等。第二次世界大战以后，"方便旗船"激增，已占到世界商船总吨位的1/3左右，其中70%的"方便旗船"是美国、香港、希腊、德国、日本等国家和地区。

国际海运航线按航程远近可分为远洋船线和近洋航线。国际贸易货物运输主要是通过远洋运输船完成。世界重要的远洋航线有北大西洋航线(北美—欧洲)、北太平洋航线(远东—北美西海岸)、苏伊士运河航线(北美—西欧—直布罗陀—地中海—苏伊士运河—亚洲)、好望角航线(西欧、北美东岸—好望角—亚洲)、西欧、北美东岸—加勒比海航线、远东—东南亚—中东航线、远东—加勒比海—北美东岸航线、远东—澳新航线、西欧—地中海—南美东海岸航线、波斯湾航线、远东—东南亚—好望角—南美洲航线等等。

港口是海陆交通的枢纽,目前世界共有港口3000余个,其中用于国际贸易的港口占80%左右。世界港口的地区分布不平衡。通航远洋船舶的海港主要分布大西洋和太平洋地区,尤其以欧洲、北美洲和日本为多。仅美国、日本和俄罗斯三国通航远洋船舶的港口占世界的1/4左右,年吞吐量超千万吨的大型港口主要集中在经济发达国家。鹿特丹、纽约、新奥尔良、神户、横滨、伦敦、新加坡、汉堡、马赛、安特卫普等均为世界著名大港。据集装箱运输协会统计,2011年世界集装箱吞吐量最多的十个港口是上海、新加坡、香港、深圳、釜山、宁波、广州、青岛、迪拜、鹿特丹,其中上海集装箱吞吐量已达3173万标准箱,位居世界首位。

二、中国水路运输的发展

水路运输是中国最重要的货物运输方式之一。2006年水运完成的货物周转量为55486亿吨公里,占总货物周转量的62%,并承担了90%以上的外贸运输任务。

中国有大小天然河流5800多条,总长达43万公里,其中长度在1000公里以上的著名外流河有15条;海岸线漫长,多岩岸,有不少大河东流入海,具有优越的建港条件;河流干流大多自西向东,支流南北相交,形成纵横交错、河海相接、河湖相连的水道网;沿河沿海地区经济发达,为水路运输的发展提供了良好条件。

中国水运发展历史悠久,古代曾是水运事业发达的国家。秦时修建了湘桂运河,沟通了长江与珠江两大水系。元朝在隋朝的基础上修建了京杭大运河。海洋运输起步亦较早。明代中国著名航海家郑和七下西洋,船队远达红海、非洲东岸,航队规模之大,远航地域之广,世所罕见。尽管中国具有发展水路运输的良好条件,且发展历史悠久,但在半封建半殖民地的社会条件下,水路运输很落后。内河运输绝大部分是木帆船运输,沿海船线上的船舶大多掌握在帝国主义和官僚主义手中,至于远洋运输,几乎全部为外商船队所垄断。

新中国成立以来,水运事业得到了迅速发展。中国已成为举世瞩目的航运大国。截止2006年底,民用船舶拥有量为19.4余万艘,其中机动船15.8万余艘,内河通航里程达12.34万公里,主要航道上都已安装了现代化的导航设备。新建或扩建、改建许多港口,截止2006年底,主要港口码头岸线长80.7万米,泊位数10848个(沿海港口3804个,内河港口7044个),其中万吨级以上泊位1108个(其中沿海港口883个,内河港口225个)。近年来,集装箱运输发展迅速,吞吐量已连续12年保持25%以上增长速度。1997年拥有集装箱已突破1000万个标准箱,集装箱船舶运量已达7000余万吨。大陆港口已有集装箱专用码头泊位65个,其中上海、青岛、天津等港口已跻身世界前50大集装箱港。

中国的水路运输虽取得了较大的发展,但与发展水运优越条件相比,水路运输的优势有待进一步的发挥。今后应重视水路运输的发展,充分开发和利用江河湖海,以缓解交通运输紧张的状况。

三、中国水路运输网

(一)内河运输

内河航运网以长江、珠江、京杭大运河、淮河和黑龙江航道为骨干,以港口为枢纽,联系众多的交流、河渠、水库和湖泊航道纵横交织而成。有无长而深的内河航道是内河运输发展的最关健因素。

1.长江航运线

长江是中国最著名的"黄金水道"。它从源地各拉丹东雪山出发，流经九省二市，全长6403公里，沿途汇集了岷江、嘉陵江、乌江、湘江、汉江、赣江等700多条支流，与洞庭湖、鄱阳湖、巢湖和太湖相连，并交接了成昆、襄渝、川黔、成渝、焦柳、京广、淮南、京九、武九、皖赣、津沪、沪杭等铁路线，形成了纵横广阔的水陆联运网。

长江流经亚热带，无结冰期，可终年通航。长江水系的通航里程达7万多公里，约占全国内河通航里程的70%左右。干流自宜宾以下全线可通航轮船，其中万吨级别船舶目前可通行至南京。三峡工程完工后，万吨轮可直航重庆。长江干流的通航能力相当于几十条铁路。

长江航运线上年吞吐量10万吨以上的港口有100多个。干流上重要的港口主要有宜宾、重庆、涪陵、万县、宜昌、枝城、沙市、城陵矶、武汉、黄石、九江、安庆、铜陵、芜湖、马鞍山、南京、镇江、泰州、江阴、张家港、南通和上海等。其中南京、镇江、泰州、江阴、张家港、南通等港口均有万吨以上泊位。南京港是长江下游最大的河港，拥有泊位64个，其中万吨以上泊位14个，年吞吐量达5000多万吨。武汉和重庆分别是长江中游和上游最大的港口，分别拥有泊位82和62个。乐山、南充、襄樊、长沙和南昌等是长江支流上重要的港口。

长江航线以长江流域为腹地。长江流域面积辽阔，经济发达，沿江大小城市林立，货运繁忙，运量巨大，长江流域港口的货物吞吐量约占全国内河主要港口货运量一半。沿长江逆水而上的货物主要有机械设备、纺织品、石油、日用工业品、化工产品和食盐等，顺水而下的货物主要有煤炭、粮食、木材、棉花和矿产资源等。

2. 珠江航运线

珠江水系由西江、东江和北江组成，全长2.6万公里，通航里程达1.26余万公里，为华南地区水运"大动脉"。珠江水系水运量已占全国内河水系水运量的1/5强，仅次于长江水系居全国第2位。

西江是珠江水系的主流，全长2167公里，为珠江水系航运价值最大的河流。内江的货运量约占珠江水系总货运量的80%以上。西江的航运干线是右江—郁江—浔江—西江。西江干流的上游红水河水急滩多，航运价值不大。郁江是西江水系航运价值最大的支流，其上源百色以下可通航轮船。西江的另一条支流柳江自柳州以下可通航500吨级的轮船，是贵州煤炭转运两广的主要水陆联运线。

珠江流域人口稠密，城镇广布，经济发达，森林和矿产资源丰富，西江运输十分繁忙，货运量大。沿西江逆水而上的货物主要有石油、日用工业品、纺织品和机械设备等，顺水而下的货物主要有煤炭、木材、有色金属和药材等。梧州地处两广要冲，上集西江诸支流水运之总汇，下通珠江三角洲，系两广内河运输门户，是珠江水系上最重要的港口和货物集散中心。广州、桂平、柳州、南宁等也是珠江水系的重要港口。

3. 黑龙江航运线

黑龙江干流全长4370公里，在中国境内有3400公里，其中恩和哈达至哈巴罗夫斯克(伯力)1890公里河段可通航。黑龙江流域森林、矿产资源丰富，但地广人稀，加之河流封冻期长，货运量不大。近年随着黑龙江省边境贸易的迅速发展，黑龙江已成为东北亚贸易往来的"黄金水道"。

黑龙江的支流松花江，通航里程达2600多公里，是东北地区主要水运干线。主要承担流域内木材、粮食、煤炭和林产品等货物的运输任务。哈尔滨和佳木斯是松花江上重要的港口，黑河和同江是黑龙江干流上重要港口。松花江的支流牡丹江也是一条重要的内河航道。牡丹江港为黑龙江东部地区重要的水陆交通枢纽。

4. 淮河水运线

淮河发源于河南省的桐柏山区，流经河南、安徽和江苏三省，全长1050公里。干流通航里程为696公里，其中淮南市以下可通2000吨级分节驳船队。淮河是两淮煤炭基地煤炭东运的主要通道，煤炭经淮河—京杭大运河—长江航道可直达上海。蚌埠是淮河水系重要的交通中心和货物集散地。淮河运送的货物主要有煤炭、粮食、盐、纺织品和日用工业品。

5. 京杭大运河

京杭大运河北起北京，南到杭州，贯通北京、天津、河北、山东、江苏和浙江四省二市，沟通海河、黄河、长江、淮河和钱塘江三大水系，全长1801公里，是世界上最长的人工运河。

京杭大运河是中国东部一条重要的南北向交通干线，货运量仅次于长江和珠江水系，为目前第三大水运干线。京杭大运河除天津—北京和临清—梁山两段无法通航外，其余各段可通航100吨以上的船舶。其中坯县至扬州段已改建成可全线通航2000吨级顶推驳船。在南水北调工程全部完工后，1000吨级船舶可从杭州直达北京，届时京杭大运河将在南北交通运输中发挥更加重要的作用。杭州、苏州、无锡、镇江、扬州、淮阴、邳州、徐州等地是京杭大运河上重要港口。

21世纪，随着杭州至宁波港的新杭甬运河开工建设，京杭大运河被京杭甬大运河取代，并可出海。

除上述航运线外，其他河流航运价值基本无全国性意义，往往只为省区内交通干线。黄河虽是中国第二大河，但由于泥沙含量大，水位季节变化大，仅局部河段可通航小吨位船舶，航运价值也不大。

(二) 海上运输

海上运输可分为远洋运输和沿海运输。它承担着中国相当数量的煤炭、矿石、粮食、化肥、原油和成品油等大宗货物及集装箱杂货运输任务。

1. 海运航线

航线是水上运输船舶在两个或多个港口之间从事客货运输的预定路线。按航区性质，航线有远洋航线和沿海航线之分。沿海航线是指连接一个国家沿海各港口或锚泊点之间，专供本国船舶使用的海运航线，其航运权属一国主权范围，外国船舶不经允许不得使用这些航线。远洋航线是指一国与其他国家和地区的港口之间的航线。

(1) 沿海航线。联接沿海各大港口的长途海运航线是中国综合运输网中的一条重要的南北向交通干线。它把沿海14个省、市、自治区、特别行政区和陆上主要的东西向交通干线相连通，担负着繁重的运输任务。沿沿海航线南运的货物主要有煤炭、石油、钢铁、木材和盐等，北运的货物主要有金属矿石、机械设备、日用工业品、纺织品、糖、橡胶和茶叶等。

连接沿海各中小港口的地方性短途航线，主要是为大港口转运集散货物。地方性航线由各省、市、自治区自主经营。中国大陆有通往香港和澳门的多条地区性航线。1997年4月30日，中国大陆的福州、厦门港与台湾的高雄港之间的试点直航开始启动。在1999年两岸试点直航共运营就达1667航次，运载量35.4万个标准箱。

(2)远洋航线。远洋航线是由中国对外开放港口通往世界100多个国家和地区的几百个港口。中国的远洋航线按航行的方向，可分为东、南、西、北四组航线。

东行航线，由沿海各对外开放港口出发，东行到日本，横渡太平洋可抵达美洲各国。这是中国对外贸易的一条重要航线。沿东行航线运出的货物主要是煤炭、纺织品、服装和农副产品等，运进的货物主要是粮食、钢材、化肥、机器设备、汽车、计算机、通迅器材、糖和木材等。

西行航线，由沿海各外贸港口南行，至新加坡折向西，穿马六甲海峡，过印度洋，经苏伊士运河出地中海或绕填好望角进入大西洋。沿途可到南亚、西亚、南欧、北欧、东非、北非和西非等一些国家和地区。西行航线运输任务繁重，是中国最为繁忙的远洋运输线。沿西行航线运进的货物主要有机械设备、电讯器材、化肥、热带物产、木材、纸张和钢铁等，运出的货物主要有机械设备、纺织品、服装、罐头、茶叶和手工业品等。

南行航线，由各外贸港口南行至东南亚、大洋洲等地。沿南行航线运进的货物主要有热带物产、矿石和畜产品等，运出的主要有日用工业品、纺织品、服装和钢铁等。

北行航线，由沿海各对外开放港口向北，可达朝鲜、韩国和俄罗斯东部沿海港口，是航距较近的一条远洋航线。

2. 主要港口

港口是海洋运输的起止点和水陆运输的交汇点，是发展海洋运输的重要基地。截止2006年底，中国沿海主要港口码头泊位已达3804个，其中万吨级以上泊位883个；货物吞吐量为34.22亿吨。上海、宁波、广州、天津、青岛、秦皇岛、大连等港口的年货物吞吐量超过两亿吨，为大型港口和重要外贸港口。除上述大型港口外，比较重要的港口还有丹东、京唐、龙口、烟台、石岛、南通、张家港、舟山、温州、厦门、汕头、深圳、珠海、北海、防城、海口、洋浦、三亚和八所等。

(1)大连港。位于辽东半岛南端，濒临大连湾，湾外有大小三岛作天然屏障，是一个优良的不冻深水港，拥有泊位222个，其中万吨级以上73个。港口通过哈大铁路、沈大高速公路和输油管连接东北腹地，承担着东北和内蒙古东部地区出海货物的运输任务，是东北和内蒙古东部地区的门户和最大的港口。大连港2006年货物吞吐量2亿吨。吞吐的货物主要有石油、木材、钢铁、机械、煤炭、大豆、粮食、铁矿石和杂货等，尤以石油为大宗。

(2)营口港。地处渤海的辽河入海口，是东北三省和内蒙古东部地区最便捷的出海口。东北三省的货物从营口港出海比从大连港出海所需的费用要省。2006年营口港的吞吐量达9477万吨，已跻身于14个年吞吐量超过千万吨的大港之列，成为东北地区的第二大港、环渤海地区的第五大港。

(3)秦皇岛港。位于河北省的东北部，渤海湾的西岸，处在连接华北和东北地区的辽西走廊上，自古以来一直是联系关内外的必经之路。秦皇岛背山面海，港阔水深，是一个可泊大吨位船舶的天然良港，建有煤炭、原油、杂货、散粮等各类泊位73个，其中万吨级以上泊位42个，年设计吞吐能力17200余万吨，是中国，也是世界最大的能源输出港。

(4)天津港。位于渤海湾西部，河海入海口，是北京的外港，也是华北地区最大的水陆交通枢纽和重要的外贸港口。天津港由天津港、塘沽港和天津新港三个地区组成。天津港是一内河港，塘沽港为一河口港，天津新港是国际著名的人工大港，为天津港的主体，可通航和停泊万吨级的远洋轮，建有规模较大的集装箱码头。天津港现在泊位132个，其中万吨级以上泊位65个。2006年货物吞吐量为2.58亿吨，为中国大陆第4大港。吞吐的主要货物有集装箱、粮食、化肥、盐、钢铁等。

(5)烟台港。位于山东半岛北部,蓝烟铁路的终端,以屹立港口北部的芝罘岛、崆峒岛为其天然屏障,是一个优良港口,拥有泊位53个,其中万吨级以上泊位25个。2006年货物吞吐量为6076万吨。

(6)青岛港。位于山东半岛南岸的胶州湾内,北依崂山,濒临黄海,港阔水深,万吨级远洋巨轮可自由进出,为天然良港和避风港。港区包括大港、中港、黄岛油港三个部分,有大小泊位60个,其中万吨级以上泊位42个。2006年青岛港货物吞吐量为2.24亿吨,在中国大陆各港口中居第5位。青岛港是一个以吞吐煤炭和石油为主的综合性港口,吞吐货物除原油和煤炭外,还有盐、化肥、矿石、粮食和水产等。

(7)日照港。地处山东半岛的南岸,有焦石铁路连通腹地。港口建有泊位31个,其中万吨级以上泊位27个,是一个以吞吐煤炭为主的专业性港口,2006年货物吞吐量达1.1亿吨。

(8)连云港。位于江苏北部海岸,南依云台山,面临海洲湾,北有东西连岛作天然屏障,并建有防波堤,港内风平浪静。连云港是陇海—兰新铁路的终点,是苏北、皖北、中原、西北地区最近的出海口。随着中国外贸事业的发展和"第二欧亚大陆桥"的开通,连云港将在对外贸易发挥更重要的作用,以"东方鹿特丹"姿态跻身于世界大港之林已为期不远。2006年货物吞吐量为7232万吨,吞吐的货物主要是煤炭、化肥、矿建材料、盐和杂货等。

(9)上海港。地处中国海岸线中点,扼长江入海咽喉,背靠人口稠密、物产丰富的长江三角洲,具有优越的地理位置和得天独厚的集散条件,是中国最大的综合性交通枢纽。上海港入港航道由长江南航道和黄埔江航道组成,吃水9米以下的船舶可随时进出。港区分布于黄埔江两岸,有泊位175余个,其中万吨级以上泊位80个,为中国规模最大的港口,与世界60多个国家和地区的400多个港口有往来。2006年上海港货物吞吐量达4.7亿吨,在国际上仅次于荷兰鹿特丹港和新加坡港而居世界第3位。2011年货物吞吐量跃居世界首位,吞吐的货物主要有煤炭、金属矿石、石油、钢铁、化肥、水泥、粮食、木材和集装箱等。

(10)宁波港。地处中国海岸线中部,杭州湾南侧,是一个由岩岸港、河口港、内河港组成,商港、渔港、军港兼容的多功能综合性港口。它包括宁波、镇海、北仑三个港区。宁波港为一内河港,供停泊小海轮和内河船舶;镇海港区是一个以吞吐煤炭为主的专业性港口;北仑港区是宁波港的主体,地处金塘水道南侧,为一优良的深水良港,建有中国最大的矿石中转码头。进入20世纪90年代,宁波港发展迅速,截止2006年底已拥有泊位341个,其中万吨级以上泊位60个,货物吞吐量达3.1亿吨,已发展成为中国大陆第2大港口。吞吐的货物主要有矿石、化肥、原油、粮食、木材和集装箱等。

(11)深圳港。地处珠江口东侧,濒临大鹏湾,东北距广州约150公里,南与香港毗邻,是中国重要的对外贸易港口,建有盐田、蛇口、赤湾、妈湾、东角头、沙鱼涌、黄田等港区,共拥有500吨级以上码头泊位100余个,年综合通过能力达4000万吨,其中集装箱能力125万标箱。深圳港正朝着综合性国际深水中转港迈进。

(12)广州港。地处珠江三角洲,京广、广深、京九、广梅汕、广茂等铁路在此交汇。广州港是南方最大的外贸口岸和水陆交通枢纽,由广州内港和黄埔港组成。广州内港是两广地区内河航运中心,黄埔港是广州港的外港,位于广州东南侧珠江口内,共拥有泊位631个,其中万吨级以上泊位57个。广州港腹地人口稠密,物产丰富,经济繁荣,对外贸易发达,货物吞吐量大,2006年为3.03亿吨,居中国大陆第3位。吞吐的货物主要有煤炭、矿砂、机械、化肥、粮食、盐和杂货等。

（13）湛江港。位于雷州半岛东北部的广州湾内，地处黎湛铁路的终点，港内水域宽深，风平浪静，港外有天然岛屿作天然屏障，为华南地区最大的深水良港，拥有泊位85个，其中万吨级以上29个。港江港是中国与东南亚、欧洲、非洲各国联系的最近港口，也是目前西南诸省物资出海外运的捷径之一。湛江港2006年货物吞吐量5664万吨，吞吐的货物主要有铁矿石、煤炭、石油、磷矿、盐、化肥和集装箱等。

第四节　公路运输

公路运输是城市交通和短途运输的主力，在世界各国和各地区的综合运输网中具有十分重要的地位。

一、世界公路运输概况

第二次世界大战后至今50余年来，随着世界经济、技术的发展，机械化、自动化程度的提高，交通运输工具的不断革新完善，公路网的建成及完整的汽车工业体系的形成，特别是高速公路的兴建，公路运输后来居上，发展迅速，引起交通运输结构发生重大变化。20世纪70年代末，经济发达国家大多改变了一个世纪来以铁路运输为中心的局面，公路运输在各种运输方式中起到了主导作用。汽车运输在世界各国运输体系中的作用越来越大。

公路运输是目前世界主要运输方式之一。世界综合运输网的总长度约3000多万公里，其中公路网为2000万余公里，占各种运输网总长的2/3。在世界各种运输工具中，汽车的数量占总数量的90%左右。美国、日本和欧盟各国从20世纪70年代起在货运方面以货运量计的公路运输比重大多数已达到80%左右；客运方面，美国和欧盟各国公路运输所完成的旅客周转量都占总旅客周转量的80%左右。为充分发挥公路运输的重要作用，各国特别重视在汽车运输中采用先进技术，广泛开展拖挂运输，发展专用车辆运输，大中型车辆柴油化，并合理调整车辆构成，载货汽车向大型和小型两头发展，大型车运送大宗货物，小型车运送短途小批量货物，以取得较好的经济效益。

战后世界公路建设的一个突出特点是高速公路的大规模兴建。高速公路实现了大流量、安全、经济的运输，降低了公路运输的成本，提高了经济效益。至今高速公路仍持向前发展趋势，发达国家的高速公路逐步联结起来，形成国际公路交通干线网。高速公路的建设也正向高标准、高质量、自动化方向发展。

世界公路运输线主要分布在美国和加拿大南部、西欧、南欧、北欧和南亚等地区。此外，俄罗斯、乌克兰、东欧各国、中国东部、澳大利亚东南部、巴西东南沿海和阿根廷的潘帕斯平原等地的公路亦较为稠密。

二、中国公路运输的发展

自1913年修建从长沙至湘潭的第一条公路起，到1949年的37年间只修筑了13万公里的公路线。旧中国的公路线不仅数量少，质量差，而且地区分布也极不合理，主要集中在东南沿海地区。仅上海一地就集中了全国一半以上的汽车，广大的西北和西南地区基本上没有公路。占国土面积四分之一的青藏高原只有湟水谷地一条公路。

新中国成立以后,公路建设速度很快。截止2010年底,全国公路通车里程达398.4万余公里,比建国初期增加了30余倍。目前,全国实现了县县通公路,98.7%的乡镇和87.7%的行政村通公路,一个以北京为中心,沟通了各省省会,连接交通枢纽、港口和工矿区、农牧业生产基地,覆盖全国的公路运输网已经形成。公路的质量和技术状况也有了显著的提高,等级公路已占全部公路通车里程的66%以上,其中高速公路7.4万公里,一级公路45289公里,二级公路262678公里。

运输装备逐步现代化。民用汽车拥有量3697.4万辆,比1949年增长400余倍,国产车辆的现代化程度明显提高,动力性、安全性和舒适性明显改善,初步形成了大、中、小型配套,高、中、低档相结合的车辆体系。

客货运量增长很快。2011年公路客运量为351.7亿人次,公路货运量和货物周转量分别占全国的91%和52%。公路运输在国民经济中具有微血管和大动脉的双重功能。

中国公路建设目标是通过建设和改造,形成以高等级公路为骨架,纵横全国的国家级干线道路。主要是进行三纵两横和两条干线的建设,三纵是同江至三亚、北京至珠海和重庆至北海;两横是连云港至霍尔果斯、上海至成都;两条干线是北京至上海和北京至沈阳。

三、中国公路运输网

公路运输网由公路线和公路枢纽组成。中国公路干线众多,其中以国道主干线、青藏公路和高速公路最为重要。

(一)主要公路干线

1. 国道主干线

中国公路由国道、省道和县道三级组成。国道是国家干线公路的简称。国道主要由以下公路组成:①首都北京通向各省、市、自治区、特别行政区的政治和经济中心及30万人口以上城市的干线公路;②通向各大港口、铁路枢纽和重要工农业生产基地的干线公路;③大、中城市通向重要对外口岸、开放城市、历史文化名城和重要风景区的干线公路;④具有重要意义的国际公路。目前,共有国道70条,总长10.9万公里,按方向可分为三类:第一类是以北京为中心、作扇形辐射的国道公路共12条,长约2.3万公里;第二类是南北向的国道公路,共28条,约3.8万公里;第三类是东西向的国道公路,共30条,约4.8万公里。

国道主干线联接了首都北京与各省会和所有100万以上人口的特大城市及绝大部分50万以上人口的城市。共有国道主干线12条:

(1)同江—哈尔滨—长春—沈阳—大连—烟台—青岛—连云港—上海—宁波—福州—厦门—深圳—珠海—湛江—海口—三亚。

(2)北京—天津—济南—合肥—南昌—福州。

(3)北京—石家庄—郑州—武汉—长沙—广州—深圳。

(4)呼和浩特—太原—西安—成都—昆明—河口。

(5)重庆—贵阳—南宁—北海—湛江。

(6)绥芬河—哈尔滨—满洲里。

(7)丹东—沈阳—北京—呼和浩特—银川—兰州—西宁—格尔木—拉萨。

(8)青岛—济南—石家庄—太原—银川。

(9)连云港—徐州—郑州—西安—兰州—乌鲁木齐—霍尔果斯。

(10)上海—南京—合肥—武汉—重庆—成都。
(11)上海—杭州—南昌—长沙—贵阳—昆明—瑞丽。
(12)衡阳—桂林—南宁—昆明。
见图5-3。

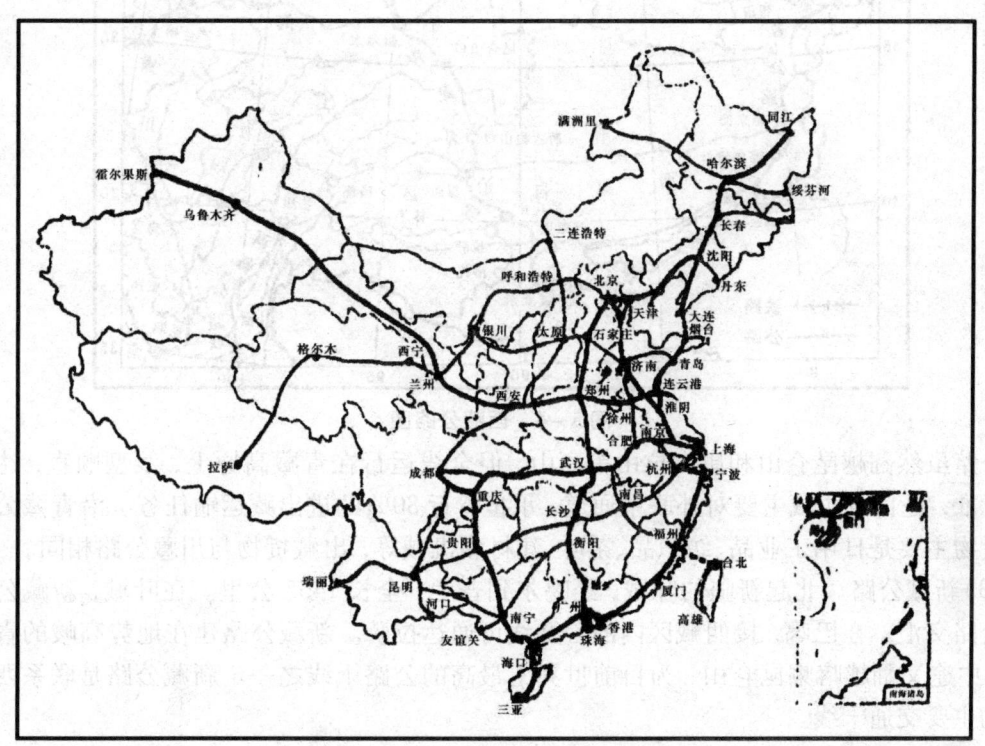

图5-3 中国国道主干线示意图

2.进藏公路

起干线运输任务的公路线主要分布西部地区,其中以通向西藏自治区的公路线最为重要。进藏公路有四条,分别从西藏的四个邻省区进入,见图5-4。

(1)川藏公路。东起成都,西到拉萨,全长2400余公里,在成都与全国铁路网相连接。川藏公路由成都向西经雅安、康定,在新都桥分岔成南北两路,北路经甘孜、昌都、那曲到拉萨;南路经芒康、邦达、林芝到拉萨。在昌都和邦达之间建有川藏北路和川藏南路的联络线。川藏公路跨越横断山区,地形崎岖,工程复杂,不能保证全年通车。沿川藏公路进藏的主要是南方东部各省、市、自治区支援西藏的茶叶、盐、纺织品、日用工业品、粮食、副食品和机械等货物,出藏的主要是西藏自治区生产的药材、矿产和畜产品等产品。

(2)青藏公路。从青海省西宁到西藏拉萨,全长1937公里,是中国工程规模最大、通车里程最长的二级公路。西宁至格尔木段基本上与青藏铁路平行,在格尔木折向南,翻越昆仑山、念青唐古拉山和唐古拉山,经安多、那曲、羊八井到拉萨。青藏公路在西宁与铁路网相连接。出格尔木北行,越当金山口,经敦煌可达兰新铁路上的柳园。

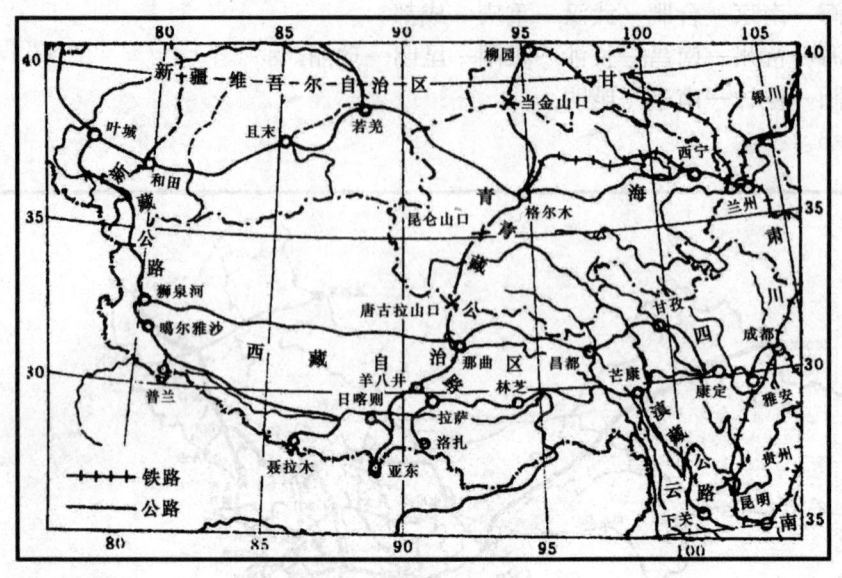

图 5-4 西藏公路图

青藏公路虽然翻越昆仑山和唐古拉山等高山,但全线运行在青藏高原上,线型顺直,达二级公路标准,是目前西藏主要对外联系通道,承担着近80%的进出藏运输任务。沿青藏公路进藏的货物主要是日用工业品、纺织品、茶叶、建材和机械等,出藏货物与川藏公路相同。

(3)新藏公路。北起新疆的叶城,经噶尔到普兰,全长1455公里。在叶城,新藏公路与南疆公路交汇。在巴噶,接西藏区内的公路线可通达拉萨。新藏公路建在地势高峻的青藏高原上,中途又翻越喀喇昆仑山,为目前世界上最高的公路干线之一。新藏公路是联系西藏和新疆的主要交通干线。

(4)滇藏公路。南起云南大理,经中甸到芒康,全长约800余公里。这条公路北接川藏南路,南连昆畹公路。滇藏公路对加强云南与西藏的经济联系,巩固国防,具有极其重要的意义。

3.高速公路

高速公路是指全封闭、全立交、供快速车辆行驶的专用公路。高速公路与一般公路最大的区别在于解决了横向干扰,并使纵向干扰减少到最小程度。它具有通行能力大,行车速度高,交通事故少,经济效益高等优点。

我国高速公路建设起步虽较晚,但发展很迅速。1988年上海至嘉定高速公路建成通车,结束了我国大陆没有高速公路的历史;1990年,被誉为"神州第一路"的沈大(沈阳——大连)高速公路全线建成通车,标志着我国高速公路发展进入了一个新的时代。随后广佛(广州——佛山)、西临(西安——临潼)、首都机场、京津塘(北京——天津塘沽区)、济青(济南——青岛)、海南环岛(海口——三亚)、广深(广州——深圳)、京石(北京——石家庄)、郑许(郑州——许昌)、长平(长春——四平)、太旧(太原——旧关)、沪宁(上海——南京)、杭甬(杭州——宁波)、长潭(长沙——湘潭)、沪宁上海段、沪杭浙江段、沪杭上海段、厦樟(厦门——樟州)、成雅(成都——雅安)等高速公路相继建成通车。到1996年底,高速公路通车里程达3422km(台湾省到1994年为477km未包括在内),位居美国、加拿大、德国、法国、意大利、日本之后,列世界第七。1988年到1996年平均每年建设高速公路324km,这个速度仅次于美国,居世界第二。到1997年底高速公路达4735km,建设速度更快,一年建成1313km。到2000年末我国高速公路通车里程已达1.6万多km,跃居世界第三位。2002年年底,我国高速公路通车里程一举突破2.5万公里,位居世界第二位,到2004年年底,我国高速公路通车里程达3.42万公里。截止到2010年末,我国高速公路里程达7.4万公里,继续保持世界第二位。2011年西藏首条高速公路通车,至此各省(区、市)都建有高速公路,其中高速公路里程突破2000公里的省(区、市)达到6个。高速公路的快速发展,不仅改善了公路交通运输状况,而且生产了巨大的经济和社会效益,有力地促进了我国经济发展和社会进步。

在2004年年底,国务院常务会议审议并通过《国家高速公路网规划》,规划确定,未来20年到30年,我国高速公路网将连接起所有省会级城市、计划单列市、83%的50万以上城镇人口大城市和74%的20万以上城镇人口中等城市。国家高速公路网采用放射线与纵横网格相结合布局方案,由7条首都放射线、9条南北纵线和18条东西横线组成,简称为"7918"网。

中国高速公路以首都北京为中心,进行了规范编号,具体如下:

高速路线·资料

· (G1,京哈高速):北京—哈尔滨　　　北京—唐山—秦皇岛—锦州—沈阳—四平—长春—哈尔滨,1280公里。

· (G2,京沪高速):北京—上海　　　北京—天津—沧州—德州—济南—泰安—临沂—淮安—江都—江阴—无锡—苏州—上海,1245公里。

· (G3,京台高速):北京—台北　　　北京—天津—沧州—德州—济南—泰安—曲阜—徐州—蚌埠—合肥—铜陵—黄山—衢州—南平—福州—台北,2030公里。

· (G4,京港澳高速):北京—港澳　　　北京—保定—石家庄—邯郸—新乡—郑州—漯河—信阳—武汉—咸宁—岳阳—长沙—株洲—衡阳—郴州—韶关—广州—深圳—香港(口岸),2285公里。

· (G4W,广澳高速):并行线:广州—澳门　广州—中山—珠海—澳门(口岸)

· (G5,京昆高速):北京—昆明　　　北京—保定—石家庄—太原—临汾—西安—汉中—广元—绵阳—成都—雅安—西昌—攀枝花—昆明,2865公里。

· (G6,京藏高速):北京—拉萨　　　北京—张家口—集宁—呼和浩特—包头—临河—乌海—银川—中宁—白银—兰州—西宁—格尔木—拉萨,3710公里。

· (G7,京新高速):北京—乌鲁木齐　　　北京—张家口—集宁—呼和浩特—包头—临河—额济纳旗—哈密—吐鲁番—乌鲁木齐,2540公里。

南北纵线

- 鹤岗—大连（G11，鹤大高速）：鹤岗—佳木斯—鸡西—牡丹江—敦化—通化—丹东—大连，1390公里。

  联络线一：鹤岗—哈尔滨（G1111，鹤哈高速）：鹤岗—伊春—绥化—哈尔滨

  联络线二：集安—双辽（G1112，集双高速）：集安（口岸）—通化—梅河口—辽源—四平—双辽

  联络线三：丹东—阜新（G1113，丹阜高速）：丹东（口岸）—本溪—沈阳—新民—阜新

- 沈阳—海口（G15，沈海高速）：沈阳—辽阳—鞍山—海城—大连—烟台—青岛—日照—连云港—盐城—南通—常熟—太仓—上海—宁波—台州—温州—宁德—福州—泉州—厦门—汕头—汕尾—深圳—广州—佛山—开平—阳江—茂名—湛江—海口，3710公里。

  并行线：常熟—台州（G15W，常台高速）：常熟—苏州—嘉兴—绍兴—台州

  联络线一：日照—兰考（G1511，日兰高速）：日照—曲阜—济宁—菏泽—兰考

  联络线二：宁波—金华（G1512，甬金高速）：宁波—嵊州—金华

  联络线三：温州—丽水（G1513，温丽高速）：温州—丽水

  联络线四：宁德—上饶（G1514，宁上高速）：宁德—上饶

- 长春—深圳（G25，长深高速）：长春—双辽—阜新—朝阳—承德—唐山—天津—黄骅—滨州—青州—临沂—连云港—淮安—南京—溧阳—宜兴—湖州—杭州—金华—丽水—南平—三明—龙岩—梅州—河源—惠州—深圳，3580公里。

  联络线一：新民—鲁北（G2511，新鲁高速）：新民—彰武—通辽—鲁北

  联络线二：阜新—锦州（G2512，阜锦高速）：阜新—锦州

  联络线三：淮安—徐州（G2513，淮徐高速）：淮安—宿迁—徐州

- 济南—广州（G35，济广高速）：济南—菏泽—商丘—阜阳—六安—安庆—景德镇—鹰潭—南城—瑞金—河源—广州，2110公里。

- 大庆—广州（G45，大广高速）：大庆—松原—双辽—通辽—赤峰—承德—北京—霸州—衡水—濮阳—开封—周口—麻城—黄石—吉安—赣州—龙南—连平—广州，3550公里。

  联络线一：龙南—河源（G4511，龙河高速）：龙南—河源

- 二连浩特—广州（G55，二广高速）：二连浩特—集宁—大同—太原—长治—晋城—洛阳—平顶山—南阳—襄樊—荆州—常德—娄底—邵阳—永州—连州—广州，2685公里。

  联络线一：集宁—阿荣旗（G5511，集阿高速）：集宁—鲁北—乌兰浩特—阿荣旗

  联络线二：晋城—新乡（G5512，晋新高速）：晋城—焦作—新乡

  联络线三：长沙—张家界（G5513，长张高速）：长沙—常德—张家界

- 包头—茂名（G65，包茂高速）：包头—鄂尔多斯—榆林—延安—铜川—西安—安康—

达州—重庆—黔江—吉首—怀化—桂林—梧州—茂名，3130公里。

·兰州—海口（G75，兰海高速）：兰州—广元—南充—重庆—遵义—贵阳—麻江—都匀—河池—南宁—钦州—北海—湛江—海口，2570公里。
　　联络线一：钦州—东兴（G7511，钦东高速）：钦州—防城—东兴（口岸）

·重庆—昆明（G85，渝昆高速）：重庆—内江—宜宾—昭通—昆明，838公里。
　　联络线一：昆明—磨憨（G8511，昆磨高速）：昆明—元江—思茅—磨憨（口岸）

东西横线

·绥芬河—满洲里（G10，绥满高速）：绥芬河（口岸）—牡丹江—哈尔滨—大庆—齐齐哈尔—阿荣旗—满洲里（口岸），1520公里。
　　联络线一：哈尔滨—同江（G1011，哈同高速）：哈尔滨—佳木斯—双鸭山—同江

·珲春—乌兰浩特（G12，珲乌高速）：珲春（口岸）—敦化—吉林—长春—松原—白城—乌兰浩特，885公里。
　　联络线一：吉林—黑河（G1211，吉黑高速）：吉林—舒兰—五常—哈尔滨—明水—黑河（口岸）
　　联络线二：沈阳—吉林（G1212，沈吉高速）：沈阳—吉林

·丹东—锡林浩特（G16，丹锡高速）：丹东—海城—盘锦—锦州—朝阳—赤峰—锡林浩特，960公里。

·荣成—乌海（G18，荣乌高速）：荣成—文登—威海—烟台—东营—黄骅—天津—霸州—涞源—朔州—鄂尔多斯—乌海，1820公里。
　　联络线一：黄骅—石家庄（G1811，黄石高速）：黄骅—沧州—石家庄

·青岛—银川（G20，青银高速）：青岛—潍坊—淄博—济南—石家庄—太原—离石—靖边—定边—银川，1600公里。
　　联络线一：青岛—新河（G2011，青新高速）：青岛—新河
　　联络线二：定边—武威（G2012，定武高速）：定边—中宁—武威

·青岛—兰州（G22，青兰高速）：青岛—莱芜—泰安—聊城—邯郸—长治—临汾—富县—庆阳—平凉—定西—兰州，1795公里。

·连云港—霍尔果斯（G30，连霍高速）：连云港—徐州—商丘—开封—郑州—洛阳—西安—宝鸡—天水—兰州—武威—嘉峪关—哈密—吐鲁番—乌鲁木齐—奎屯—霍尔果斯（口岸），4280公里。

联络线一：柳园—格尔木（G3011，柳格高速）：柳园—敦煌—格尔木

联络线二：吐鲁番—和田/伊尔克什坦（G3012/G3013，吐和高速）：吐鲁番—库尔勒—库车—阿克苏—喀什—和田/伊尔克什坦

联络线三：奎屯—阿勒泰（G3014，奎阿高速）：奎屯—克拉玛依—阿勒泰

联络线四：奎屯—塔城（G3015，奎塔高速）：奎屯—克拉玛依—塔城—巴克图（口岸）

联络线五：清水河—伊宁（G3016，清伊高速）：清水河—伊宁

·南京—洛阳（G36，宁洛高速）：南京—蚌埠—阜阳—周口—漯河—平顶山—洛阳，712公里。

·上海—西安（G40，沪陕高速）：上海—崇明—南通—扬州—南京—合肥—六安—信阳—南阳—商州—西安，1490公里。

联络线一：扬州—溧阳（G4011，扬溧高速）：扬州—镇江—溧阳

·上海—成都（G42，沪蓉高速）：上海—苏州—无锡—常州—南京—合肥—六安—麻城—武汉—孝感—荆门—宜昌—万州—垫江—南充—遂宁—成都，1960公里。

联络线一：南京—芜湖（G4211，宁芜高速）：南京—马鞍山—芜湖

联络线二：合肥—安庆（G4212，合安高速）：合肥—安庆

·上海—重庆（G50，沪渝高速）：上海—湖州—宣城—芜湖—铜陵—安庆—黄梅—黄石—武汉—荆州—宜昌—恩施—忠县—垫江—重庆，1900公里。

联络线一：芜湖—合肥（G5011，芜合高速）：芜湖—巢湖—合肥

·杭州—瑞丽（G56，杭瑞高速）：杭州—黄山—景德镇—九江—咸宁—岳阳—常德—吉首—遵义—毕节—六盘水—曲靖—昆明—楚雄—大理—保山—瑞丽（口岸），3405公里。

联络线一：大理—丽江（G5611，大丽高速）：大理—丽江

·上海—昆明（G60，沪昆高速）：上海—杭州—金华—衢州—上饶—鹰潭—南昌—宜春—株洲—湘潭—邵阳—怀化—麻江—贵阳—安顺—曲靖—昆明，2370公里。

·福州—银川（G70，福银高速）：福州—南平—南城—南昌—九江—黄梅—黄石—武汉—孝感—襄樊—十堰—商州—西安—平凉—中宁—银川，2485公里。

联络线一：十堰—天水（G7011，十天高速）：十堰—天水

·泉州—南宁（G72，泉南高速）：泉州—永安—吉安—衡阳—永州—桂林—柳州—南宁，1635公里。

联络线一：南宁—友谊关（G7211，南友高速）：南宁—友谊关（口岸）

·厦门—成都（G76，厦蓉高速）：厦门—漳州—龙岩—瑞金—赣州—郴州—桂林—麻江—

贵阳—毕节—泸州—隆昌—内江—成都，2295 公里。

·汕头—昆明（G78，汕昆高速）：汕头—梅州—韶关—贺州—柳州—河池—兴义—石林—昆明，1710 公里。

·广州—昆明（G80，广昆高速）：广州—肇庆—梧州—玉林—南宁—百色—富宁—开远—石林—昆明，1610 公里。

联络线一：开远—河口（G8011，开河高速）：开远—河口（口岸）

地区环线

·辽中环线（G91）：铁岭—抚顺—本溪—辽阳—辽中—新民—铁岭

·杭州湾环线（G92）：上海—杭州—宁波

联络线：宁波—舟山（G9211，甬舟高速）：宁波—舟山

·成渝环线（G93）：成都—绵阳—遂宁—重庆—合江—泸州—宜宾—乐山—雅安—成都

·珠三角环线（G94）：深圳—香港（口岸）—澳门（口岸）—珠海—中山—江门—佛山—花都—增城—东莞—深圳

联络线：东莞—佛山（G9411）：东莞—虎门—佛山

·海南环线（G98）：海口—琼海—三亚—东方—海口

城市环线

·北京 G4501	·成都 G4201	·青岛 G1501
·天津 G2501	·昆明 G5601	·宁波 G1501
·济南 G2001	·银川 G2001	·厦门 G1501
·上海 G1501	·兰州 G3001	·广州 G3501
·合肥 G4001	·西宁 G6001	·南京 G2501
·福州 G1501	·拉萨 G6001	·杭州 G2501
·石家庄 G2001	·呼和浩特 G6001	·深圳 G2501
·郑州 G3001	·乌鲁木齐 G3001	·重庆 G5001
·武汉 G4201	·沈阳 G1501	·贵阳 G6001
·长沙 G0401	·长春 G2501	·南宁 G7601
·太原 G2001	·哈尔滨 G1001	·海口 G1501
·西安 G3001	·大连 G1101	·南昌 G6001

(二) 公路枢纽

公路枢纽是指在两条或两条以上的公路交汇处,或公路与水运、铁路、航空线交汇处,由若干个车站、线路和相关设备组成的运输生产综合体。公路主枢纽是指位于公路主骨架与水运通道、铁路或航空干线交汇处,在全国公路运输服务网络中起主导作用的公路枢纽。它具有运输组织管理、中转换装、装卸存、多式联运、通信信息和生产辅助服务六项基本功能,其服务对象是全社会的车主、货主和旅客。

经过大量调查研究分析论证后,交通部确定了 45 个全国性的公路主枢纽,它们是:北京、天津、石家庄、唐山、太原、呼和浩特、沈阳、大连、长春、哈尔滨、上海、南京、徐州、连云港、杭州、宁波、温州、合肥、福州、厦门、南昌、济南、青岛、烟台、郑州、武汉、长沙、衡阳、广州、深圳、汕头、湛江、南宁、柳州、海口、成都、重庆、贵阳、昆明、拉萨、西安、银川和乌鲁木齐等。

第五节 航空运输

航空运输是一种现代化先进运输方式,具有速度快、机动灵活等优点,但其载量小、运价昂贵,主要承担国际和国内各大城市之间的部分旅客运输以及报刊、邮件、急件和鲜活贵重货物运输。

一、世界航空运输概况

第二次世界大战后,由于经济发展,国际贸易的增加,各国人民间的交往日趋频繁,国际航空运输获得了飞速的发展,国际民航客运量大大地增加,用于国际民航飞行的机群也有巨大发展。世界航空运输发展具有地区不平衡性,20 世纪 80、90 年代以亚太地区和北美增长率最高,拉美和加勒比地区增长较慢,欧洲居中。

目前,世界航空运输业正处于重大转折时期。21 世纪初航空运输业将进入大航空时代。大航空时代的主要特征是飞机和航空港的巨型化。大型客机将是国际航线上的主要机种。空中客车公司已公开宣布要制造可乘 800 多人的巨型客机.美国波音公司宣称其制造的可乘 800 多人的巨型飞机不久将问世。空港大型化是飞机巨型化的必然结果。美国从 1994 年开始建设的丹佛新国际空港是目前世界上最大的空港,总面积为 115.5 平方公里,有 3600～4800 米跑道 12 条,年可降飞机 12 万架次,运送旅客 1.1 亿人次。建造中的柏林新国际空港为欧洲第一空港,其总面积为 3.6 平方公里,有 4000 米长的跑道 4 条,建成后年均运送旅客 6000 万人次,货物 150 万吨。

航空港是航空运输的枢纽,一般称为机场。世界各大洲一些国家的首都和重要城市都建有国际航空港。美国的纽约肯尼迪、芝加哥、亚特兰大、洛杉矶、达拉斯、丹佛、迈阿密、旧金山、休斯敦,英国的伦敦希斯罗,法国的巴黎戴高乐和奥利,日本的东京羽田、大阪,俄罗斯的莫斯科,德国的法兰克福以及意大利的罗马、香港新机场等都是世界著名的航空港。据国际机场理事会 1994 年公布的资料,美国芝加哥奥黑尔国际机场是世界最繁忙的客运机场,年客运量 6640 多万人次,第二至五位的依次为亚特兰大、达拉斯、伦敦希思罗和洛杉矶。以货运量计算,美国田纳西州的孟菲斯机场高居榜首,年吞吐货物 165.3 万吨,第二至五位依次为东京、洛杉矶、纽约肯尼迪国际机场和德国的法兰克福机场。

世界主要航空线有西欧—北美大西洋航空线、西欧—中东—远东航运线、远东—北美间的北太平洋航空线、西欧—南美航空线、西欧—东南亚—澳新航空线、远东—澳新航空线、北美—澳新航空线和北美至南美航空线等。

世界航空运输业以北美和欧洲最为发达，其次是亚太地区、拉美和加勒比地区，非洲地区完成的客货运输量最少。按国别论，航空业最发达的国家有美国、俄罗斯、日本、英国、法国、加拿大和澳大利亚等国。美国拥有的民用飞机、机场数量以及完成的客货运输量均居世界首位。发展中国家的航空业以新加坡、巴西、印度、沙特阿拉伯、墨西哥和泰国等较为发达。

二、中国航空运输的发展

中国民用航空运输始于1929年，当时以沪宁为中心成立了"中国航空公司"。但旧中国民用航空运输发展缓慢，只有少量陈旧飞机，机场设备差，航线少，航程短，仅在少数大城市间开辟了数条航空线。

新中国成立以后，航空运输业得到了迅速的发展。自1949年11月国家民航局成立，1950年正式开辟民航线，到1978年，共有航线162条，航线里程15万公里。改革开放30年来，中国航空运输业以4倍于世界民航速度增长。截止2006年底，航线总数猛增到1336条，其中国内航线1068条，国际航线268条，地区性航线43条。民航航线总里程已达211.35余万公里，其中国际航线96.6万公里，国内航线114.73万公里。新建、改建、扩建了一大批民用机场，形成了大、中、小结合的机场网络。截止到2006年，共有民航机场142个，其中对外开放的机场37个，可起降波音737以上大型飞机的机场120个。民航机队从无到有，发展到目前拥有飞机1614架，以波音（508架）、麦道（34架）、A310（3架）、图154（13架）、A320（141架）为主体，国产飞机拥有比例不高，以运七为最多，共33架。

航空运输已成为中国运输业的重要组成部分。2006年共完成旅客运输量1.60亿人次，旅客周转量2370亿人公里。运输总周转量在国际各民航组织缔约国中居第10位，旅客周转量居第5位。中国已跻身于世界十大航空大国。

此外，中国还发展了航空摄影、探矿、除草、灭虫、人工降雨、防火护林等专业航空运输，直接为经济建设和国防科技服务。

三、中国航空运输网

航空运输网按地域特征分为国内航空运输网和国际航空运输网。

（一）国内航空运输网

国内航空运输在20世纪80年代以前由中国民航独家专营，航空线分布格局是以北京为中心呈放射状辐射全国。随着80年代中期中国民航管理体制改革，截止1999年共组建了中国国际航空公司、中国东方航空公司、中国南方航空公司、中国西北航空公司、中国西南航空公司、中国北方航空公司、云南航空公司、山东航空公司、新疆航空公司等九家航空公司，从而改变了国内航空运输网分布格局，形成了以北京、上海、广州、成都、西安、沈阳为中心，沟通全国各省会、经济中心城市、主要旅游城市、沿海开放城市和一部分偏僻边远城市的国内航空运输网。2000年中国民航总局为提高中国民航企业在国际航空运输市场的竞争力，九家航空公司将重组为四大航空集团。

主要国内航线有北京—广州、北京—武汉、成都—拉萨、北京—乌鲁木齐、北京—哈尔滨、上海—北京、上海—昆明、上海—沈阳、上海—兰州、广州—哈尔滨、广州—厦门、广州—上海、沈阳—南京、沈阳—广州、西安—桂林、西安—重庆、成都—武汉、成都—西安等等。

北京的首都国际机场、广州的白云国际机场、上海的虹桥国际机场、深圳的黄田机场、成都的双流机场、西安的咸阳机场、厦门的高崎国际机场、昆明的巫家坝机场、海口的大英山机场、重庆的江北机场和杭州的萧山机场为中国著名的十大机场。其中首都、白云、虹桥三大机场旅客吞吐量占全国旅客吞吐量的2/5左右。

(二)国际航空运输网

一个覆盖亚洲、欧洲、美洲、非洲和大洋洲的34个国家和地区的64个城市的国际空中交通网络已形成。主要国际航线有北京—沙迦—苏黎世—伦敦、北京—沙迦—巴黎、北京—莫斯科—柏林、北京—卡拉奇—贝尔格莱德、北京—卡拉奇—布加勒斯特、北京—沙迦—亚的斯亚贝巴、北京—东京—旧金山—洛杉矶、北京—广州—悉尼、北京—广州—墨尔本、昆明—仰光、北京—上海—新加坡、北京—乌鲁木齐—沙迦—伊斯坦布尔、北京—广州—曼谷、厦门—马尼拉、北京—上海—东京、北京—上海—大贩、大连—东京、北京—平壤和拉萨—加德满都等等。

北京是中国最大的国际航空港,开辟有通往五大洲的几十条国际航线。上海、广州也是重要的国际航空口岸。此外,乌鲁木齐、伊宁、西安、拉萨、大连、南京、厦门、汕头、海口、昆明、天津、杭州、福州、成都、重庆、桂林等地也有飞往国外的国际航线或飞往香港的地区性航线。

第六节 管道运输

管道运输是一种铺设在地下的管道作为运输线路的运输方式。它具有运量大、能连续运送、安全可靠、自动化水平高、占地少等优点。但管道运输只适宜输送液体和气体物质,固体物质只有转化为液体或气体才能采用管道运送。

一、世界管道运输概况

管道运输始建于19世纪60年代,1865年美国建设第一条输油管道,1880年又建成了第一条天然气输送管道。目前油气管道在世界已得到广泛运用,全世界已有油气输送管道100万余公里,欧美发达国家和中东石油产区已经实现管道网络化。固体管道运输研制始于19世纪末,20世纪50年代美国建成世界第一条长途固体输送管道,在技术和经济上都很成功。此后,一些技术发达国家先后修建了固体货物的运送管道。目前,世界上有20多个国家建成了固体管道100多条,不少国家正在大力发展管道运输。

二、中国管道运输的发展

管道运输始于1958年,当时修建了从克拉玛依油田到独山子炼油厂的第一条输油管道。伴随着油气工业的成长,管道运输迅速发展。截止2006年底,已建设了总长达4.82万余公里的油气管道,油气输送能力达43964万吨。管道运输已成为综合运输网中的一个重要组成部分,承担着2/3以上原油和天然气运送任务。2006年管道运输货物周转量达1664亿吨公里,占全国货物总周转量的1.55%。管道运输不仅用于原油和天然气的输送,而且已开始尝试运送矿石、煤炭和建材等固体货物。

三、中国管道运输网

运输管道以原油管道和天然气管道为主,也有少量成品油管道和固体货物运送管道。主要管道可参见第四章中的图4-2。

(一)输油管道

原油输送管道集中分布在东北、华北和华东北部地区。这里的原油输送管道以临邑和铁岭为枢纽,把大庆、辽河、扶余、胜利、大港、中原、华北等大油田与大连港(鲶鱼湾)、青岛港(黄岛)、秦皇岛港和南京港(仪征)等四大油港及各主要炼油基地连接起来。西部地区输油管道尚未成网。

主要输油管道有:大庆—铁岭—大连、大庆—铁岭—秦皇岛—北京、大庆—抚顺—鞍山、任丘—北京、任丘—沧县—临邑、胜利—黄岛、濮阳—临邑、临邑—济南、临邑—仪征、克拉玛依—乌鲁木齐、克拉玛依—石河子、花土沟—格尔木、湛江—茂名、潜江—荆门、南阳—荆门等等。

除原油输送管道外,还有一些成品输送管道。成品油输送管道主要是连通炼油厂与港口或油库,一般距离不长。因西藏不通铁路,建设了格尔木到拉萨的长距离成品油输送管道。

(二)输气管道

天然输送管道分布在四川、辽宁、天津、山东、河南、黑龙江、新疆、甘肃等省市,尤以四川最为集中。四川的输气管道连通了垫江、长寿、重庆、泸州、自贡、成都、江油、德阳等天然气产地和消费地。重要的输气管道还有濮阳—开封、濮阳—郑州、濮阳—沧州、靖边—榆林、南海崖13-1—香港、南海崖13-1—海口等。此外,大庆油田、胜利油田、辽河油田及一些大的炼油厂也修建了一些管道,输送石油伴生气。

2006年末,全国输油(气)管道里程为48226公里,比2002年增长62.0%,年均增长12.8%。其中输油管24136公里,输气管24090公里。

我国西气东输工程于2002年7月4日开工建设,西起新疆轮南,经过戈壁沙漠、黄土高原、太行山脉,穿越黄河、淮河、长江,途经九个省、自治区、直辖市,最后到达上海,全长约四千公里,2004年12月30日全线供气。该工程是目前中国管径最大、管壁最厚、压力等级最高、技术难度最大的管道工程,创造了世界管道建设史上的高速度。它的建成和运营,开通了中国横贯东西的一条能源大动脉,标志着中国天然气管道建设整体水平上了一个新台阶,对于推进西部大开发、加快中西部地区发展具有重大作用。

(三)固体输送管道

固体货物输送管道的建设处于试验阶段,目前只有几条短距离的管道,如云南东川铜矿的铜精矿自流管道、晋北京原铁路线上的峨口铁精矿运输管道及广东、甘肃、安徽、辽宁一些矿区输送尾矿的管道等。长距离输煤管道正在研究开发之中,也将着手进行建设。

◇◆ 复习思考题

1. 为什么说交通运输业是一个特殊的物质生产部门?
2. 中国重要的铁路运输主干线有哪些?
3. 概述中国内河运输网。

4. 简述中国原油管道运输网的地区分布特征。
5. 上海到广州有哪几种运输方式可供选择？在实际的货物运输中该怎样正确选择？
6. 现有下列商品需运输，问分别该选择哪种运输方式、走哪条运输线路最为经济合理？
(1)哈尔滨的亚麻织品运到昆明；
(2)广州的家用电器运到北京；
(3)大庆油田的原油运到武汉；
(4)吐鲁番的棉花运到上海。

第六章 贸易地理

第一节 概 述

贸易是一个以从事商品与劳务交换为主的行业,属第三产业范畴。一国贸易按其地域特征可分为从事国内商品与劳务交换的国内贸易和从事本国与其他国家(地区)之间的商品与劳务交换的对外贸易。

一、贸易在国民经济中的地位

国内贸易的主要任务是把商品与劳务从生产者手中送到消费者手中,最终实现商品或劳务的价值或使用价值,使整个社会再生产过程得以顺利地进行。因此,它是联系生产和消费的纽带和桥梁,直接影响着商品生产的规模与水平,制约着整个国民经济的发展与繁荣,还关系到人民物质和精神生活需要的满足程度以及社会的安定。

对外贸易指一国或一地区以本国或本地区为主体,与世界其他国家或地区进行的商品和劳务的交换活动。对外贸易的发展,不仅带动了国内生产,使国内生产的产品通过出口在国际市场上实现了价值,获得了比较利益,而且引进了国内经济建设需要的资金、技术、原材料和管理经验,创造了更多就业机会,增加了国家税收和外汇收入,带动了相关产业发展。此外,外贸发展对促进国民经济结构优化,提高经济效益和促进世界和平与发展也具有重要意义。

由此可见,贸易在国民经济中的地位是十分重要的,它事关国民经济发展和广大人民群众生活水平的提高及消费需求的满足程度,没有贸易,国民经济将成为一盘死棋。

贸易是我国国民经济重要组成部门。1998年我国国内贸易产值为6609亿元,占国内生产总值8.3%,为第三产业的支柱行业之一;对外贸易中进出口总额相当于国内生产总值33.8%。

二、影响贸易布局的因素和贸易布局的要求

(一)影响贸易布局的因素

与其他经济部门一样,贸易的布局深受自然、社会经济和科学技术等因素的影响,尤其是社会经济因素对贸易布局具有决定性的影响。

1. 自然因素

自然条件直接影响着商品销售,尤其以地形和气候的影响为最大。寒冷地区与温暖地区、湿润地区与干旱地区、高山地区与平原地区,人们的生产和生活方式不同,消费习惯也有着较大的差异,从而生产了商品销售的地区差异,从而产生了商品销售的地区差异,影响着贸易的地区布局。

自然因素还通过影响商品生产、交通运输和人口等社会经济条件,间接地影响贸易布局。如自然条件不同的地区,所生产的物产会有较大的差异,因而,需要购入的商品或销出的商品并不相同。自然因素还将影响商品的采购和储运。如农产品收购受气候季节性的影响,具有明显的季节性,出现商品季节收购与全年供应的矛盾。不同的气候条件对商品仓储和运输也有不

同的要求。如在炎热多雨地区的商品运输中要注意霉烂、防雨淋,仓储中要注意防暑降温;在寒冷地区的某些商品储运中要重视冻害的防治。灾害性的天气还会影响商品运输的连续性。

2. 社会经济因素

商品是贸易存在的物质基础。商品生产的发展水平和布局直接影响着贸易的发展水平和布局。商品生产的地区差异决定着商品购进的地区差异。各地由于自然条件和社会经济条件千差万别,在现代化大生产条件下,往往会扬长避短,开展专业化生产,实行劳动地域分工,从而使各地所需的商品不能完全自给。这就需要贸易部门一方面把区内有余的商品往外销,以保证再生产的正常进行。商品从货源地到消费地的流向,亦深受商品生产布局的影响。商品生产的地域性越强,商品流动的可能性越大,流向就越复杂。商品生产的专业化程度越高,不仅商品流向可能性越多,而且流动的半径也就越长。

人既是生产者,也是消费者。贸易活动一方面需要作为生产者的人来组织和管理才能顺利进行。另一方面,人口因素影响着贸易活动规模的大小,是贸易点设置密度的前提条件;而人口的性别、年龄、职业、文化程度、经济收入、民族等属性决定了消费水平、消费结构的不同,进而影响贸易网点的种类和经营商品的范围。

交通因素是商品集散的必要手段。只有具备发达的交通运输,才有可能发展大规模的贸易。商品从生产地到消费地的空间位置移动必须借助交通运输。交通运输线路的分布不仅影响着商品贸易规模和商品的流向,而且制约着贸易企业、商业中心的地区分布。

此外,社会经济制度、历史基础和旅游业的发展等因素也影响和制约着贸易布局。

3. 科学技术因素

科学技术因素直接影响着贸易工作的劳动效率和经济效益。先进的通讯技术、包装技术、保鲜技术、销售设施等是贸易工作效率提高的重要保证,也在一定程度上改变着贸易的地区分布格局。如计算机技术为电子商务的发展奠定了坚实基础。

此外,科学技术因素还通过影响商品生产规模、商品生产地区结构和交通运输线路建设等间接影响贸易的地区布局。

(二)贸易布局要求

贸易布局是经济总体布局的重要组成部分,其布局合理与否,关系到工农业产品是否能顺利地进入消费领域及广大消费者的消费需求的满足程度。贸易布局一般要求达到:

1. 按经济区域组织商品流通

无论是组织国内商品流通,还是与其他国家的商品交易,都应遵循经济规律,打破行政界限,发展横向经济联系,按商品自然流向组织商品交易。按经济区域组织商品流通,就是要建立以城市为中心的开放式商品流通网络,并利用多种方式,广开流通渠道,促进城乡之间、地区之间、国际之间的商品交流,做到货畅其流,尽快地把商品从生产领域转入消费领域,实现其价值,促进商品生产的发展和满足人民物质文化需要。

2. 要有利于加强经济核算

从事经济活动绝不可忽视经济效益,不讲经济效益的贸易将失去生存力。因此,贸易布局应加强经济核算,努力做到以最少的投入,取得最大经济效益。贸易网点的布局、商品运输方式和线路的选择要有利于商品以最合理的流转路线、最少环节、最短距离、最快速度进入消费领域,以便减少流通费用,增加利润,提高企业经济效益,为国家提供积累。

3. 要有利于提高社会效益

贸易活动的根本目的是满足人民不断提高的物质和文化需求，不能一味追求经济效益而不顾社会效益。因此，贸易布局要在讲究经济效益的基础上，兼顾社会效益。当某一时期或某些地区的贸易布局对本企业、本部门、本地区获利不大，甚至无利可图，但如果从全局利益看是必要的、合理的，那就应设置。

三、中国贸易在世界上的地位

中国人口众多，加之新中国成立60年，国民经济迅猛发展，经济实力显著增强，居民生活水平不断提高，因而，国内贸易发展突飞猛进。2011年社会消费品零售总额181226亿元，按人民币与美元比价折算，居世界中等水平；如按实际购买力折算，中国国内贸易总规模居世界前列。

中国对外贸易在改革开放后的30余年时间发展迅速，2011年进口总额达36421亿美元，出口额18986亿美元，进口额仅次于美国、德国，居世界第3位。但与许多国家和地区相比，中国的对外贸易仍滞留在一个较低的水平上。而在1997年进出口商品总额仅相当于美国的20.6%、德国的34.2%、日本的42.7%。相对于商品贸易来说，服务贸易更落后，进出口额只占世界的不到2%。

第二节 国内贸易

一、中国国内贸易的发展

中国是一个历史悠久的国家，国内贸易活动渊源留长，地区分布特色明显。

1840年鸦片战争后，中国的国门被冲开，沦为半殖民地半封建国家。虽然在当时出现了近代意义上的国内贸易，但带有明显的半封建半殖民地性质，发展畸形。这主要表现在国内贸易规模不大，主要由帝国主义和官僚买办资产阶级所控制和垄断，贸易的地区分布偏集于东北和东部沿海地区，以适应帝国主义掠夺资源、倾销商品的需要。

新中国成立后，国内贸易发生了根本变化。特别是十一届三中全会以来，国内贸易取得了巨大的成就和变化。

(一) 国内贸易规模迅速扩大

随着商品生产发展、交通运输条件的改善和人口的增长，国内贸易规模日益增大。截止2006年底，全国共拥有批发零售及餐饮业网点达到17.4万个，从业人员达到855余万人，全国社会消费品零售总额已达76410亿元，是解放初期(1952年)276.8亿元的276倍。餐饮服务业近年更是发展迅速。

(二) 国内贸易结构有了较大改善

从经济类型看，新中国成立以来以国有经济为主导，集体经济为辅助，个体经济为补充的国内贸易已不复存在。改革开放30多年，特别是20世纪90年代开始，个体经济以前所未有的速度发展，已成为中国国内贸易的一支生力军。个体批发零售及餐饮网点数达1600万余个，占总网点数的80%以上，早在1998年私营及个体经济的消费品零售总额已达12195亿元，约占整个社会消费品零售额的2/5。国有及国有控股企业消费品零售总额7023亿元，占 24.15%，集体经济 4830 亿元，占 16.6%。此外，在上海、北京等城市还发展了中外合资、合作经营零售业及连锁商业企业。一个多种经济成分、多种经营方式和多条流通渠道并存，适应社会主义市场经济发展的贸易结构已基本形成。

从城乡构成看，近年城镇的批发、零售、餐饮发展较快，2006 年城乡消费品零售总额 76410 亿元，其中城镇占 67%。随着经济进一步发展，城乡差别缩小，农村市场发展潜力巨大。目前，中国国内市场正由以城镇为主向以农村为主的方向发展。到 21 世纪，中国的农村市场在国内贸易中将具有举足轻重的地位。

从行业看，批发零售贸易仍占绝对主导地位。在消费品零售总额中，批发零售贸易业占 84%，住宿和餐饮业占 13%，其他行业占 3.0%。

人们对消费的购买力从 20 世纪 50～70 年代百元级"老四件"（自行车、缝纫机、手表和收音机）、80 年代千元级"新六件"（电视机、洗衣机、录音机、电冰箱、电风扇和照相机），到 21 世纪初万元级、10 万元级的计算机、小汽车、商品房，消费档次大大提高。这种消费结构变化，对商品销售结构产生了很大的影响。

(三) 内贸地区分布逐步趋向合理

旧中国的贸易网点基本上集中分布在东部地区，尤其是东南沿海地区。东部地区国内贸易的发展水平远远高于西部地区。

新中国成立后，东部地区的贸易有了很大的发展，特别是改革开放后，根据中国国情，借鉴国外的先进经验，与世界先进水平的差距逐步缩小。另一方面，通过大力发展内地及少数民族地区商品生产，开展纵向与横向的经济联合，沟通东西经济交流，加强内陆地区商品流通网络的建设，使内陆省区的贸易机构数、社会消费品零售总额有了较大的增加。土地面积 88% 余，人口占 58% 余的内陆 19 个省市区，拥有的批发零售网点数达 970.7 万个，约占全国的 52.3%；从业人员为 2664.5 万人，占全国的 50.5%；社会消费品零售总额为 10540 亿元，占 42.5%。由此可见，虽然中国国内贸易布局不平衡的状态有了一定程度的改变，内陆地区贸易已在全国占有重要的地位，但由于地域条件差异与历史原因，与东部地区相比，仍有很大的差距。

(四) 电子商务迅速发展

电子商务是以一种无形方式，在一个虚拟的市场中进行交易活动。自 1997 年 11 月，国际商会在法国巴黎召开世界电子商务会议。仅仅两年多时间，电子商务就像雨后春笋般在世界各地开花结果。据统计，1999 年全球电子商务的交易额已达 312 亿美元。

中国的电子商务出现于 20 世纪 90 年代。与世界发达国家相比，虽起步较晚，但作为一种全新的商业模式，在神州大地蔓延，迅速发展。据统计，截止 1999 年中国电子商务及相关网站数量已达 680 余家，电子商务已渗透到旅游、外贸、科技、工业、交通、金融、商业等各个领域。涌现了一大批规模大、商品门类全、特色明显的电子商务网站，较为著名的有 8848、中文电子商务网、雅宝竞价交易网和佳信网等。网上商店正以星火燎原之势迅速发展。电子商务将成为 21 世纪最具潜力和活力的贸易形式。

总之，中国经济改革的进一步深化、科学技术的不断进步及世界经济格局的变化，将为中国国内贸易的发展和地区平衡布局开辟广阔的前景。

二、中国商品市场的地区分布

市场是商品交换的场所。由于各省、市、自治区的自然条件、经济发展水平、产业结构、人口数量和结构、消费需求和购买力水平各不相同,中国商品市场地域差异明显。

(一)商品货源市场的地理分布

商品货源丰富与否与经济发展水平密切相关,商品货源市场的地区分布与各地区经济发展水平,尤其是工业发展水平和农业商品率高低具有较高的相关度。受商品生产发展水平影响,中国商品货源市场偏集于东部沿海地区。土地面积只占不到12%的沿海12个省、市、自治区,批发零售业商品纯购进额约占全国的60%左右。1999年限额以上批发零售业商品购进额在1000亿元以上的省市有7个,它们分别是北京、上海、江苏、广东、浙江、山东、辽宁,均位于沿海地区。中国各省、市、区批发零售业商品购进占全国比重见表6-1。

根据商品纯购进总额的大小,可把中国的商品货源市场分为四类:

1. 最重要商品货源市场

北京、上海、江苏、广东、浙江、山东和辽宁这7个省市商品生产发达,货源充足,限额以上批发零售业商品纯购进额在5000亿元以上,占全国比重5%以上,是最重要的商品货源市场,每年为中国市场提供了种类繁多、数量庞大的商品。

2. 重要商品货源市场

天津、福建、河南、湖北、云南等省市区批发零售业商品购进额占全国比重在2%~5%之间,为重要的商品货源市场。

表6-1 中国各省、市、区限额以上批发零售贸易业商品购进比重表

省市区名称	比重(%)	省市区名称	比重(%)	省市区名称	比重(%)	省市区名称	比重(%)
北京	11.9	上海	12.8	湖北	2.6	云南	2.0
天津	4.8	江苏	6.7	湖南	1.3	西藏	0.1
河北	1.6	浙江	10.1	广东	12.8	陕西	1.6
山西	1.3	安徽	1.9	广西	1.1	甘肃	1.0
内蒙古	0.9	福建	3.2	海南	0.4	青海	0.1
辽宁	5.2	江西	0.8	重庆	1.3	宁夏	0.2
吉林	1.3	山东	5.9	四川	1.9	新疆	1.1
黑龙江	1.1	河南	2.6	贵州	0.4		

资料来源:根据《中国统计年鉴·2006年》有关资料整理。

3. 一般商品货源市场

安徽、四川、河北、陕西、重庆、山西、吉林、黑龙江、湖南、广西、新疆、甘肃、内蒙古、江西等省市区年批发零售业商品购进额不大,占全国比重在0.5%~2%之间。但山西、内蒙古、陕西、贵州等省区是全国重要的煤炭调出区;吉林省重工业和农业较发达,能为国家提供大量机械、化工、农业产品;贵州省的烟草、酒,广西蔗糖、亚热带水果加工产品,新疆的畜产品、水果,江西省的中药材、山林特产等在全国也占有较重要地位。

4. 较小商品货源市场

海南、贵州、宁夏、青海、西藏生产发展水平低，能够提供的商品除畜产品和热带农产品外，其他数量甚少，批发零售业商品购进额均在400亿元以下，均占全国的0.3%以下。随着海南省经济特区建设逐步走向正规化，大规模经济建设的开展，商品生产水平不断提高，商品货源将不断增加。

（二）商品销售市场的地理分布

商品销售市场的地区分布深受经济发展水平、人口数量和结构的影响。中国商品销售市场地区分布特点：一是商品销售市场地区分布不平衡，如限额以上批发零售业商品销售总额最多的上海市高达14683亿元，而最少的西藏则只有26.4亿元，高低相差556余倍；二是沿海、沿江经济开放地区的商品销售市场较为发达，西北内陆、青藏高原及边远地区较落后。中国各省、市、区限额以上批发零售业商品销售总额占全国比重见表6-2。

表6-2　　　　　各省、市、区限额以上批发零售贸易业商品销售比重表

省市区名称	比重（%）	省市区名称	比重（%）	省市区名称	比重（%）	省市区名称	比重（%）
北京	12.1	上海	13.4	湖北	2.6	云南	2.2
天津	4.6	江苏	7.1	湖南	1.4	西藏	0.02
河北	1.6	浙江	9.7	广东	12.6	陕西	1.4
山西	1.4	安徽	1.8	广西	1.1	甘肃	1.4
内蒙古	1.0	福建	3.3	海南	0.4	青海	0.2
辽宁	5.2	江西	0.8	重庆	1.3	宁夏	0.2
吉林	1.0	山东	5.3	四川	2.01	新疆	1.2
黑龙江	1.2	河南	2.7	贵州	0.5		

资料来源：根据《中国统计年鉴·2006年》有关资料整理。

按商品销售总额大小，可把中国商品销售市场分为四类：

1. 最重要商品销售市场

上海、广东、北京、浙江、江苏、山东、辽宁等省市经济发达，人口众多，消费者货币收入增长迅速，社会购买力强，2006年限额以上批发零售业商品销售总额在5700亿元以上，占全国比重在5%以上，为最重要的商品销售市场。其中上海、广东、北京、浙江批发零售业年商品总额在10000亿元以上，合计约占全国批发零售业商品销售总额的47.8%。

2. 重要商品销售市场

天津、福建、河南、湖北、云南、四川等省市也是经济较发达、人口较多的地区，为全国重要的商品销售市场，其批发零售业商品销售总额占全国比重在2%～5%之间，为重要的商品销售市场。重庆批发零售业商品销售总额占全国的比重不到2%，但相对于这两地的土地面积和人口数量，商品销售比较兴旺，也是重要商品商场。

3. 一般商品销售市场

安徽、河北、陕西、湖南、山西、新疆、广西、黑龙江、吉林、内蒙古、甘肃、江西、贵州等省区2006年批发零售业商品销售总额占全国的比重在0.5%～2%之间，销售总额500～2000亿

元，为一般商品销售市场。

4. 较小商品销售市场

在2006年批发零售业商品销售总额400亿元以下的省区有海南、青海、宁夏、西藏，这二省二区人口稀少，购买力低，商品销售规模小，占全国比重均小于0.5%。

三、中国商业中心的地区分布

商业中心是指组织一定地域范围内的商品流通的枢纽。它通过各种职能机构、经过多种渠道将各地生产的商品源源不断的运来供应本地，把本地生产的商品输送到区外，还承担了各种过路商品的中转任务。

(一)影响商业中心的形成因素

商业中心要组织商品流通，不仅要有比较固定的商品货源地、商品销售市场和方便的运输条件，而且还必须拥有包括商品采购、储运、批发、零售等在内的一系列网点。纵观中国商业中心兴衰演变，可以发现其形成深受交通、商品生产、人口和行政建制等因素的影响。

1. 地理位置和交通因素

地理位置和交通因素是商业中心形成的首要条件。只有地理位置适中、交通便利的地区，才可能有发达的商品生产和商品贸易，才能承担起组织商品流通的功能，成为商业中心。古今中外，商业中心大多沿海、沿江、沿铁路线和沿公路等交通线分布，就是由于商业中心的形成深受地理位置和交通条件制约的缘故。武汉、上海、广州、天津、沈阳和重庆等商业中心的繁荣，是与其优越的地理位置和方便的交通条件是分不开的。

地理位置和交通条件不仅影响着商业中心的形成，而且制约着商业中心的兴衰演变。古代商业发达的扬州，由于津浦铁路的通车及京杭大运河的淤塞，其商业中心的地位便让位于地理位置和交通条件更为优越的上海了。

2. 商品生产的发展水平

发达的商品生产是商业中心形成的物质基础。商品生产的发展水平既直接影响着商业中心的形成和发展，也制约着商业中心的规模。在一般情况下，商品生产越发达，向商业中心提供的商品货源就越充足，商业中心的规模就越大。

商业中心所集散的商品主要来自商业中心城市及其附近区域。商业中心，尤其是大型的商业中心，大多分布在综合性工业品生产基地，邻近的广大区域农村经济发达，能够为商业中心提供丰富的农产品。上海是中国最大的工业中心，背靠的是长江三角洲物产丰富，是全国经济最发达的区域，这就为上海成为中国最大的商业中心奠定了雄厚的物质基础。

3. 区域人口的密集程度

人口集聚是商业中心形成的重要因素。一方面，商业中心要组织商品流通，除需要本身固有的职能部门外，还需商品生产、交通运输、邮电通讯和金融等部门和行业的协调与配合。而这些社会经济活动须通过人的组织和管理才能实现。另一方面，人是消费者，人口密集的地区需要消费大量的商品，因而需要组织流通的商品量就大。这也就是商业中心都出现在人口稠密地区的主要原因。中国各大商业中心如武汉、重庆、上海、天津、沈阳和广州等无一不是人口集聚的大城市，其邻近区域往往也是人口稠密的地区。

4. 行政区划的封建和变更

行政区划的建制和变更对商业中心的形成和发展有着重要的影响。在特定的条件下，甚至可能起决定性的作用。各级行政中心的区位选择除考虑其战略地位和行政辐射范围外,还要考虑该中心的商品生产和交通情况。行政中心一般是该行政区内经济发达、交通方便的城市。与该行政区内的其他城市相比,往往拥有较为发达的商品生产能力和组织商品流通的能力。另一方面,当一个城市成为行政中心后,往往就会在政权机关的作用下大力发展各项经济建设事业,商品生产就会在原有的基础上大大地提高,人口会迅速增加,交通条件会得到日益改善,商品流通规模也会随之增长,这就在客观上为商业中心的形成和发展提供了有利条件。

此外,商业中心具有历史继承性。有的城市历史上就是商品集散中心,直至今天仍发挥着商业中心的功能。

除上述因素外,国家经济政策、金融服务机构设置、旅游资源的开发以及国际经济政治形势的变化等都会在一定程度上影响商业中心的形成和发展。

(二) 中国商业中心的地理分布

商业中心是一定历史发展阶段的产物。中国几千年的历史,尤其是近代经济的发展变化,对商业中心的建立和发展有着重要的影响。

中国商业中心萌芽出现于先秦时期的商品集散中心。早期的商品集散中心集中于黄河流域。隋唐以后,由于经济重心由黄河流域移向长江流域,南方地区的商品集散中心迅速兴起。近代,随着商品经济的发展,封建时代的商品集散中心逐渐演变发展成为商业中心。但当时中国商业中心的分布偏集于东部沿海地区。

新中国成立后,商业中心这种不合理的布局状况得到了很大程的改善。中国商业中心地区分布图见图6-1。

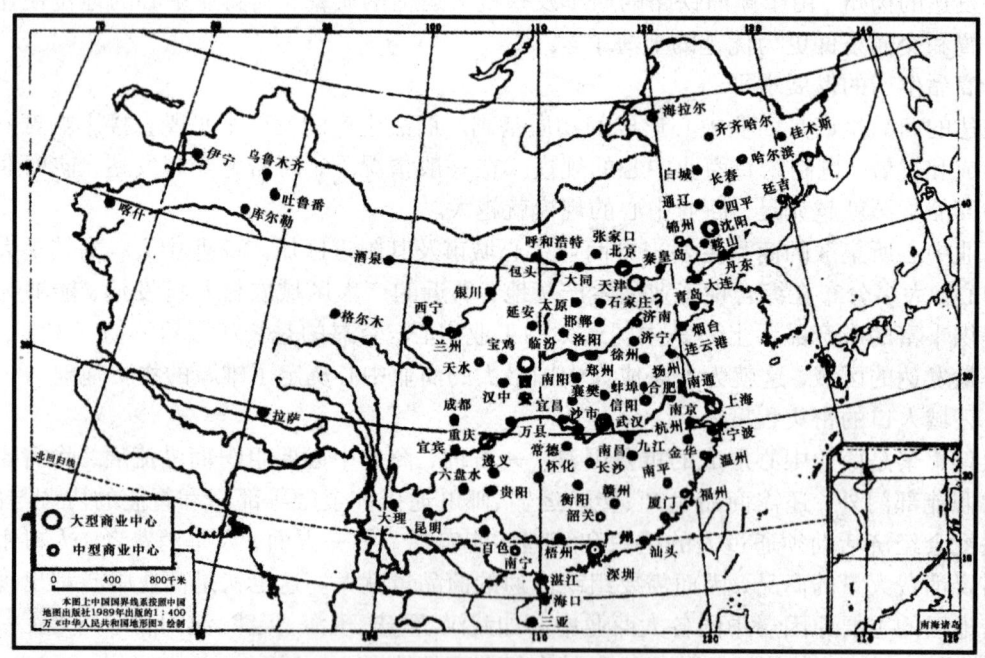

图6-1 中国商业中心分布示意图

1. 商业中心的分布特点

(1) 地区分布不平衡，集中于东部沿海地区。

东部沿海地区的商业中心不仅数量多，而且规模大。沿海12个省区县，土地面积只占全国总面积的11.34%，却集中了全国1/3以上的商业中心城市。东部地区的商业中心呈集中、群体发展趋势，主要集中在长江三角洲、珠江三角洲、京津唐、辽中南等地区。西部内陆地区的商业中心密度远不如东部沿海地区，土地面积占全国总面积31%的西北广大地区，只有西安一个大型商业中心。产生这种分布状态的主要原因是东部沿海地区商品生产发达、交通方便、人口稠密，具有良好的商业中心形成条件。

(2) 沿交通干线分布

方便的交通是商业中心形成的首要条件。铁路、沿海航线和内河航道是中国主要的交通运输干线，从而使商业中心具有明显的沿河沿海和沿铁路分布的特征。沿海各大港口都发展成为商业中心。长江沿岸分布着上海、南京、武汉、重庆等大中型商业中心。在京广、陇海、津沪、京沈和哈大铁路线上集中了全国1/3左右的商业中心。如京广沿线仅河南省境内就有信阳、漯河、许昌、郑州、新乡和安阳等商业中心。

(3) 以行政建制为基础形成多层次分布。

中国大型商业中心均分布在经济发达、交通方便、人口稠密的特大城市；从行政建制上看均为直辖市或省会城市。中型商业中心大多是生产较为发达、交通便利的省辖市。小型商业中心大多为条件一般的地级市或具有一定商品生产规模和交通便利的县级市。

2. 商业中心的地区分布

从商业中心销售看，1998年社会商品零售总额200亿元以上、批发零售业商品销售总额300亿元以上的城市有12个，它们是北京、天津、沈阳、武汉、广州、重庆、西安、成都、深圳、南京、哈尔滨等。商业中心的规模大小通常是依据其组织商品流通地域规模的大小进行分类，一般分为大型、中型和小型三大类。

(1) 大型商业中心。

大型商业中心是指承担全国或跨省区较大地域范围的商品流通组织功能的商业中心。它们大多分布在交通十分发达和经济地理位置优越的地区，自身拥有较强的商品生产能力，多与全国性的经济中心相结合，商业服务设施齐全，在全国贸易发展和商品流通中具有举足轻重的地位。大型商业中心有上海、天津和北京、广州、武汉、重庆、沈阳、西安8个，其基本情况见表6-3。

①上海。地处中国海岸线的中点，长江入海口，是著名的水陆交通枢纽；上海也是人口超千万的特大城市，为中国最大的工业品生产基地，邻近的长江三角洲，物产丰富；正是凭借这些有利条件，上海才发展成为中国最大的商业中心。浦东的开发为上海商业中心的进一步发展奠定了良好的基础。

上海商业中心不仅要承担收购本市及附近地区生产的商品和全国其他地区购入商品，以供应本市及附近地区，而且还要把收购和储存的商品源源不断地运往全国各地。上海商业服务设施齐全，设有百货、五金、针织、纺织、交电和石油等全国性批发企业，批发和零售商业极其发达。上海市社会消费品零售总额和商业从业人员均居全国第一位。淮海路、南京路和城隍庙等都是著名的商业繁华地区。

②北京和天津。北京位于华北平原的北端，是全国政治、文化中心和国际交流中心，也

是中国铁路和航空运输总枢纽及重要的工业生产基地，商品货源充足，商业设施齐全，商业网点众多，商业发达，零售商业规模大为其突出的优势。王府井、西单、东单、前门等都是著名的商业繁华地区。

天津地处海河五大支流交汇处，毗邻渤海湾，是中国北方地区经济建设和对外开放的重要城市，著名的水陆交通枢纽。天津是轻工业品生产基地和接收进口商品港口，以批发商业为优势，设有百货、化工、纺织、石油、五金和交电等全国性批发商业网点，其商品的辐射范围大。但其零售商业规模远不及北京，和平路和食品街等是商业繁华地区。随着京塘高速公路的建成，北京和天津的相对空间距离缩短了，京津联合正在加速。

表6-3　　　　　　　　中国大型商业中心(市区)基本情况一览表

商业中心名称	面积（平方公里）	总人口（万人）	国内生产总值（亿元）	从业人员（万人）	零售总额（亿元）	
					①	②
北京	488	920	1288.8	69.1	850.9	2071.5
天津	380	594	950.7	57.4	449.6	1012.9
沈阳	202	479	725.7	73.5	400.3	831
上海	412	1019	2699.5	97.5	1063.3	280.3
武汉	202	524	789.3	64.0	424.9	842.9
广州	367	396	1161.6	49.3	668.5	1914.6
重庆	190	558	572.0	40.1	272.4	338.7
西安	162	373	418.7	35.5	226.8	347.5

①社会零售总额。
②批发零售贸易业商品销售总额。
资料来源：根据《中国城市年鉴·1998年》有关资料整理。

③广州。位于珠江三角洲的顶端，地跨珠江两岸，是中国历史最悠久的大型商业中心之一。早在封建社会，这里就一直是南方对外贸易的口岸。广州市工业，特别是轻工业生产在全国具有重要的地位，不少产品畅销国内外市场，商品货源充足。广州的水陆交通也很方便，是南方沿海地区的大量货物和全国各地部分出口货物集散转运地。广州也是大陆通往港澳地区的必经之路，每年两次的广交会在此举办，从而使这里的贸易经济活动更加活跃，成为全国重要的对外贸易中心。人民南路长堤商业街、中山五路和北京路商业街、天河科技街和一德路咸鱼一条街等是著名的商业繁华地区。

④沈阳。位于辽河平原中部，浑河北岸，地处京沈、哈大、沈丹、沈吉等铁路线的交汇处，是东北最大的陆路交通枢纽。沈阳也是东北地区最大的经济中心，是一个以重工业为主的工业城市，正是凭借这些优越条件使沈阳成为东北地区最大的商业中心，承担着东北地区商品流通的组织工作。它既要把东北地区生产的木材、纸张、粮食、机械、石油及其制品、亚麻织品等商品运往全国各地，又要把关内地区生产的商品源源不断的运入。沈阳商业最繁华地区是太原街。

⑤武汉。地处中国中部地区，地理位置适中，与各大商业中心的距离基本相等。它所毗邻的长江中游地区的工农业生产发达，物产丰富，武汉本身又是一个规模较大的工业城市，

加上发达的交通运输网络,使武汉成为组织长江中游地区商品流通的大型商业中心。武汉商品货物流通向四面八方。汉阳商业街、汉正街小商品市场等是商业繁华地区。

⑥重庆。地处长江和嘉陵江汇合处,成渝、川黔、襄渝铁路在此交汇,是长江上游地区最大的水陆交通枢纽。长江、嘉陵江航道和成渝、川黔、襄渝铁路为重庆集散各类商品,重庆也因此成为西南地区最大的商品集散地和转运中心。重庆是一个综合性的工业城市,为西南地区最大的商品货源地,商品交易发达,购销两旺。解放碑商业街、好吃街等是商业繁华地区。

⑦西安。位于关中平原中部,地理位置优越,是中国西北最大的城市。西安所背靠的关中平原农业生产发达,农产品丰富,西安市又是一个以机械、纺织为主、门类较全的工业基地,棉纺织品、手表、缝纫机等产品的生产在全国具有一定地位。西安位于东西交通运输大动脉——陇海铁路线上,交通较为方便,具有发展成为商业中心的良好条件。因西北地区的商品经济远不如东部地区发达,西安的社会商品零售总额还不如中国东部地区的一些中型商业中心规模大。但由于西安承担着西北地区商品流通的组织工作,仍属大型商业中心。

(2)中型商业中心。

中型商业中心是指承担着省区范围或省区内较大的地域范围商品流通组织功能的商业中心。由于各方面因素的限制,其吸引力远不如大型商业中心,但它对一定地域范围内的商品流通具有较强的组织功能。商品流通的组织既需要有大型的商业中心,也需要有中型的商业中心作为补充。中型商业中心大多设置在商品较为发达、交通便利的省辖市,往往与地区性的商品生产中心和商品集散地相结合。

中国中型商业中心很多,遍布全国各省区。按其所依附的城市的主要职能不同,可分为三大类:

一是以省会城市为依托的商业中心。这类中型商业中心主要有哈尔滨、长春、石家庄、太原、长沙、郑州、杭州、南京、成都、昆明、南宁、福州、南昌、兰州、拉萨、银川、乌鲁木齐、呼和浩特、西宁和海口等。

二是以交通枢纽城市为依托的商业中心。这类中型商业中心主要有丹东、秦皇岛、大连、烟台、青岛、连云港、宁波、蚌埠、南平、柳州、宜宾、梧州、衡阳、宝鸡和四平等。这类商业中心主要的特点是交通便利,商品集散功能较强。

三是以商品生产中心城市为依托的商业中心。这类中型商业中心主要有齐齐哈尔、鞍山、包头、无锡、酒泉、苏州、十堰、石河子和温州等。这类商业中心的特点是商品货源充足,有利于组织较大规模的商品流通。

(3)小型商业中心。

小型商业中心是组织小区域范围内商品流通的商业中心。小型商业中心大多设置在地级市或县级市,主要承担一个县或几个县市范围内的商品流通的组织工作。小型商业中心数量繁多,遍布全国各地,在此不一一列举。

四、中国主要商品的流向

商品的流通必然伴随着商品在空间位置上的移动。商品流向是指一定时期内、一定品种和数量的商品在地域上的运转线路和方向。商品品种、商品的运转方向是商品流向的三要素。商品流向的形成取决于商品生产地区分布、商品销售地区差异和运输线路的走向。

(一) 粮食

中国传统的粮食基本流向是南粮北运、东粮西运、关外粮食进关。近几年来，由于历史上多灾的黄淮海地区已发展成为最大的商品粮基地，而南方的不少地区如广东、浙江、福建、海南、贵州、四川等省区不仅不能再调出粮食，而且需调入，在一定的程度上改变了中国南粮北运的格局。北粮南运已成为粮食运销的主流。目前调运量最大、运距最远的商品粮流向主要有二：一是东北的粮食经哈大—京沈铁路或海运入关，一部分运销关内各省市区，一部分转京包或陇海线运往西北各省区；二是黄淮海商品粮基地生产的粮食经京广、京沪、陇海等铁路线运至长江下游地区、华南、西南和西北各省区。

(二) 生猪

长江流域是中国生猪饲养最发达的地区，生猪的饲养量大，品质好，商品率高，调出量多，不仅广销国内市场，而且有一定数量出口，其主要流向是区内自西向东运销长江中下游地区、区外分别向南、向北运销华南和华北地区。黄河中下游各省所产的生猪大量供应北京、天津及东北三省。西北地区主要由陕西供应。

(三) 棉花

长江流域、黄河流域是中国重要的产棉区，西北是长绒棉的生产区，东北、西南和华南地区是主要的缺棉区。因此，棉花的基本流向是北棉南运、西棉东运、关内地区的棉花出山海关供应东北地区。黄河流域的棉花一路出关供东北地区，一路南下销华北地区和华南地区，一路流向西南地区。长江下游地区的棉花主要供应当地纺织生产所需。长江中游地区的棉花或东运至长江下游地区，或西运供西南地区，亦有部分运销华南地区。西北地区的长绒棉主要是向东运，供东部沿海地区的纺织工业中心生产高档棉纺织品。

(四) 糖

中国糖的生产集中分布在南方的广东、广西、福建、云南、海南、江西、四川和北方的新疆、黑龙江、内蒙古、吉林等省区，形成了食糖从南北产地流向中部地区的运销格局。广东和广西的糖自北向南流向全国大部分地区，福建的糖以供华东地区为主。新疆已发展成为最大的甜菜糖生产基地和北方最大的糖调出区。新疆生产的糖主要运往西北东部和华北西部地区。黑龙江也是北方重要的食糖调出区，其食糖主要流向东北南部和东北北部地区。

(五) 盐

中国食盐生产构成以海盐为主。北方沿海地区有大量的海盐外运。西北地区的湖盐产量虽远不如东部，但区内人口稀少，工业生产尚不发达，对盐需求量不大，自给自余。西南地区有井盐生产，只贵州省需调入。因此，盐的基本流向是东盐和西盐中运、北盐南运、关内的盐流向关外。长芦盐场的盐一路北供东北地区，一路南下供东南沿海省市。山东、江苏的盐除南下供应华东各省市外，还有一部分运销中原地区和长江沿岸地区。西北地区的盐沿陇海线至郑州南下供应中南各地。

(六) 煤炭

由于中国煤炭资源蕴藏丰富与经济发达程度的逆向分布，使煤炭的基本流向长期以来一直是北煤南运、西煤东运、关内的煤炭出关供东北地区。

以山西为中心，包括豫西、陕北、宁夏、内蒙古的北方煤炭基地是最大的煤炭调出区。这里的煤炭一路经东西向铁路线运往北方沿海各港口转海运南下长江航道运销长江流域各省市。贵州的煤炭主要经铁路和水运供两广地区。以徐州、淮南、兖州为中心的华东北部煤炭基地生产的煤炭主要南运至江、浙、沪地区。

(七) 石油

中国原油生产集中在东北、华北和西北地区，而长江沿岸和沿海各省市分布着众多的炼油工业中心。因此，原油的基本流向是北油南运、东油和西油中运、关外油进关。东部地区的原油流向以各大油田为中心，经管道输向大连、秦皇岛、青岛和南京四大港口，后转海运或长江航道运至沿海和沿江各大炼油中心。西北克拉玛依的原油经管道运至乌鲁木齐和石河子炼油基地。玉门油田的原油经管道运输至兰州炼油厂。

中国成品油运输以铁路为主。由于炼油厂集中分布在沿江、沿海和东北地区。因此，成品油的基本流向以长江为界，以南是东部成品油西运，以北是东北和华北的成品油南运。

(八) 木材

中国木材生产集中于东北、西南和江南地区。木材的基本流向以陇海线为界，以北为北木南运、东木西运，以南为西木东运、南木北运。东北地区的木材一路经铁路入关供陇海铁路沿线地区，一路经由大连出海，供关内沿海各省市区。西南地区的木材一路以长江水运供长江沿岸地区，一路经铁路北运进而折向西运销西北地区。福建、湖南等省区生产的木材主要运销陇海线以南的湖北、上海、浙江和江苏等省市。

(九) 化肥

化肥主要有氮肥、磷肥和钾肥三大类。中国氮肥生产分布广泛，以东北、华东和西南地区为生产地。氮肥的基本流向是南方地区氮肥北运，销往北方地区，东北地区的氮肥进关，供关内地区使用。

中国磷肥生产集中南方地区。因此，磷肥自南向北流向全国各地，形成了"南磷北运"的运销格局。

中国钾肥生产集中在西部地区，尤其是青海省，产量占全国的80%以上。因此，钾肥的基本流向是西钾东运、北钾南运、关内的钾肥运销东北地区。

(十) 钢铁

中国钢铁的基本流向是自北向南、自东向西、由关外向关内。各类钢铁产品的具体流向比较复杂。炼钢用的生铁主要是以海运和铁路自北向南、自西向东运，从铁矿型的钢铁工业基地调向市场型的钢铁工业基地。铸造用的生铁主要由东北和华北地区流向南方。钢材由东北、华北和华东地区运往西南和西北地区。

第三节　对外贸易

一、国际贸易发展概况

国际贸易是指世界各国（地区）之间的商品及劳务的交换。它是人类社会发展到一定历史阶段的必然产物。其产生必须具备两个条件：一是有可供交换的剩余产品；二是在各自为政的社会实体之间进行产品的交换。从根本上讲，社会生产力的发展和社会分工不断扩大是国际贸易产生和发展的基础。随着科学技术和社会生产力的飞速发展,世界已越来越成为一个相互关联的整体。一国一地区对外贸易的发展深受世界经济及国际贸易的影响。

战后,国际贸易的发展表现出以下几个方面的特点:

(一)国际贸易发展迅速,贸易额成倍增长

第二次世界大战后,一方面由于发达资本主义国家工业生产的迅速增长,发展中国家的经济和苏联、东欧国家经济的发展;另一方面科技进步使国际分工在广度和深度上迅速发展,生产分工和协作大大增强;加之各种类型的经济一体化机构的建立,促进了国际贸易的发展。国际贸易在这40多年中迅速发展。1950年世界进出口总额仅1205亿美元,到2006年达14.1万亿美元。世界贸易增长速度平均是世界国内生产总值增长速度的1~1.5倍,国际贸易额在世界国内生产总值中所占比重达1/3强,出口贸易及贸易量已成为各国经济力量强弱的重要标志。

(二)国际贸易商品结构发生了很大变化

国际贸易商品结构是指各类商品在国际贸易额中所占的比重。它不仅反映各类商品在国际贸易中的地位,而且能反映出各国工农业生产和商品流转情况及各国之间的劳动地域分工和经济联系等。战前至战后初期,初级产品在国际贸易中比重高于工业制品比重。自1954年起,工业制成品比重开始超过初级产品,继后二者差距逐渐扩大。在贸易结构方面,除了有形贸易的产品结构发生变化外,信息、技术、服务、旅游等无形贸易的份额也大为增长。20世纪90年代中期,无形贸易额在国际贸易中所占比重达到40%以上。

值得一提的是:电子贸易发展迅速,预计在今后几年,将保持100%左右的年增长率,在目前电子贸易中,企业间的贸易额占77%,企业与消费者之间的贸易额占23%。

(三)国际贸易地区分布发生变化

国际贸易的地区分布是指各个国家或地区的贸易在世界贸易中所占的比重。国际贸易的地区分布很不平衡,主要集中在发达国家。从发展趋势看,战后至1973年以前,发达国家在世界贸易中的比重呈上升趋势,发展中国家的比重则呈下降趋势。1973年以后,升降趋势发生逆转,发展中国家对外贸易的增长速度超过发达国家。目前,发展中国家在世界贸易中的比重仍呈上升趋势。但美国、日本、欧洲联盟各发达工业化国家的对外商品贸易仍占世界主导地位,其出口额占全球出口总额的3/4,发达国家之间的贸易额占全球贸易总额的80%以上。

战后,发达国家之间的出口一般占本国出口总额的3/5以上,在发展中国家的对外贸易中,约60%的商品是输往发达国家,特别是新兴工业化国家和地区的对外贸易大多是同发达国家进行的。美国仍是世界第一大贸易国;德国居第二位,日本居第三位。

(四)国际贸易中的垄断和竞争加剧

关税及关税贸易总协定及其日后建立的世界贸易组织(WTO)在促进贸易自由化方面发挥了积极作用。但随着国际竞争的日益加剧,国家政权在国际贸易中的干预作用明显增强,主要表现在国家通过关税和非关税壁垒来限制外国商品进口;同时采取出口补贴、出口信贷、减免税收等措施,加强本国商品竞争能力,扩大出口;在对外经济援助时,用附带条件的办法使援助成为扩大资本输出和商品输出的重要手段。

(五)区域集团和跨国公司的作用增强

世界贸易组织目前共有成员国110个,其出口总额占全球的90%以上,但世界经济区域集团化的趋势并未因世界贸易组织的成立而减弱。欧洲联盟、北美自由贸易区和正在形成的亚太经济合作组织已形成三足鼎立的局面。区域性经济集团的建立,虽然在一定的程度上削弱了世界经济贸易一体化的趋势,但对促进各地区对外贸易的发展有很重要的影响。目前区域集团之间的商品贸易额已占世界商品贸易总额的一半左右。

促成世界商品、技术和服务快速流动的另一重要因素是跨国公司的投资与贸易的增加。跨国公司商品贸易占世界总商品贸易额的50%,国际技术贸易和服务贸易的3/4是在跨国公司之间进行的。

二、中国对外贸易的发展

对外贸易是人类社会一定发展阶段的产物,是各国商品生产在流通领域中的延伸,对一国经济的发展具有举足轻重的影响。

新中国成立60年来,特别是改革开放30余年,中国的对外贸易事业取得了巨大的成就和变化。这主要表现在以下几个方面。

(一)对外贸易规模迅速扩大

中国进出口贸易额由1950年的11.35亿美元增长到2006年的9689亿美元,增长了854倍,年平均增长率在15%以上,改革开放20余年平均增长率达18%以上,不仅高于同期国民经济增长速度,而且比世界贸易年均增长速度高。自1953年起,基本上扭转了旧中国长期贸易入超局面,多年贸易顺差使中国外汇收入不断增加,1999年国际储备(不包括黄金)为1546.8亿美元,仅次于日本,居世界第2位,黄金储备1267万盎司,次于美国、德国、法国、意大利、日本,居世界第6位。中国外贸发展基本情况见表6-4。

表6-4　　　　　　　　中国部分年份的进出口总额　　　　　　　　(单位:亿美元)

年份	出口总额	进口总额	年份	出口总额	进口总额
1952	8.2	11.2	1985	273.5	422.5
1957	16.0	15.0	1990	620.9	533.5
1965	22.3	20.2	1995	1487.8	1320.8
1975	72.6	74.9	2000	2492.1	2250.9
1978	97.5	108.9	2003	4382.3	4127.6
1980	181.2	200.2	2006	9689.4	7914.6

资料来源:①《中国统计年鉴·2006年》,中国统计出版社。
②《国际贸易》2001年第2期,第64页。

1997年中国对外贸易总额已占世界贸易总额的2.9%左右,在世界的位次也由改革开放前的第32位上升至目前的第10位。其中出口总额1827亿美元,列全球第10位;进口总额1423亿美元,列第12位;贸易顺差达404亿美元。1998年由于亚洲金融危机及国内发生罕见洪水等因素的影响,进出口贸易总额下降了0.4%。1999年中国进出口贸易达3606亿美元,其中出口1949亿美元,居世界第9位,进口1657亿美元,贸易顺差292亿美元。进出口总额相当于国内生产总值的34%左右,其中出口总值占当年国内生产总值已达20%以上。2000年又跃上了一个新的台阶,进出口总额达4743亿美元,比1999年增长31.5%。2006年进出口总额达17.6万亿美元。

（二）外贸商品结构不断改善

新中国成立以来，在贸易额迅速增长的同时，进出口商品结构发生了变化，特别是改革开放20年来发生了显著的变化，变化的趋势是趋向合理，并不断优化。

出口商品结构的变化趋势是初级产品比重下降，工业制成品比重上升。初级产品和工业制成品的比例由1953年的79.4：20.6变为2006年的5.4：94.6，实现了由主要出口初级产品向主要出口制成品的历史转变。技术含量和附加价值较高的机电产品迅速增长。机电产品出口额已占当年出口总额的1/3强。连续五年超过纺织品成为中国最大的出口商品类别。除机电产品、纺织品服装外，重要的出口商品有鞋类、玩具、旅行用品及箱包、塑料制品等。初级产品出口主要是水产品、蔬菜等。由此可见，中国对外贸易的出口商品结构目前正由出口深加工、精加工和最终制成品为主转变，由出口传统商品为主向出口机电产品、重化工产品和高新技术产品为主转变。

进口商品结构变化趋势也是初级产品进口比重下降，工业制成品比重上升。进口商品中初级产品和工业制成品的比例由1953年的34.8：65.2变为2006年的23.6：76.4。生产资料已成为进口商品的主要内容。在进口额中机电产品约占2/5，尤其是先进技术和关键设备所占的比重有较大的增长。除机电产品外，进口额较大的工业制成品有钢材、塑料、化肥、纺织机械、金属加工机床、集成电路及微电子元件等。初级产品主要有谷物、原油、食用油、成品油和原棉等。

（三）全方位开拓国际市场效果显著

改革开放以来，对外经济贸易取得了全方位的进展，贸易伙伴遍及世界各地。已同世界上228个国家和地区建立了经济贸易关系，形成了以日本、香港、欧盟、美国为主，包括周边国家和地区的贸易格局。参加了包括世界银行、国际货币基金、亚太经济合作组织在内的许多国际经济组织，2001年11月11日又加入了世界贸易组织（WTO）。

改革开放30余年，利用外资成就显著。截止1999年底，累计批准外商投资企业34万余家，合同外资金额6137.62亿美元，实际利用外商直接投资金额3078.33亿美元。从1993年到1999年，中国已连续7年成为利用外资最多的发展中国家，在全球仅次于美国，列第2位。2006年实际利用外商直接投资2002亿美元。

截止到2006年，外商投资企业27.48万余户，注册资本9465亿美元，其中外方7406亿美元。世界制造业的500家最大的跨国公司，已有300余家在中国投资。对外承包工程660亿美元，对外劳务合作52.33亿美元。

中国通过技术贸易、吸收外商投资、对外生产合作、国际租赁等方式，引进了一大批硬件和软件技术，涉及冶金、机械、石油、煤炭、化工、电子、汽车等20多个行业。纺织、轻工、食品等传统行业产品和技术得到大面积升级换代，计算机、通信、生物工程、微电子等新兴行业勃然生起，重大技术装备制造业如造船、汽车、重型机械等也缩小了与国际水平的差距。

与许多国家和地区相比，中国的对外贸易事业仍滞留在一个较低的水平上，对外贸易事业在规模、深度和广度上均需进一步拓展。中国正式加入世界贸易组织后，将为中国对外贸易的发展开辟更为广阔的前景。

三、中国对外贸易的地区差异

(一)贸易对象的地区差异

中国同世界上的绝大多数国家和地区都有着经贸联系和交往。但与各大洲、各个国家之间的贸易规模和贸易结构有着很大的差异。

从洲别看,亚洲是中国最大的贸易地区。2006年对亚洲贸易额达9811亿美元,约占对外贸易总额的55.7%。其次是欧洲和北美洲,分别占18.8%和16.3%。中国与大洋洲、拉丁美洲和非洲贸易额较小,所占的比重合计不到10%。

日本、美国、欧洲联盟、香港特区、东南亚联盟、韩国和台湾等国家和地区是中国最重要的贸易伙伴,2000年中国与这些国家和地区的双边贸易达3851亿美元,占外贸总额的81.2%。从国别(地区)看,日本、美国、香港、韩国、台湾等国家和地区与中国年进出口贸易额均超过1000亿美元以上。

中国的出口市场主要是美国、香港和日本等国家和地区。2006年对这三个国家和地区的出口额均在900亿美元以上,合计出口占出口总额的55%以上。其他比较重要的进口市场有德国、韩国、英国、新加坡、法国、荷兰、意大利、加拿大、俄罗斯和澳大利亚等。

中国的进口市场主要有日本、台湾、美国和韩国等国家和地区。2006年从这4个国家或地区进口额均在800亿美元以上,合计占总进口额的50%。其他较为重要的进口市场有德国、香港、新加坡、俄罗斯、意大利、澳大利亚、英国、法国、芬兰、瑞典、印度尼西亚、加拿大、马来西亚、泰国和巴西等国家和地区。

中国与主要贸易伙伴的进出口贸易额见表6-5。

表6-5　　　　　　　　中国与主要贸易伙伴的贸易额　　　　　　　　单位:亿美元

排名	国家或地区	出口总额	进口总额	进出口总额
1	美国	2034.48	592.11	2626.59
2	日本	916.23	1156.72	2072.95
3	香港特区	1553.09	107.80	1660.89
4	韩国	445.22	897.24	1342.46
5	台湾省	207.33	870.99	1078.32
6	德国	403.15	378.79	781.94
7	新加坡	231.85	176.73	408.158
8	荷兰	308.61	36.50	345.11
9	俄罗斯	158.32	175.54	333.86
10	澳大利亚	136.25	193.23	329.48
11	英国	241.63	65.06	306.69
12	法国	139.11	112.79	251.19

根据《中国统计年鉴·2006年》(中国统计出版社)有关资料整理。

(二)对外贸易的省际差异

由于中国沿海地区和内陆地区在工业、农业、交通、商业和旅游等方面存在着巨大的经济差异,全国各省、自治区和直辖市的外贸发展具有很大的不平衡性。沿海12个省市区对外贸易发达,2000年其商品进出口额达1701亿美元,居全国第1位。较为发达的主要有湖北、安徽、吉林、黑龙江、四川、湖南、河南、新疆、云南、陕西,这些省区商品进出口额在20亿美元以上,宁夏、青海、西藏、贵州、海南等省、区的对外贸易较落后。

广东、上海、江苏、浙江、山东是中国出口贸易最发达的省市,年商品出口额在580亿美元以上,这5省市合计出口额达7354亿美元,占全国出口总额的75.9%。北京、辽宁、天津和福建等省市的出口也较为发达,其出口贸易额均在280亿美元以上。中国的进口贸易以广东、江苏、北京、上海最多,年商品进口额在1000亿美元以上。福建、山东、天津、辽宁和浙江的年商品出口额在200亿美元以上。各省、市、区进出口额比重见表6-6。

表6-6　　　　　　　　中国各省、市、区进出口总额比重表

省市区名称	比重(%)	省市区名称	比重(%)	省市区名称	比重(%)	省市区名称	比重(%)
北京	8.98	上海	12.92	湖北	0.67	云南	0.35
天津	3.66	江苏	16.13	湖南	0.42	西藏	0.02
河北	1.05	浙江	7.90	广东	29.95	陕西	0.30
山西	0.38	安徽	0.70	广西	0.38	甘肃	0.22
内蒙古	0.34	福建	3.56	海南	0.16	青海	0.04
辽宁	2.75	江西	0.35	重庆	0.31	宁夏	0.08
吉林	0.45	山东	5.41	四川	0.63	新疆	0.52
黑龙江	0.73	河南	0.56	贵州	0.09		

资料来源:根据《中国统计年鉴·2006年》有关资料整理。

(三)中国与主要国家(地区)的贸易

1. 中日贸易

中国与日本是一衣带水的邻邦,贸易往来有着悠久的历史。新中国成立后,中日贸易以民间贸易为基础逐步发展起来。中日贸易经历了20世纪50年代的民间协定贸易时期、60年代的友好贸易和备忘录贸易时期,在这期间,由于受两国关系非正常化的影响,双边贸易规模很小,到复交前的1971年只有8.7亿美元,交换的商品品种也很有限,主要是肉类、农副产品、化学和冶金产品等。

1972年中日建交后,经贸关系日益密切,特别是中国实行对外开放政策以来,中日贸易有了突飞猛进的发展。2006年中日双边贸易额已达2072.95亿美元,其中对日出口916.23亿美元,进口1156.72亿美元。日本是目前中国第二大的贸易伙伴,中国是日本的第二大贸易伙伴(次于美国)。中国主要从日本进口钢材、汽车、船舶、机械、成套设备、化工制品和电器等各种技术密集型和资本密集型产品;向日本出口煤炭、纺织品、服装、家用电器、化工原料和农副土特产等各种资源性产品或劳动密集型产品。近年来,由于纺织、家电等制成品出口的不断增长,对日出口中工业制成品比例已达占70%左右,完成了从初级产品为主向以制成为主的方向转变,这

表明两国经贸关系正从垂直分工向一定程度的水平分工方向转变。

日本企业来华投资踊跃,政府间资金合作进展顺利,日本是中国最大的资金来源国,中国也已成为日本海外投资的第二大接受国。同时,日本是中国引进技术最多的国家。

中国经济处于不同的发展阶段,这为两国经济贸易合作提供了广泛的可能性。日本科学技术发达,经济管理经验先进,资金充足,但资源贫乏;中国地域辽阔,资源丰富,但科学水平比较落后,经济建设资金缺乏。双方发挥各自优势,取长补短,有利于两国经济的共同繁荣。

2. 中美贸易

旧中国曾是美国的重要出口市场、原料供应地和投资场所。20世纪50～60年代美国对新中国实行包围、封锁和遏制政策。1972年美国总统尼克松访华,联合发表《上海公报》,从此,开辟了中美关系的新纪元,为中美贸易的恢复与发展奠定了基础。特别是1979年1月,中美两国正式建交,两国贸易关系由此进入一个新的正常发展时期,双边贸易迅速发展。

美国是目前中国最大贸易伙伴。2006年双边贸易额达2626.59亿美元,其中对美出口2034.48亿美元,进口592.11亿美元。目前,双边贸易的商品结构正朝着多元化方向发展。过去,中国从美国进口的农产品、化工原料和木材等原料性商品一直占很大的比重。但近年来,从美国进口机电仪器等技术产品的比重迅速增加。中国从美国进口的商品主要有机械设备、民用飞机、柴油机车、电子计算机、粮食、木材、纸张、化肥和五金矿产等商品。中国向美国出口的商品,目前仍以纺织品、服装所占比重较大,其他大类商品有原油及成品油、食品、茶叶、陶瓷、工艺品、土畜产品、玩具、有色金属、化工产品和机电产品等。

中国在美国的投资活动也较活跃,在美国创办了许多企业,其中贸易性企业占多数,业务范围效能包括资源开发、服装加工、交通运输、咨询服务、承包工程、金融、旅游餐饮等。美国也是中国引进技术的主要来源国,从美国引进的技术具有实用性强、性能优越可靠等特点,受到中国用户的欢迎。

中国是世界上最大的发展中国家,正在致力于大规模的经济建设,需要从国外引进大量的资金、技术、设备和必要的原材料;而美国是世界上最大的发达国家,拥有先进的技术设备、管理经验和雄厚的资金,两国经贸的互补性强,合作的前景十分广阔。但中美贸易关系中仍有许多问题亟待解决。

3. 中国与欧盟贸易

欧洲联盟由法国、德国、意大利、荷兰、比利时、卢森堡、英国、爱尔兰、丹麦、西班牙、葡萄牙、芬兰、瑞典、奥地利和希腊15个国家组成的政治经济联盟,土地面积323.5万平方千米,人口3.7亿,是目前世界上最大的、经济一体化程度最高的区域性经济贸易集团。

中国和欧盟各国经贸关系历史悠久。自中国实行改革开放政策以来,在双方共同努力下,与欧盟往来明显增多,经济贸易关系迅速发展,合作领域不断扩大。中国与欧盟有着发展贸易关系的良好基础,发展前景广阔。

2000年中国与欧盟的双边贸易额达690亿美元,其中对欧出口382亿美元,进口388亿美元。欧盟是中国第三大贸易伙伴,中国是欧盟第四大贸易伙伴,欧盟是当前世界上工业最发达,购买力最高的地区之一,有着巨大的生产能力和先进的科学技术。中国从欧盟进口的商品主要是成套设备、机电仪表和交通工具,其次是化工原料、钢材、纺织原料、有色金属和化肥等;向欧盟出口的主要商品是原料性和半成品及农副土特产品,制成品的比重不大。

中国与欧盟各成员国的贸易额以德国为最大。德国是世界经济强国之一,拥有现代化的技术、雄厚的工业基础和先进的管理经验；其新产品质量可靠、技术优良、售后服务周全，成为中国在欧洲最大的贸易伙伴，2006年中德贸易额达781.94亿美元，其中对德出口403.15亿美元，进口387.79亿美元。中国从德国进口的商品主要是成套设备和技术、机械、船舶、汽车散件、石化产品等；向德国出口土畜产品、纺织品、粮油食品、轻工产品和机电产品等。德国政府和企业对技术转让采取比较开明、灵活的策略，是中国重要的技术引进国。

英国是西方国家中最早与新中国开展贸易的国家。近50年来，中英贸易稳步发展，2006年两国贸易额突破307亿美元，其中对英出口241.6亿美元，进口65.1亿美元。中国主要向英国出口服装、玩具、纺织品、塑料制品、鞋类、土畜产、化工和有色金属原料等；从英国进口机械化综合采煤设备、飞机、化工成套设备、仪器设备、钢铁、化肥、农药、化工原料等。

法国是中国的传统贸易伙伴。1964年中法建交后，双边贸易关系不断发展。2006年中国与法国的双边贸易额达252亿美元，其中对法出口139.1亿美元，进口112.9亿美元。中国向法国出口的商品主要是日用消费品，特别是纺织品、服装、体育用品以及专业设备、家电与电子产品、非金属半成品、食品和农林渔产品等。从法国进口的商品主要有专用设备，包括机械设备、电子电器产品、汽车部件以及航空器材、钢材、小麦和技术专利等。多年来，法国一直是中国成套设备与技术的主要供应国。

中意两国都是文明古国，贸易历史悠久。1970年中意建交后，两国贸易发展较快，1970年双边贸易额为1.2亿美元，2006年为245.7亿美元。其中对意出口159.7亿美元，进口86亿美元。意大利向中国出口的商品主要有成套设备和技术、化工原料、化肥、化纤、钢材、机械、汽车等。中国向意大利出口的商品主要有纺织原料和制成品、机电产品、土畜产品、工艺品、轻工业品和粮油食品等。

4. 中韩贸易

中国与韩国自20世纪70年代中期开始民间贸易往来，1980年双边贸易额突破1亿美元。1992年中韩建交后。双边贸易关系迅猛发展，2006年已达1342亿美元，其中对韩出口445亿美元，进口897亿美元。韩国已成为中国的第4大贸易伙伴，中国则是韩国第3大贸易伙伴。中国主要向韩国出口纺织原料及其制品、原油及成品油、玉米、煤炭等原材料，其他大宗商品有化工原料、钢材、皮革制品、鞋类、饲料和机电设备等商品；从韩国进口钢材、纺织原料、塑料及其制品、电子产品、机械设备、化工产品、皮革和纸张等。

中韩双方在资源、技术和经济结构等方面有着很强的互补性，因此，韩国企业界对中国投资近年来一直呈上升趋势。中国已成为韩国的第一位投资对象国。但中韩贸易中中方逆差过大，韩国对进口商品设限过多等问题还有待双方共同研究解决。

5. 中俄贸易

中俄两国地域上相互近邻，经济结构上有明显的互补性，中国的轻纺产品和食品等为俄罗斯市场上的短缺商品，俄罗斯的资源及重工业产品极有条件进入中国市场。俄罗斯独立后，中俄双边贸易一度发展较快，1992年和1993年曾出现令人可喜的高速增长，1993年双边贸易额为76.8亿美元，其中中国对俄出口占俄罗斯总进口额的8.7%，仅次于德国而居俄罗斯对独联体以外国家贸易的第2位。但由于中国国内某些企业经营不规范，以及西方国家加强对俄罗斯贸易等原因，中俄贸易无论是绝对量还是从相对比例而言都有明显下降。2006年双边贸易额有较大幅度上升，为334亿美元，其中对俄出口为158亿美元，进口为176亿美元。中国主要向俄罗斯出口布料、运动衣、日用品等轻工业产品和食品以及部分技术投备、运输设备、个人电脑等；

从俄罗斯进口发电机、飞机、铁路设备、金属原料、木材、石油产品、化肥等。

中美两国经贸合作形式多样,除政府间贸易、边境贸易外,在技术合作、劳务合作、承包工程和相互投资等方面活动也十分活跃。双边技术经济合作主要集中于电力、钢铁、有色金属、造纸、机械制造、纺织等领域。

6. 中国与东盟贸易

东南亚国家联盟由泰国、印度尼西亚、马来西亚、菲律宾、新加坡、文莱、越南、缅甸等国组成。东盟各国是中国的近邻,双方曾有过悠久的通商历史。中华人民共和国成立后,由于种种原因,相互的经济贸易关系发展十分缓慢。进入20世纪70年代以后,随着中国同东盟国家陆续建交,以及实行对外开放政策,双边的贸易关系有了引人瞩目的发展。2000年中国与东盟国家的双边贸易额为3952亿美元,其中对东盟出口173.4亿美元,进口221.8亿美元。中国对东盟出口的主要有原油、轻纺产品、土特产品、粮油食品和中成药等,从东盟进口的主要商品有橡胶、木材、化肥、原糖和化纤产品等。

新加坡是中国在东盟的最大贸易伙伴。2006年中新贸易额达408.5亿美元,其中对外出口231.9亿美元,进口176.6亿美元。中国地域辽阔,人口众多,自然资源丰富,是一个现实的和具有巨大潜力的大市场,而新加坡是一个狭小的岛国,经济发达,资金充裕,但市场不大,两国经济互补性显而易见;中国的机电产品、原油及其制品、轻纺产品、土畜产品和粮油食品等可以成为新加坡进口和转口的大宗商品;广阔的中国市场可以成为新加坡商品出口和资金投入的好去处,中国丰富的自然资源和劳动力资源,对于向外发展的新加坡更具吸引力;加之新加坡人77%以上是华人,相似的风俗习惯非常有利于建立良好的合作伙伴关系。中国主要从新加坡进口电子产品、橡胶、棕油、石油产品等;向新加坡出口轻纺产品、粮食、土特产品等。

泰国是中国的近邻,两国贸易发展由来已久。1975年中泰建交后,贸易往来发展很快。2006年双边贸易额达277.26亿美元,其中对泰国出口97.64亿美元,进口179.62亿美元。中国主要从泰国进口橡胶、大米、食糖、宝石等初级产品;向泰国出口原油、成品油、水泥、机械、化工原料等。

中国与马来西亚的贸易在20世纪70年代以前一直都是在民间进行的。1974年两国建交后,在互通有无、平等互利原则的基础上,两国贸易不断发展,2006年双边贸易额达371.1亿美元,其中对马出口135.4亿美元,进口235.7亿美元。中国主要从马来西亚进口橡胶、棕油、胶合板、纺织用纱、电子仪器等,中国已成为马来西亚棕油的最大买主;向马来西亚出口的商品主要有食品、纺织品、水泥、陶瓷器、机器及运输设备等。

中国和印度尼西亚早在7世纪就建立了经济文化联系。1967年两国关系中断,只通过新加坡和香港进行转口贸易。1985年两国恢复直接贸易,双边贸易额逐年增长,2006年达190.6亿美元,其中对印出口94.5亿美元,进口96.1亿美元。中国主要从印尼进口木材、水泥、橡胶、棕油、化肥等;向印尼出口棉花、纺织品、机械、化工产品等。

四、中国外贸口岸和边境贸易

(一)外贸口岸

按照中国有关规定,口岸是指人员和货物、交通工具出入国境的港口、机场、车站和通道等。作为人员、货物和交通工具的出入境通道,口岸在改革开放中正发挥着越来越重要的作用。它促进了对外交往、国际旅游和经济贸易的发展,带动了口岸所在地和周围腹地经济的发展。

中国口岸有一类口岸和二类口岸之分。其中一类口岸是指由国务院批准开放的口岸，是外贸口岸主体。中国共有一、二类500余个。中国的外贸口岸大多依附于重要海港、河港、机场及边境城市。见图6-2。

1. 沿海口岸

中国沿海口岸主要有丹东、大连、营口、锦州、秦皇岛、天津、烟台、威海、青岛、石臼所、连云港、南通、上海、宁波、舟山、温州、福州、泉州、厦门、东山、汕头、广州、惠州、深圳、湛江、北海、防城、海口、三亚、八所等。它们地理位置优越，交通方便，具有发展对外贸易良好条件，是中国主要的外贸基地和窗口。其中天津、上海、大连、秦皇岛、烟台、青岛、连云港、南通、宁波、温州、福州、广州、湛江、北海为14个对外开放港口城市。

2. 沿江口岸

中国沿江口岸主要沿长江、珠江、黑龙江分布。长江上的主要口岸有南通、张家港、南京、马鞍山、芜湖、安庆、九江、黄石、武汉、城陵矶、重庆等；珠江上的主要口岸有肇庆、梧州、贵港等；黑龙江上的主要口岸有黑河、逊克、抚远、同江、佳木斯、哈尔滨等。

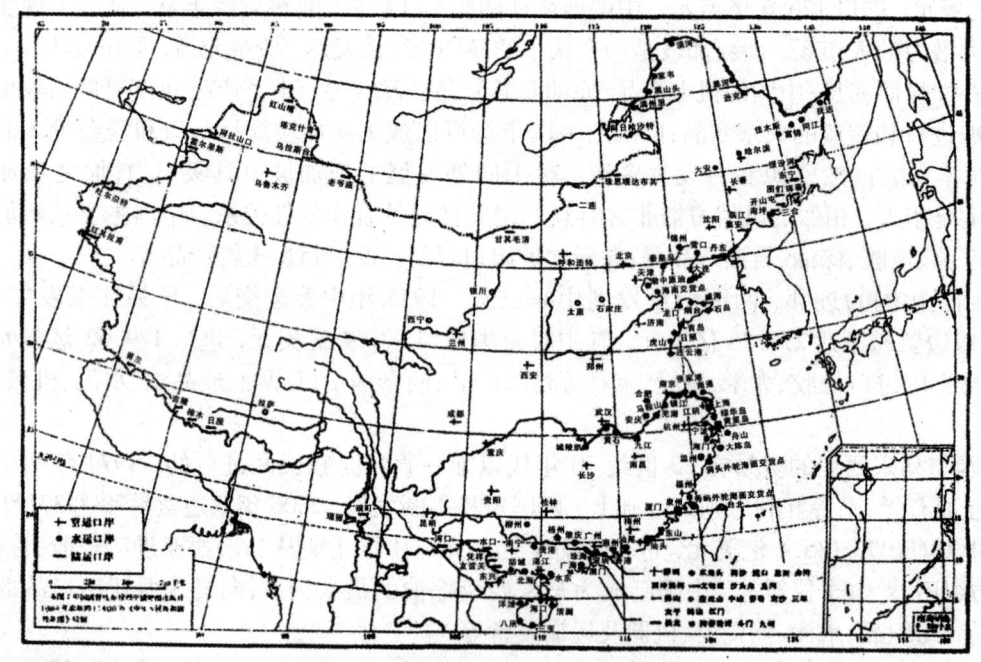

图6-2 中国对外开放口岸分布示意图

3. 内陆口岸

中国内陆口岸大多以机场为依托，空运口岸居多，主要有重庆、合肥、郑州、太原、石家庄、西安、呼和浩特、兰州、银川、西宁、乌鲁木齐、昆明、贵阳、桂林、长沙、南昌、济南、长春等。

4. 沿边口岸

中国有138个边境县市，开设边境口岸100多个，其中一类边境口岸48个，以陆运口岸为主。比较重要的沿边口岸有集安、图们、珲春、绥芬河、黑河、满洲里、呼和浩特、阿拉山口、霍尔果斯、吐尔沃特、红旗拉甫、普兰、碗町、瑞丽、河口、凭祥和东兴等。

(二)边境贸易

边境贸易是指两国接壤地区居民间进行的小额贸易(俗称边民互贸)和两国接壤地区的政府或企业所进行的边境地区贸易。

中国具有开展边境贸易的有利条件。首先,内陆的9个省、自治区与15个国家接壤。其次,中国有30多个民族地跨两国,它们的语言文字相通,风俗习惯相似,加之千百年来有着密切的血缘、心理、姻亲关系,结成同族同亲的深厚情谊,为开展边境贸易的奠定了良好的人文基础。第三,与毗邻国家资源、产业结构、经济发展水平不同,产生了劳动产品和消费需求差异:一方面,邻国需要中国的产品,如毗邻国家除俄罗斯外都是农业国,缺乏工业品,俄罗斯又是重工业发达而轻工业发展程度低,中国的许多工业品特别是轻纺工业品颇受他们欢迎;另一方面,中国也需要邻国的产品,如俄罗斯的钢材、汽车、机械、化肥、水泥、摩托车、木材、金属矿产和朝鲜的明太鱼等。

中国的边境贸易可追溯至2000多年前的汉代,当时中国就通过"丝绸之路"与西域诸国开展贸易。改革开放30年来,随着国内外经济形势的变化,边境贸易有了重大的突破。目前,边境贸易正由点到线、由线到面向纵深推进,一个以边境开放城市为"窗口",边境市县为前沿,省会及中心城市为依托,面向东北亚、中亚和东南亚,多层次的贸易新格局正在逐步形成。

中国边境贸易的地域差异巨大。以周边国别论,中俄边境贸易规模为最大,约占60%左右,其次是中越、中缅和中朝边贸,与其他11个国家的边贸所占的比例不到10%。

以省区论,边境贸易规模大小依次为黑龙江、吉林、广西、内蒙古、新疆、云南、辽宁、西藏。

◇◆ 复习思考题

1. 概述中国商品市场的地区分布特征。
2. 上海为什么会成为中国最大的商业中心?
3. 分析粮食、棉花、糖、煤炭和石油等商品的基本流向。
4. 简述中国对外贸易的地区差异。

第七章 旅游地理

第一节 概述

一、旅游业在国民经济中的地位

旅游业是以旅游资源为基础，以旅游设施为条件，经营各种旅行游览业务，为旅游者提供综合服务的行业。它由旅游者（主体）、旅游资源（客体）、旅游设施（媒介）三个基本要素组成。旅游业属于劳动密集型的第三产业。

旅游业在国民经济中具有非常重要的作用，已成为促进国民经济增长的重要经济部门。旅游业投资少、见效快。发展国内旅游业可以大量回笼货币，促进国内市场的繁荣与稳定，并可为国家建设积累资金。接待国外旅游者如同"风景出口"，可以为国家增加外汇收入。目前，旅游业已成为各国外汇创收的重要渠道。

旅游业可带动相关产业的发展。一方面，旅游业的发展要以建筑业、交通运输业、工业、农业、商业等行业的发展为前提；另一方面，旅游业的发展又不断促进这些相关行业的发展。如旅游者在旅游活动中都要求进出方便、吃住满意、游玩畅快，为此就必须兴建旅游饭店、开辟旅游景点、开通交通路线，还要配套商业服务、旅游纪念品生产及金融、保安、邮电通讯等服务。因此，旅游业可以提供就业机会，对带动区域经济的发展有重要的作用。

旅游业可以扩大国际间的经济合作。旅游没有区域界限，具有广泛的国际性，是一种具有特殊优势的外向型经济。国际旅游业的迅速发展，对扩大国际间的经济交换和合作将发挥积极的作用。如不少国外投资者就是通过旅游媒体对中国进行了解，激发了投资欲望而来进行贸易洽谈，乃至投资办企业的。

旅游业还可以促进不同国家、不同地区之间文化的交流，弘扬民族文化。旅游可使人们了解旅游地的历史、文化，加深相互了解，增进友好往来。此外，旅游业对于丰富人民的文化生活，提高文化素质，美化自然环境，开发和保护旅游资源等方面也能起到积极的作用。

在世界范围内，旅游业被公认为永远的朝阳产业。随着第二次世界大战后世界旅游业的迅速发展，旅游业在国民经济中的地位和作用日益重要。

二、旅游业的特点

（一）地域性

由于自然条件的差异和人文因素的影响，旅游资源的形成、开发和利用有明显的地域性，不同地区的旅游资源类型的组合状况不同，从而形成了各具特色的旅游区。如东北有林海雪原，西北有浩瀚沙漠，中原多历史古迹，海南有碧海椰风，皆具有独特的地域特点。发展旅游业，要充分挖掘和发挥旅游资源的地域优势，因地制宜，以特色取胜，吸引更多的游客。

（二）季节性

由于某些自然地理要素，如气候、水文、植被等在一年中随季节不同而发生变化，使各旅游区、点的某些自然景观也因时而有明显的变化,这必然要影响旅游活动,使其随季节而产生周期性变化。如冰城哈尔滨的冰灯、雪雕,是冬季的旅游胜景,而北戴河、青岛的海滨则是夏季的避暑胜地。同时,旅游者的旅游活动往往受季节、节假日的影响,使旅游业有明显的淡、旺季差异。如暑假期间往往形成旅游旺季。因此,旅游业宜掌握季节性特点,合理安排好旅游服务。

(三)综合性

旅游业是综合性服务产业。旅游活动涉及了"食、住、行、游、购、娱"等多种行业,有着很强的综合性特点。发展旅游业必须和其他相关行业密切协作,相互配合。城建、商业、交通、轻工环保、通讯、出版等部门都要协同旅游业的发展,一起搞好旅游区、点的建设。

(四)经济性

旅游业通过对旅游资源的开发建设,并凭借旅游资源和设施,为游客提供旅游服务,从而实现利润。它具有投资少、收益快、经济效益较高的特点。现代旅游业也因此被称为"无烟工业"、"无形贸易"、"风景出口"。旅游业也是为国家积累资金、增加外汇的一个重要经济部门。

第二节　国内旅游

一、中国国内旅游的发展

中国是历史悠久的文明古国,也是旅行游览活动发展最早的国家之一。古往今来,许多文人、科学家、旅行家通过游览旅行,考察祖国的名山大川,调查各地的风俗民情,留下了许多不朽篇章。如著名的地理学家、旅行学家徐霞客,从22岁起,走遍了大半个中国,写下了著名的《徐霞客游记》。但由于古代经济落后,交通不便,旅游活动仅限于少数人范围内。旅游作为一项经济产业,在中国20世纪20年代才开始。但旧中国经济落后,社会动荡,旅游业发展极其缓慢。

新中国成立后,旅游业得到了逐步发展,但由于种种原因,发展速度缓慢。改革开放以来,中国的旅游业得以真正启动,国内旅游和国际旅游都得到迅速发展。旅游业以每年平均22%的速度递增,不仅高于同期中国国民经济总体发展速度,同时也高居于世界旅游业发展速度的前列,成为国民经济重要的产业部门。

改革开放以来,中国经济得到了飞速发展,人民生活水平稳步提高,城乡居民收入有了较大增长,5天工作制的实施又增加了居民的闲暇时间,国内旅游得以迅猛发展。据统计,1991～1995年,国内旅游总人数为21.28亿人次,年均增长12.8%;国内旅游总收入为3712亿元人民币,年平均增长率为68.2%。2000年,国内旅游人数达7.44亿人次,旅游收入为3176亿元人民币,新的旅游线路不断开辟,中国国内旅游市场已步入了持续稳定发展的新阶段。

二、中国旅游资源与旅游区

(一)中国旅游资源

1. 自然旅游资源

自然旅游资源是指天然存在的能够吸引游人的自然地理环境,它主要包括地貌、水体、气象与气候、生物等。见图7-1。

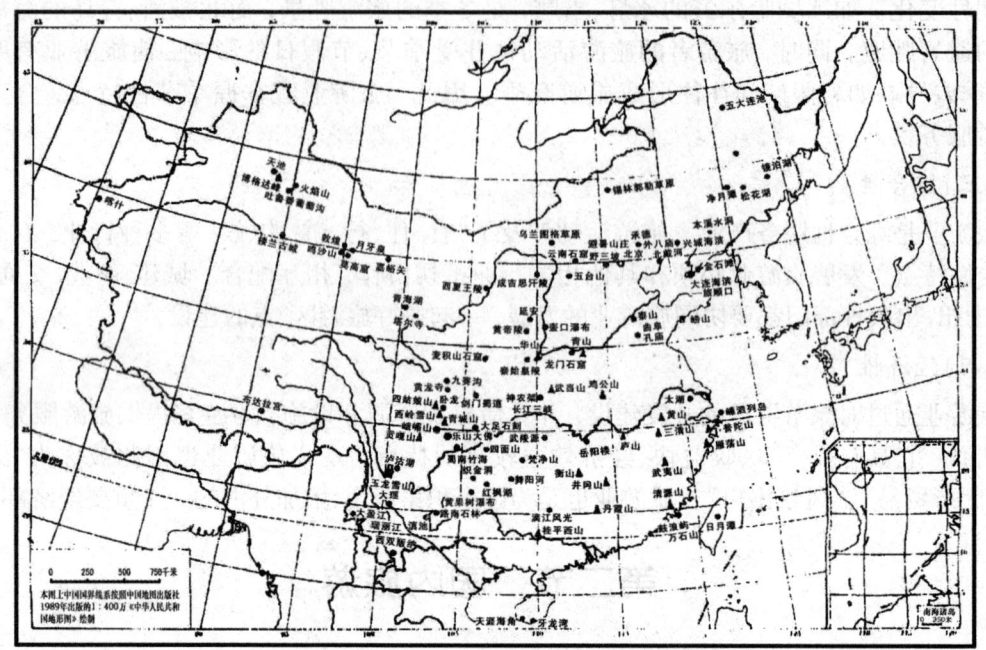

图 7-1　中国主要旅游景点分布图

(1)地貌旅游资源

①名山奇峰。中国是一个多山的国家,名山奇峰众多,山地在自然景观中居主要地位。中国的名山大致可分为五岳、四大佛教名山、雪山冰峰和其他旅游名山四大类。五岳是五大历史名山的总称,包括东岳泰山(山东省)、西岳华山(陕西省)、北岳恒山(山西省)、南岳衡山(湖南省)、中岳嵩山(河南省)。由于历代帝王、宗教僧侣和文人名士的瞩目与登临,留下了丰富的历史文化遗迹,使五岳旅游价值倍增,素有"五岳归来不看山"之美称。

古代中国是佛教盛行的国家。山西省的五台山、四川省的峨眉山、浙江省的普陀山和安徽省的九华山为中国四大佛教名山,相传分别为文殊菩萨、普贤菩萨、观音菩萨和地藏菩萨的道场。这些佛教名山山间环境清静优美,遍藏古寺名刹,留有灿烂的文化遗产,成为古今中外佛教人士与旅游者的朝拜、观光胜地。

中国的雪山冰峰主要分布在西部地区,海拔在 7000 米以上的高峰雪山有 40 座,其中最著名的是世界最高峰——珠穆朗玛峰。这些雪山冰峰,终年积雪,冰川广布,风光景物奇异,是登山运动和科学考察的理想之地。

此外,中国还有许多名山,以"雄"、"奇"、"险"、"秀"、"幽"等特色著称于世。如安徽省黄山有奇松、怪石、云海、温泉"四绝",有"黄山归来不看岳"的美誉;江西省庐山有悬崖、瀑布、云雾"三绝";浙江省雁荡山以奇峰、飞瀑、异洞、怪石取胜;辽宁省千山以无峰不奇、无石不峭、无寺不古享誉。其他如武夷山、长白山、井冈山、阿里山等都是景色奇美的、颇具旅游价值的名山。

②特殊地貌。中国拥有各类独特的地貌旅游资源,很多都具有丰富的旅游价值。岩溶地貌(喀斯特地貌)集中分布在广西、贵州、云南东部。因气候和岩性条件不同,各地岩溶地貌发

育程度差异大，或以地面奇峰为主，或以地下溶洞见长，或以泉水及姿态各异的沉积物为特色。著名的岩溶地貌有广西桂林山水、云南路南石林、贵州织金洞、广东肇庆七星岩等。

丹霞地貌是指由巨厚的红色砂砾发育的方山、奇峰、赤壁、巨石等特殊地貌，以广东仁化的丹霞山和福建的武夷山最为典型。

火山地貌是因火山活动而形成的地貌。火山喷发的奇景，休眠火山的圆锥形山体和火山熔岩流构成的奇异地表形态等都是有吸引力的旅游资源。中国火山地貌以东北、西南和台湾等地较为集中。黑龙江省的五大连池风景区是中国第一个火山自然保护区，区内因火山岩浆堰塞临河形成5个串珠状湖泊，优美的火山锥体，保留着当年熔岩流动时呈现的各种态势的地表和有奇特理疗作用的温泉，吸引着大批游览、疗养者。中国最大的火山堰塞湖黑龙江省镜泊湖，其吊水楼瀑布、地下森林、熔岩隧道奇观举世罕见。

风沙地貌主要分布于西北地区，浩瀚的沙漠及各具形态的风蚀地貌都是具有吸引力的旅游内容。甘肃省鸣沙山—月牙泉、宁夏中卫沙坡头、内蒙古达拉特旗银肯沙丘三大鸣沙是较为有名的风沙地貌旅游区。新疆罗布泊地区的风蚀"城堡"也以其神秘幽深闻名于世。

（2）水体旅游资源

①风景海域。海洋辽阔壮大，可以使人开阔胸怀，激发情感；海滨冬暖夏凉，是理想的避暑、休假和疗养的场所，海岸的礁石峭壁、沙滩浴场都是有价值的旅游资源。中国海岸线绵长，沿海岛屿众多，拥有许多发展旅游业条件优越的滨海风景区，如大连、北戴河、青岛、烟台、普陀山、厦门、北海、三亚等。

②风景河段。中国河流众多，许多河段两岸峡谷雄奇，植被茂密、河水清澈，人文资源丰富，并可进行岸边或水上游览，具有较高的旅游价值。

长江是中国最具旅游价值的河流，如上游河段既有神秘诱人的江源风光，又有许多历史遗迹、神话传说；中游河段河道宽阔曲折、河湖相连，人文景观丰富。长江三峡更是举世闻名，瞿塘峡雄伟险狭，巫峡奇异壮丽，西陵峡险滩急流，三峡江段不仅自然景色壮观，且沿岸名胜古迹众多。葛洲坝水利枢纽、武汉长江大桥、三峡水利工程等也以其现代工程的恢宏气势吸引着游人。

黄河中游景色最奇，有龙门、壶口、三门峡大峡谷，峡谷地段壁立千仞，流急浪高，自然景色动人。此外，浙江富春江、广西漓江、京杭大运河等也比较有名。

③风景湖泊。湖水清澈、景色秀丽，可以开展各类水上活动的湖泊在中国有很多。如既有鄱阳湖、洞庭湖、太湖、滇池、洱海、白洋淀、青海湖那样水天一色、烟波浩渺的太湖，也有像杭州西湖、武汉东湖、天山天池、北京昆明湖等景色秀美的湖泊。还有水利工程形成的人工湖泊风景区，如千岛湖、松花湖、三门峡水库等。

④泉水和瀑布。目前中国已开辟了众多以温泉为主要内容的游览疗养区，如西安华清池、广东从化温泉等。

有些泉与周围的山水或名胜古迹相结合，形成了别具一格的风景名胜游览点，如济南的趵突泉、杭州虎跑泉、大理蝴蝶泉、无锡"天下第二泉"等。

瀑布以银白色的练带自天而降，形成雷鸣般的巨响、飞溅的水珠、雨雾蒙蒙，与蓝天、白云、青山、峰洞、文物古迹等自然人文景观构成有动有静、有声有形的画卷。中国著名的瀑布有贵州黄果树瀑布、黄河壶口瀑布、镜泊湖吊水楼瀑布、长白山瀑布和雁荡山大龙湫瀑布等。

(3)气候旅游资源

追求适宜的气候是人们重要的旅游动机之一。一般说来,四季如春或具特殊避暑、避寒意义的地区有利于旅游。如中国云贵高原、东北地区、山地和海滨地带,夏季气候凉爽,无酷暑,吸引人们前往避暑。莫干山、庐山、鸡公山和北戴河是中国著名的四大避暑胜地。云贵高原和华南地区冬季气候温和,无严寒,是避寒的适宜地区。

还有一些特殊的气象现象也以其独特的魅力成为旅游奇景,如云海、雾淞、海市蜃楼、佛光等。

(4)生物旅游资源

中国生物资源极为丰富,珍稀野生动物植物众多。著名的稀有动物大熊猫、丹顶鹤、金丝猴、扬子鳄、白鳍豚等。还有许多风景树林、古树名木、奇花异草,如中国特有的珍稀树种水杉、银杏、鹅掌楸、珙桐、银杉等,牡丹、芍药、月季、菊花、兰花、莲花、海棠、水仙、梅花为中国著名的名花。

2. 人文旅游资源

人文旅游资源是指具有游览价值的古代人类活动的遗迹和现代人类活动的产物。中国是一个历史悠久的文明古国,历史古迹众多,民族文化灿烂,人文旅游资源十分丰富,主要有以下几类:

(1)历史文物古迹

中国具有5000多年的辉煌历史,文物古迹之多,历史价值之高,是世界上许多国家不可相比的。原始人类化石和文化遗迹比比皆是,其中以周口店"北京猿人"遗址及西安半坡村遗址、遗物最为著名。中国还保存了不少帝王及后妃等的墓葬陵寝,著名的有陕西的黄帝陵、秦始皇陵及兵马俑坑、唐昭陵、唐乾陵、北京明十三陵,南京明孝陵,河北的清东陵、西陵和山东曲阜的孔林等。

(2)宗教圣地

佛教在历史上对中国文化曾产生过深刻的影响,留下了许多瑰丽珍贵的寺院、石窟、佛塔、雕塑和绘画艺术等。中国石窟的兴建已有1500余年的历史,分布广泛,其中以甘肃敦煌莫高窟、河南洛阳龙门石窟、山西大同云岗石窟规模最大,并称"中国三大石窟"。四川大足石刻也以其精美的石刻艺术闻名于世。

寺院在中国分布则更为广泛,如河南洛阳白马寺、嵩山少林寺、浙江天台山国清寺、北京雍和宫、青海西宁塔尔寺、西藏拉萨大昭寺、布达拉宫等都是著名的寺院。

宝塔是佛教三大建筑之一。较为有名的有河南嵩山的嵩岳寺塔、陕西西安的大雁塔、山西应县的木塔、浙江杭州的六和塔、河北定县的开元寺塔等。

(3)古今著名建筑工程

中国古代的建筑工程,在世界建筑史上占有重要地位。北京的故宫、河北承德的避暑山庄、山东曲阜的孔府和孔庙是中国著名的"三大古建筑群"。湖北武汉的黄鹤楼、湖南岳阳的岳阳楼、江西南昌的滕王阁被誉为"江南三大名楼"。其他著名古代建筑还有万里长城、都江堰、京杭大运河、赵州桥、天坛、灵渠等。

中国的园林艺术是自然美、建筑美、艺术美的统一,历史悠久,中外驰名。古代皇家园林主要集中在北方,如北京的颐和园、北海、承德的避暑山庄等;中国私家园林主要分布在南方,尤以苏州园林最为著名,如苏州的拙政园、沧浪亭、留园、狮子林等。

新中国成立以来，兴建了很多大型现代化建筑工程，著名的有人民大会堂、南京长江大桥、北京亚运村、葛洲坝水利工程、上海杨浦大桥等。

(4) 城市风貌

城市是综合性旅游基地，也是人文旅游资源集中分布地。中国各类城市以其不同的风格特点构成了其旅游特色。目前国家已分布的历史文化名城有99个。这些名城集中了中国历史文化的精华，其中以西安、洛阳、开封、安阳、南京、杭州、北京七大古都最负盛名。有些城市以优美宜人自然旅游资源为主，如桂林、青岛、三亚等；有些城市融合了自然和人文旅游资源于一体，如杭州、无锡等；有些城市以新兴的现代化都市为特色，如上海、深圳、珠海等。

(5) 纪念地、博物馆和游乐设施

中国具有许多革命的纪念地，如南京中山陵、广州黄花岗七十二烈士墓、上海中共"一大"会址、江西井冈山、陕西延安、湖南韶山、贵州遵义、河北西柏坡等。

中国各类博物馆众多，如北京的中国革命博物馆、历史博物馆、军事博物馆、毛主席纪念堂，陕西的秦兵马俑博物馆，四川的自贡恐龙博物馆，武汉的楚国编钟博物馆，浙江杭州的丝绸博物馆、茶叶博物馆等等，它们对传播中国的历史、文化起了极大的作用。

公园、游乐园、动物园、植物园、水族馆等是人工建造的游乐设施，它为丰富人民的文化生活提供了场所，如深圳的"锦绣中华"、"世界之窗"微缩景区、上海锦江乐园、北京世界公园等。

(6) 风土人情

中国是一个统一的多民族国家，各民族的习俗不同、风情各异，具有独特的乡土气息。了解和体验中国各民族人民的传统习俗，已成为中外游客重要的观光内容。如汉族的春节、元宵节、中秋节，苗族的"芦笙节"，傣族的"泼水节"，彝族的"火把节"，回族的"古尔邦节"，蒙古族的那达慕盛会等都吸引着众多的游客。有些地方还利用民俗活动作为本地旅游活动的特色标志，如广东顺德的"国际龙舟赛"、山东潍坊的"国际风筝节"等都极具号召力。

(7) 风味佳肴

中国烹饪历史源远流长，技术精湛，色、香、味、形俱佳而在国际上久负盛名。在旅游的过程中品尝各地风味佳肴是游客的一大乐事。"八大菜系"——粤菜系、川菜系、鲁菜系、苏菜系、浙菜系、闽菜系、湘菜系、皖菜系都有自家鲜明的风味特色。著名的地方菜还有北京菜、陕西菜、上海菜、河南菜等。各式风味菜中，以北京烤鸭、宫廷御膳，上海谭家菜，广东的"龙虎斗"、烤乳猪，杭州西湖醋鱼，四川的麻婆豆腐，内蒙古涮羊肉等最负盛名。此外，中国的药膳、清真菜、素菜和各地风味小吃也是受游客欢迎的佳肴。

(二) 中国旅游分区

1. 黄河下游旅游区

黄河中下游旅游区包括北京、天津和陕西省、山西省、河北省、河南省、山东省等五省二市。这里是中华民族的发祥地，有着丰富的历史名胜、文物古迹。

北京是我们伟大祖国的首都，是全国的政治、文化中心，也是举世闻名的历史文化名城，为中国七大古都之一。北京有丰富的自然旅游资源和人文旅游资源，文物古迹极为丰富，具有浓郁的帝都色彩，帝王宫殿、庙坛、陵寝、园林都荟萃皇家建筑之精华。同时北京还具有著名的古代文化遗址和近代、现代文化景观。北京著名的旅游景点有天安门广场、故宫、天坛、雍和宫、颐和园、明十三陵、长城、亚运村、世界公园等。天安门广场是世界最大的城市中心广场，广场及广场周围有天安门城楼、人民英雄纪念碑、毛主席纪念堂、人民大会堂、中国历史博物馆和中国革命博物馆。故宫又名紫禁城，是中国现存规模最大最完整的宫殿建筑群，也是世界上最大的皇家宫殿群。北海和团城是中国现存历史最悠久、保存最完整的皇家园林。天坛是明清两代皇帝祭天祈谷的地方，是中国现存最大的一处建筑群。雍和宫是北京最大的、保存最完整的一座喇嘛庙。颐和园是万寿山和昆明湖的总称，是中国著名的古典园林，拥山抱水，既有自然湖山之胜，又有园林艺术之美。明十三陵为明朝十三个皇帝的陵墓群，是北京地区最大的古墓群。也是世界上保存最完整、埋葬皇帝最多的古墓群。八达岭长城位于北京西北，是明长城中现今保存最好的一段。亚运村位于北京市区正北，是为在北京举行的第十一届亚运会而建造的。北京世界公园位于市区西南，汇集了世界上近40个国家的106处风景名胜。

天津市主要的旅游景点有水上公园、独乐寺、盘山等。水上公园是天津市最大的公园。独乐寺位于蓟县，是中国现存最古老的木结构高层楼阁建筑。盘山位于蓟县城西北，历史上被誉为"京东第一山"。

承德市位于河北省东北部，原名热河，有闻名中外的避暑山庄和具有多民族风格的外八庙。避暑山庄又名"热河行宫"，是中国最著名的清代园林之一，也是中国现存最大的皇家园林。外八庙是清代建筑的八大喇嘛庙，现存寺庙七座，它们气魄雄伟，体现了汉、藏、蒙等民族的建筑风格和名地建筑布局特征，造型奇特，色彩绚丽，是难得的艺术珍品。

陕西省文物古迹众多。西安是中国七大古都之一，也是中国历史文化名城之一，主要旅游景点有大雁塔、小雁塔、陕西省博物馆、半坡遗址、华清池、秦始皇陵及兵马俑、华山等。陕西省博物馆藏有汉、魏、隋、唐、宋、元、明、清各代碑碣共计2300余件，其中以西安碑林所藏刻石价值最高。半坡博物馆位于西安城东，半坡村北，是黄河流域的一个典型的母系氏族公社的村落遗址。华清池位于西安市东北临潼县城城南的骊山脚下，是有名的温泉疗养地。秦始皇陵位于骊山北麓临县东，20世纪70年代在秦始皇陵东侧1500米处发掘出闻名世界的"秦陵兵马俑坑"，坑内葬有大量与真人真马一样高大，而且排列有序的陶制彩绘兵马俑及各种兵器等，1979年建立了"秦始皇兵马俑博物馆"，被称为世界第八奇观，已被认为是世界上最大的帝王陵墓博物馆。华山位于陕西省华阴县城南，山势险峻居五岳之首，有"自古华山一条路"之说。

山西省著名的景点有晋祠、恒山和五台山。晋祠位于太原市西南，是一座有殿堂楼阁、亭台桥榭的古建筑园林。云岗石窟位于大同市西南，现存主要洞窟53个，石雕造像5.1万余尊，规模宏大，雄伟壮观。北岳恒山位于山西省浑源县城南，全山名胜古迹众多，以悬空寺为众景之首。五台山位于恒山东南，五台县东北部，是中国佛教四大名山之一，山中寺庙林立，殿宇相望，建筑各具特色。

河南省有著名的中岳嵩山，这里汇集了中岳庙、嵩阳书院、嵩岳寺塔、少林寺、塔林、观星台等名胜古迹。洛阳市著名的景点有佛教传入中国后兴建的第一座佛教寺塔——白马寺。龙门石窟位于洛阳市南的伊河两岸，现存洞窟2100多个，佛塔40余座，佛像10万余尊，题记和碑碣达3600余品。开封市著名景点有相国寺、禹王台和开封铁塔等。

山东省有著名的东岳泰山，它以山间遍布诗文碑刻、古寺亭桥而著称，名胜古迹与大自然美景和谐地融为一体，著名的景观有岱庙、岱宗坊、中天门、南天门、岱顶等。济南市自古就有"泉城"之誉，著名景点有趵突泉、大明湖公园、千佛山、四门塔等。曲阜是孔子的故乡，这里文物荟萃，其中以孔庙、孔府、孔林闻名于世。青岛是中国著名的避暑疗养胜地，著名景点有栈桥、八大关疗养区、崂山等。

2. 长江中下游地区

长江中下游地区包括湖南省、湖北省、江西省、安徽省、江苏省、浙江省和上海市等省市。这里是中国名山胜水集中区，且旅游城市多，古典园林享誉世界。

湖北省的著名景点有武当山风景区，它是道教第一名山，以珍贵的道教建筑群驰名中外。武汉市有著名的东湖风景区和黄鹤楼等景区。

湖南省武陵源风景区，它包括张家界国家森林公园、索溪峪自然保护区和天子山自然保护区，这里以原始的生态系统、罕见的砂岩峰林地貌景观令人瞩目。南岳衡山位于湖南中部，有祝融峰、藏经殿、水帘洞、方广寺等胜景。岳阳市的岳阳楼和洞庭湖君山也是著名景观。

江西省最著名的风景区是庐山，这里处处奇峰秀水，雾漫云飞，夏季气候凉爽，是著名的避暑胜地。南昌市的名胜古迹有青山谱和滕王阁等。

安徽省著名的景区有黄山和九华山。黄山位于安徽省南部，它兼有泰山之雄伟、华山之峻峭、衡山之烟云、庐山之飞瀑、峨嵋之清凉、雁荡之怪石，有"天下美景集黄山"之誉。奇松、怪石、云海、温泉被称为黄山"四绝"。九华山为佛教名山，以它的奇石古寺吸引着游客。

上海是中国最大的城市，人文风景颇多，市内兼具明清两代园林风格的江南古典园林——豫园、著名的佛教殿宇玉佛寺等；市郊有位于西南部由龙华寺、龙华塔和龙华公园组成的龙华游览区，有位于西郊青浦县的淀山湖等。淀山湖是上海地区最大的淡水湖泊，现已成为上海市区规模最大的具有游览、体育、疗养、野营等多功能的旅游区。上海的现代工程建筑众多，著名的有南浦大桥、杨浦大桥及"东方明珠"电视塔、国际会议中心等。

江苏省旅游资源丰富，分布广泛。南京是中国七大古都之一，著名景点有位于紫金山南麓的中山陵、明朝开国皇帝朱元璋的陵墓明孝陵，还有灵谷寺、玄武湖、莫愁湖、雨花台、秦淮河风景区等名胜景点。无锡市著名的有位于太湖之滨的鼋头渚，还有蠡园、锡惠公园、梅园等名胜。苏州市以园林著称，著名的园林有沧浪亭、狮子林、拙政园、留园、网师园、西园等，还有虎丘、寒山寺等古迹。江苏的著名旅游风景区还有南通市的狼山，镇江的金山、焦山、北固山，扬州的瘦西湖等。

浙江省旅游景点荟萃。普陀山是舟山群岛中的一个小岛，为著名的佛教胜地，山上寺庙林立，异石遍布，滨海沙质匀细洁净，是理想的天然海滨浴场。雁荡山风景区位于浙江省东南部，其奇秀在于峰、石、瀑、洞，保存着比较完整的天然景观，其中以灵峰、灵岩、大龙湫为最杰出，被称为雁荡风景"三绝"。杭州是中国七大古都之一，这里素以风景秀丽著称，是驰名世界的风景城市。杭州之著名，主要由于西湖的山水风光。西湖位于杭州城西，著名的景点湖中有苏堤、白堤、三潭印月、湖心亭、阮公墩，西湖群山中灵隐飞来峰的玉乳洞、南高峰的烟霞洞、玉皇山的紫来洞、玉泉、龙井泉和虎跑泉等岩洞、名泉，西湖周围还分布着众多的文物古迹，较为著名的有灵隐寺、岳庙、岳坟、六和塔、飞来峰摩崖造像、西泠印社等。杭州市桐庐县西北有著名的大溶洞瑶琳洞，洞内石笋遍地，石柱林立，钟乳累累，形态万千，神奇古雅，美不胜收，以奇、深、广、秀著名于溶洞世界，被誉为"瑶琳仙境"。

3. 东南沿海旅游区

东南沿海旅游区包括福建省、广东省、海南省和广西壮族自治区等省区。这一地区在历史上开发较晚，古迹较少，近代革命遗迹多，自然山水风光和人文景观也很丰富。

福建省的旅游胜景首推武夷山风景区。这里红岩挺秀、碧水流淌、山水辉映，素有"奇秀甲于东南"之誉。武夷山是典型的丹霞地貌旅游区,其独特的魅力在于36峰奇景及山峰峭壁之下曲折多姿的九曲溪。武夷山不仅风景奇秀,而且拥有得天独厚的生物资源和富饶的物产,是中国亚热带植物的汇集中心之一。厦门市著名的旅游景点有鼓浪屿,它是厦门西南的一个小岛,全岛层峦叠翠、景色优美,建筑别致,环境幽雅,花香扑鼻,琴声悠悠,素有"海上花园"之称。南普陀寺和集美也是厦门著名的景区。

广东省著名的景区有肇庆的七星岩和鼎湖山自然保护区。七星岩又称星湖,是一片岩溶景观地带,石峰与湖水相映成景,还有幽深的溶洞和众多古今名人题刻。广州市著名的景点有市郊的白云山风景区和市区的越秀公园、光孝寺等。广州市北的三元里和虎门还有三元里人民抗英纪念馆和虎门销烟处。

深圳市是华南新兴开放城市,有西丽湖渡假村、香蜜湖度假村、石岩湖度假村、深圳湾大酒店游乐场、绵绣中华微缩景区、中华民俗文化村、世界之窗景区等旅游景点。

广西壮族自治区岩溶地貌发育,桂林市是典型的亚热带岩溶地貌分布区,以独具特色的奇秀岩溶风光闻名于世,素有"桂林山水甲天下"之美誉。桂林山水以其"山青、水秀、石美、洞奇"而闻名。桂林市中心有风光绚丽的杉湖和榕湖,有兀然矗立的独秀峰,还有古老的王城;市区周围景点遍布,有象鼻山、叠彩山、伏波山、七星岩、芦笛岩、漓江等。阳朔以山青、水秀、峰奇、洞巧闻名,素有"阳朔山水甲桂林"之说,也是一处吸引游人的著名风景区。

海南省著名景区有五指山,它是海南岛的象征,也是海南岛的最高峰。山上热带林木覆盖,奇花异草漫布,山周围是黎族、苗族聚居区,少数民族风土人情独具特色。三亚市位于海南岛最南端,是著名的避寒胜地,有天涯海角和鹿回头等景点。

4.西南旅游区

西南地区地形崎岖,气候温暖湿润,旅游资源十分丰富。岩溶地貌奇观、丰富的动植物资源和众多的自然保护区是西南旅游区宝贵的自然旅游资源。西南地区人文旅游资源也很丰富,历史遗迹、民族风情遍布各地。

四川省自然、人文旅游资源都极为丰富。峨嵋山位于四川盆地西南部,是中国四大佛教名山之一。山上名胜景点有清音阁、洪椿坪、洗象池、金顶等,且峨嵋山多珍禽异兽和奇花异草。九寨沟位于四川省北部南坪县,但因当地有九座古老的藏族村寨而得名。九寨沟自然风光绝美,被称为"人间仙境"和"童话世界",拥有美丽的高山湖泊和和瀑布,从山门至河谷遍布茂密的原始森林。翠海、彩林、叠瀑、雪峰、藏情为九寨沟风景的"五绝"。乐山大佛位于乐山市东、凌云山西壁,大佛为头齐高山、脚踏大江的一座弥勒坐像,是世界最大的古代摩崖石刻佛像。成都是闻名遐迩的旅游胜地,著名的景观有纪念三国时期蜀汉丞相诸葛亮的祠堂武侯祠,有唐代伟大诗人杜甫的故居遗址杜甫草堂,有蜀太守李冰父子主持修筑的世界上最古老的水利工程之一都江堰等。

长江三峡位于重庆市与湖北省之间,是长江风景线上最为奇秀、最为集中的山水画廊,名胜古迹繁多。长江三峡由雄伟险峻的瞿塘峡、幽深秀丽的巫峡和滩多水急的西陵峡组成,沿岸有白帝城、古栈道遗迹、屈原故里、昭君故里等古迹。著名的三峡工程将在这里开辟新的旅游景点。重庆市除以山城夜景著称外,还有南温泉、北温泉和革命纪念地"红岩村"、"曾家岩"、"歌乐山革命烈士陵园"等景区。大足石刻位于重庆西北,以北山、宝顶山的摩崖造像规模最大,技艺最精湛,内容最丰富。

贵州省有闻名于世的黄果树瀑布。它是由九级十八瀑和四个地下瀑布组成的岩溶大瀑布群，是中国著名的瀑布景区。

滇池位于昆明市西南，池面一碧万顷，风帆点点，素有"高原明珠"之称。滇池周围的名山胜景有大观楼、西山、海埂、白鱼口、郑和公园、石寨山古墓群遗址等。路南石林位于昆明市东南的路南彝族自治县境内，是典型的热带岩溶地貌，在世界同类石林中是最大的，被誉为"天下第一奇观"。

5.青藏旅游区

青藏旅游区地处世界屋脊，其独特的高寒气候，诱人的雪域高原景色使其成为独具特色的旅游区。青藏旅游区具有浓郁的宗教色彩，藏传佛教在历史发展中留下了大量壮丽的宫殿寺庙建筑和珍贵的宗教艺术珍品。

青海省著名的旅游景区青海湖鸟岛位于青海省东北部。青海湖是中国最大的内陆湖，湖中的鸟岛栖息着各种候鸟约10万只以上，密度之大世界罕见，是一个鸟的世界。塔尔寺是中国藏传佛教黄教最大寺院之一，也是西宁最著名的游览胜地，以油塑、壁画、堆绣"三绝"著称于世。

拉萨是历史文化名城，名胜古迹众多。布达拉宫位于市区西北，是举世闻名的宫堡式建筑群。它的建筑风格体现了藏汉文化的融合，宫内保存有历代中央政府敕封西藏地方政府领袖和僧俗官员的诏书册印、贝叶真经等大量历史文物和艺术价值极高的壁画。大昭寺位于拉萨市中心，是西藏佛教朝拜圣地，以建筑精美、壁画生动而闻名，相传是藏王松赞干布为纪念唐文成公主入藏和在西藏宣扬佛教而兴建的第一座寺庙。

6.西北内陆旅游区

西北内陆旅游区自然旅游资源以坦荡辽阔的草原风光和黄沙茫茫大漠的景观为特色。古老的"丝绸之路"文化和绚丽多姿的民族风情是本区特色人文旅游资源。

内蒙古自治区的首府呼和浩特市寺庙多、塔多、古迹文物多，有明清时期所建大召、小召、金刚座舍利宝塔等，还有闻名中外的昭君墓和成吉思汗陵。

塞上名城银川市历史悠久，名胜古迹较多，有海宝塔、西夏王陵、一百零八塔等。

甘肃省著名的景点有嘉峪关、麦积山石窟、敦煌壁画、鸣沙山等。嘉峪关是明代万里长城的西端终点，素有"天下雄关"之称，是古"丝绸之路"的必经关口，为东西方经济文化交流的要道。天水市的麦积山石窟是中国四大著名石窟之一，它以其精美的泥塑艺术闻名中外。敦煌市的莫高窟是中国四大著名石窟之一，以精美的壁画闻名于世。鸣沙山位于敦煌市城南，奇异的鸣沙山之响，传播极远，北麓有月牙泉。

新疆维吾尔自治区著名的旅游景区和旅游城市有天山天池、吐鲁番、喀什等。天池是一典型的冰碛湖，湖水由高山雪水汇集而成，清澈晶莹，绿碧如玉，夏季是优良的避暑胜地，冬季是理想的高山溜冰场。吐鲁番市是丝绸之路北道上的重镇，位于吐鲁番盆地的中心，这里有高昌故城、交河故城、柏孜克里克千佛洞等名胜古迹。吐鲁番盆地的坎儿井、葡萄园、火焰山等都是旅游胜景。喀什是南疆重镇，是中国古代通往中亚的丝绸之路的要站，有香妃墓、艾提尕尔清真寺、莫尔古佛塔等旅游点。

7.东北旅游区

东北旅游区的旅游资源以自然风光为主，兼有少数民族人文景观。这里的自然风光以林海雪原、火山岩熔奇观为特色。此外，独特的气候旅游资源每年冬夏吸引了避暑和观雪景的人们。

黑龙江省著名的旅游景区有五大连池，它是因火山爆发的熔岩堵塞河道而形成五个相连的火山堰塞湖。哈尔滨市素有"冰城"之称，冬季冰上活动丰富多彩，冰灯游园活动别具特色，兆麟公园每年都要举办盛大的冰灯游园会。太阳岛是位于哈尔滨市松花江心的一个沙岛，是北方著名的旅游和疗养胜地之一，北部有著名的太阳岛公园。

吉林省著名的风景区是长白山自然保护区。长白山风景秀丽，白头山天池碧波映林海，景色迷人，为中朝两国的界湖，也是中国最高的火口湖，发源于天池的长白山瀑布飞流直下，十分壮观。

辽宁省著名的风景区有千山等。千山地处鞍山市南郊，是东北传统的游览名山，山中的汤岗子温泉是东北著名温泉之一。沈阳是一座历史文化名城，有众多的名胜古迹和历史文物，著名的景点仅次于北京故宫的最完整的皇宫建筑——沈阳故宫和昭陵、福陵、永陵等清代皇陵。大连市是以观赏大海和游览山、海、礁岛自然景观为主的国家级风景名胜区，著名的景区有星海公园、老虎滩公园和金石滩海滨风景游览区。

第三节　国际旅游

一、世界旅游业发展概况

人类的旅游活动由来已久，而旅游成为独立的经济部门，则是近代的事。1841年英国人托马斯·库克组织了一次团体火车旅游，并使之带有现代商业旅游的特征，一般认为这是旅行社最初的组织形式。随之各国旅游公司纷纷出现，旅馆业和旅游交通相继发展起来，从而使旅游业进入了世界经济行列。

据世界旅游组织（WTO）统计资料，在20世纪50年代初，国际旅游人数每年仅2500万人次，旅游收入为21亿美元；1985年，国际旅游人数达3.25万亿人次，收入达1050亿美元。二者分别比50年代增加12倍和49倍。2010年国际旅游人数已达9.8亿人次，旅游收入达9190亿美元。目前旅游业已成为全球第一大产业。从旅游地域分布上来看，国际旅游的客源和客流将会向亚太地区东移，这是一个值得关注的重要特点。尽管如此，世界传统的旅游地域总格局不会改变；欧美仍然会是主要的旅游客源国和旅游目的地，只是它们在世界旅游业中所占的比重会趋于减少。

二、中国国际旅游的发展

近代的中国国际旅游需求主要体现经商贸易的特征，入境的外国人绝大多数是以投资、贸易、经商为目的的英、美、德、法、日、俄等工业发达国家的人。随着世界经济的迅速增长，中国的国际旅游客源市场也是快速稳定发展的趋势，1879年入境的外国人为2984人，至1928年便发展到62797人。这期间也因受经济危机、战争等因素的影响，发生过几次大的波动。新中国成立后的1949~1978年，中国国际旅游所接待的旅游者主要是外宾、华侨、港澳台同胞和外籍华人。由于政治因素的影响，其中1949~1963年，来自前苏联和东欧各国旅游者占全部入境外宾旅游者的80%左右。1963年以后，来自西欧、美国等西方国家的旅游者明显增加，1965年已占86%。随着中国改革开放的深入发展，中国国际旅游发展迅速。1978年来华旅游人数为180.9万人次，其中外国人仅23万人次，国际旅游外汇收入2.63亿美元，居世界第41位;2000年来华旅游入境人数已达8344万人次,其中外国人1016万人次,国际旅游外汇收入162亿美元,居世界第8位,中国已成为国际旅游大国。

中国国际旅游业一直以接待入境旅客为主,组织国民出国旅游很少。进入20世纪90年代,随着市场经济迅猛发展,人民生活水平日益提高以及休闲时间增多,居民出国旅游已成气候。1999年中国出国旅游人数达193万人次。中国国际旅游业已完成接待入境旅游者的单向型,向既接待入境旅游者,又组织国民出国旅游双向型方向发展。

三、世界旅游区

（一）亚洲

1. 东亚

东亚自然景色多姿多彩,北有千里冰封的林海雪原,南有热带丛林的鸟语花香,沿海有风光秀丽的阳光海滩,内陆有空旷辽阔的草原大漠。在众多的自然风景中,壮美的山水风光独领风骚。东亚西南部集中分布有以"地球之巅"珠穆朗玛峰为代表的高山巨川,这里雄峰高耸,峡谷幽深,湖泊棋布,垂直景观变化剧烈。东亚东部风景名山广布,东亚岛弧上还有火山奇观。中国的黄山、日本的富士山、朝鲜的金刚山、韩国的雪岳山等,都是世界著名的山岳风光旅游胜地。富士山被日本人尊称为"圣山",是日本国的象征,它位于日本静冈县,海拔3776米,山顶终年积雪,山体呈圆锥形,有温泉、瀑布,山麓分布有富士五湖。东亚河湖泉瀑众多,海域辽阔,如中国的长江三峡、黄河壶口瀑布、钱塘潮等。日本不仅多湖瀑,而且温泉多,是世界著名的温泉大国。日本太平洋沿岸有著名的三景宫岛、天桥立、松岛;韩国的济州岛被誉为韩国的"东方夏威夷"。

东亚历史悠久,灿烂的文化孕育了丰富的人文旅游资源。中国名胜古迹数不胜数;朝鲜半岛也有众多的历史古迹,朝国庆洲古墓群中发掘出的古代新罗王朝遗迹,号称"世界第九大奇迹";日本是融悠久的历史文化与辉煌的现代文明于一体的国家,境内名胜古迹遍布,奈良、京都、镰仓是著名的三大古都,京都的人坂神社、奈良的东大寺是著名的宗教旅游胜地。日本的东京、大坂、名古屋等都是国际知名的现代化大都市,"筑波科学城"、东京迪斯尼乐园等集展览、科普和浏览于一体,深为广大游人所喜爱。东亚还拥有北京、香港、上海、澳门、汉城等一大批享誉世界的旅游名城。

2. 东南亚

东南亚是亚洲旅游业发展最快的地区,现已成为度假、避寒、仿古、朝佛的胜地。在众多的旅游资源中,热带滨海滩岛胜景与浓郁的宗教文化最具特色。泰国的帕堤亚、普吉岛,马来西亚的槟榔屿,印尼的巴厘岛以及菲律宾的宿务岛,被誉为东南亚的"五大海滨度假地"。新加坡是享誉世界的"花园之国",马来群岛有独特的火山奇观。

东南亚的人文景观多带有宗教的烙印,宏伟壮丽的宗教建筑构成了本区特有的风景。泰国向以"黄袍佛国"著称,境内寺庙林立。缅甸素称"塔之国",有著名的仰光大金字塔。印度尼西亚婆罗浮屠位于印尼爪哇岛中部,是世界最大的古老佛塔,为东方五大奇迹之一。该塔建于公元8～9世纪,用200万块每块重约1吨的巨石砌成。柬埔寨的吴哥窟也是世界著名的历史古迹。

3. 南亚

南亚是人类古代文明的发祥地之一,又是佛教、印度教的发源地,伊斯兰教、基督教和锡克教等也广为流传。印度的泰姬陵、红堡、阿前陀古代石窟、佛教圣地鹿野苑、印度教圣地及历史名城瓦拉纳西,尼泊尔南部佛教创始人释加牟尼诞生地兰毗尼,斯里兰卡的佛教圣地、古城康提,孟加拉国的拉尔巴格古城堡,巴基斯坦的摩享佐达罗古城遗址等,都是闻名遐迩的名胜古迹。印度的泰姬陵位于新德里东南的阿格拉,是17世纪莫卧儿王朝第五代帝王夏杰罕的王后穆莫泰姬·玛哈尔的陵墓,是著名的世界七大建筑奇迹之一。

南亚山雄水秀,风景迷人。北部背靠举世闻名的喜马拉雅山,是登山、探险、滑雪、避暑的胜地;中部印度河、恒河流域风光旖丽,多名胜古迹;南部印度洋上有美丽的岛国斯里兰卡和马尔代夫。马尔代夫被称为漂浮在"印度洋上的花环",以其热带海滨风光吸引着游人。

4. 西亚

西亚是人类古代文明的发祥地之一,几千年的文明史留下了丰富的历史文化遗迹。被公认的世界七大奇迹本区就独占两个:伊拉克的"巴比伦空中花园"(现正修建并复制其模型)、土耳其的"阿苔密斯神殿"遗迹。此外,著名的古迹还有伊朗的波斯利斯及古翁塔希城遗址,伊拉克的哈德尔古城、乌尔城遗址,巴林的巴尔巴尔庙,也门的石头宫,约旦的佩特拉"国王古道"上的庞大陵墓雕刻以及12世纪"十字军"东征时基督教徒构筑的要塞城堡等。西亚是伊斯兰教、基督教和犹太教的发源地,拥有麦加、麦地娜、耶路撒冷等世界性宗教胜地,是世界宗教旅游最密集的地区。

西亚的地中海沿岸是自然风景富集的地区,拥有较多的海滨胜地。塞浦路斯岛是地中海东部的旅游胜地。西部内陆有闻名世界的死海,因其湖水含盐度极高,人可浮在水面上任意漂浮而不会下沉而成为举世奇观,湖水对慢性病和皮肤病有特殊疗效,现已开辟为疗养旅游胜地。南部的阿拉伯半岛沙漠广布,具有独特的自然景色和民族风情。

5. 中亚

浓郁的伊斯兰文化是中亚的特色。中亚清真寺达5000多座,乌兹别克斯坦的撒马尔罕、布哈拉、希瓦等城市早在1000多年前就已成为伊斯兰教徒心目中具有重要地位,据说朝拜两次该城即等于朝拜一次麦加。中亚曾是历史上丝绸之路的通道,沿途至今保留有较多的名胜古迹。

中亚的自然风光因其地处亚欧大陆,以大漠草原景观为主。

(二)欧洲

欧洲的自然旅游资源相对集中于斯堪的纳维亚半岛、阿尔卑斯山系、地中海和黑海沿岸及著名的大河两岸等地区。斯堪的纳维亚半岛的林海雪原、湖泊、岛屿、峡湾海岸以及高纬度地区特有的极昼、极夜、极光奇观等自然景观,构成了该地独有的风景。

欧洲著名的风景名山几乎都集中于阿尔卑斯山系,整个山系层峦叠嶂,山地垂直变化大,峰奇水美,峡谷幽深,岩溶地貌广布,植被茂密,飞鸟羽禽众多,高山之巅终年积雪,并有现代冰川存在,亚平宁山脉还多火山。目前这里已成为享誉世界的集登山滑雪、徒步旅行、洞穴探险、消夏避暑、矿泉疗养等于一体的综合性游览胜地。

地中海、黑海沿岸以其充足的阳光、柔软的沙滩、碧蓝的海水吸引着游人,成为著名的旅游区。西班牙的太阳海岸、美丽海岸、巴利阿里群岛,法国的尼斯、加莱和布伦海岸、科西嘉岛,意大利的斯培西亚和利古里亚海滨,克罗地亚的斯普利特、杜布罗夫尼克等都是地中海著名的海滨和海岛旅游胜地。俄罗斯的索契、乌克兰的雅尔塔、格鲁吉亚的苏米和巴统、罗马尼亚的康斯坦萨、保加利亚的瓦尔纳等是黑海沿岸著名的海滨疗养度假中心。著名的伏尔加河、莱茵河、多瑙河等,沿岸风光旖旎,城市林立,名胜古迹众多,构成了欧洲大陆流动的风景线。

欧洲人文旅游资源数量之多、类型之多样、分布之广泛举世罕见。城堡、宫殿、教堂是欧洲人文景观中的"三绝"。著名的城堡有法国的香波堡、英国的诺汉姆城堡、波兰的别斯特娃·斯卡拉城堡、德国的歌德斯堡、意大利的别墅式古堡、丹麦的汉姆莱古堡和匈牙利多瑙河古堡等。宫殿有法国的凡尔赛宫、卢浮宫,英国的白金汉宫,德国的茨温格尔宫,俄罗斯的克里姆林宫,意大利的大公宫,克罗地亚的戴克里先宫,奥地利的舍恩布龙宫,荷兰王宫等。教堂有梵蒂冈的圣彼得教堂,意大利的圣玛丽亚教堂、杜奥莫教堂,英国的圣保罗教堂,法国的巴黎圣母院,俄罗斯的圣母升天大教堂,西班牙的希达尔达大教堂,德国的科隆大教堂,奥地利的圣斯捷方大教堂,捷克的圣维泰斯大教堂,挪威的奥尔内斯木板教堂等。此外,英国的伦敦塔、大英博物馆、格林尼治天文台,意大利的比萨斜塔,法国的艾菲尔铁塔、凯旋门,奥地利维也纳国家歌剧院,以及威尼斯、阿姆斯特丹形形色色的桥梁等,都展示出欧洲古老建筑艺术的风采。欧洲著名的古建筑遗址有希腊的雅典卫城、巴特农神庙、奥林匹亚、迈锡尼和科林斯古城,意大利的科洛塞奥竞技场、庞贝古城、波兰的斯拉夫居民村镇等。欧洲的博物馆也很多,法国的卢浮宫国家美术馆、蓬皮杜文化中心,英国的大英博物馆,意大利的乌菲齐博物馆,德国的德意志科技博物馆等都享誉世界。欧洲还有一批著名的战争纪念地,如比利时布鲁塞尔的滑铁卢古战场遗址,法、德边境的马其诺防线,以及希特勒残害犹太人的集中营旧址等。欧洲的民俗文化也十分诱人,西班牙的斗牛表演,法国的葡萄节,意大利的维亚雷焦狂欢节,德国慕尼黑的啤酒节,芬兰的仲夏节等都充满了浓郁的民族风情。

(三) 非洲

1. 北部非洲

北非是孕育世界古代文明的摇篮之一,埃及、摩洛哥、突尼斯等都是非洲著名的文明古国。悠久的历史,灿烂的文化为北非留下了众多的名胜古迹。如埃及的金字塔、亚历山大庞贝柱、底比斯古城遗址以及神庙、石质帝国陵墓群、突尼斯的迎大基城遗址等。埃及的金字塔为世界古代七大奇迹之一。金字塔是埃及的象征,是古代埃及国王为自己建造的陵墓。全国共有70多座金字塔均在开罗西南的尼罗河两岸,尤以胡夫大金字塔最为著名。北非居民以阿拉伯人为主,大多信仰伊斯兰教,宗教在该区人民生活中占有重要的位置。埃及、突尼斯、摩洛哥等国都拥有在伊斯兰世界占重要地位的宗教圣地和遗迹,成为穆斯林朝圣者的宗教旅游活动中心。

地中海、红海沿岸的阳光海滩,是北非最优美的自然风光。埃及的亚历山大、马特鲁、突尼斯的突尼斯城、苏萨,摩洛哥的拉巴特等地中海沿岸城市中都有著名的度假地。北非南部有世界最大的撒哈拉沙漠,以独特的大漠风情吸引着游人。

2. 南部非洲

南部非洲资源丰富,众多的野生动物园与古朴的民俗文化是最重要的旅游风景。南部非洲自然风景千姿百态,赤道雪峰乞力马扎罗山雄伟峻峭,垂直景观变化剧烈;东非大裂谷,谷壁雄伟险秀,谷地林木葱茏,湖泊棋布;南部非洲瀑布众多,赞比西河上的莫西奥图民亚瀑布为世界七大自然景观之一。非洲是世界上天然动物园数量最多、面积最大的一洲,肯尼亚的察沃国家公园、坦桑尼亚的塞伦盖蒂国家公园、赞比亚卡富埃国家公园、乌干达卡巴雷加瀑布公园、南非和博茨瓦纳的卡拉哈里羚羊国家公园等,都是享誉世界的天然动物园。

南部非洲是黑种人的故乡,生活在这里的黑种人分属于几百个不同的部族。不同的部族有着各自的语言、风俗习惯和原始的宗教信仰,形成了多姿多彩的民族风情。这里形形色色的婚丧嫁取、节日庆典、宗教信仰,古老的酋长制遗风,独特的音乐、舞蹈、绘画艺术、体育竞技以及制作精巧的手工艺品等,对游人都有着巨大的吸引力。

(四)美洲

1. 北美洲

北美洲旅游业发达,旅游资源丰富多样。北美洲自然景色迷人,大陆西部雄伟的科迪勒拉山系几乎囊括了北美的风景名山,其中以落基山最为著名。整个山系层峦叠嶂、群峰耸立,山中多冰川、瀑布、森林、湖泊、温泉、火山等自然风光。这里著名的游览地有加拿大的纳汉尼国家公园、卢克恩国家公园、班夫国家公园,美、加两国共有的沃特敦—冰川国际和平公园,美国的红杉国家公园、奥林匹克国家公园、约塞米特国家公园、黄石国家公园、大峡谷国家公园等。大陆中、东部地区著名的景区有加拿大的迪芬国家公园,坐落在美、加边境的尼亚加拉大瀑布,美国境内还有大沼泽地国家公园、猛玛洞国家公园、科罗拉多大峡谷、阿拉斯加的冰河湾、肯塔基州的猛玛洞、黄石国家公园等。

北美洲保留了许多印第安古文化遗迹,如美国南部的圣菲便是集中保留印第安文化的古老名城。北美高度发达国家经济、文化、科技造就了许多闻名世界的现代人文景观,如位于美国洛杉矶的迪斯尼游乐园、佛罗里达奥兰多的"迪斯尼世界"、"未来世界中心"、"魔幻王国"等。北美洲博物馆众多,著名的有美国大都会博物馆、芝加哥美术馆、加拿大的渥太华漫画博物馆等。北美还有许多闻名遐迩的建筑奇观,如多伦多高达554.4米的电视塔、纽约的"自由女神像"、旧金山的"金门大桥"、圣路易斯的"弧形拱门纪念塔"等。

2. 拉丁美洲

拉美的自然旅游资源以神奇的热带风光独具魅力。墨西哥湾及加勒比海地区充满着热带的新大陆特有的浓烈情调,是世界上最受欢迎的海滨度假胜地之一。大陆西部的科迪勒拉山系,规模宏大,是地球上著名的火山带,活火山占世界总数的五分之一,其中以安第斯山最为壮观,是世界陆地上最长的山脉。

南美的水资源风景也著称于世。这里有世界上最高和最宽的瀑布—安赫尔瀑布和伊瓜苏瀑布,还有罕见的"沸湖、沥青湖、火湖"等,更有掩映在热带雨林中的亚马逊河。亚马逊河以其河宽水丰、举世无双而被称为"南美的地中海"。

南美素有"世界天然动植物园"之称,亚马逊地区有世界面积最大的热带雨林,其中动植物种类多不胜数,生机盎然,有独特的旅游意趣。

南美人文旅游资源以灿烂的古代印第安文明最为引人注目。西部的科迪勒拉山系是孕育印第安文化的摇篮。历史上这里曾建立起三大文化中心:即在尤卡坦半岛至中美地峡一带的玛雅文化中心、墨西哥中部和南部的阿兹特克中心以及南美中西部印加文化中心。它们遗留下来的许多规模宏大的石结构古建筑及其废墟,都是独树一帜的人类建筑艺术瑰宝。南美的民俗风情绚丽多彩,如墨西哥的"圣船节"和"纪念亡人节"、巴西的"狂欢节"都十分著名。

(五)大洋洲

1. 太平洋岛屿

原始的热带海岛风光与古朴的风土民情是太平洋岛屿的重要旅游资源。这里自然条件得天独厚,火山岛、珊瑚岛为数众多,珍稀动植物种类繁多。伊里安岛被称为"鸟类乐园"。斐济地跨180度经线,风光旖旎,被誉为"南太平洋的明珠"。新西兰境内多峡湾、火山、温泉、湖泊及奇特动植物,有"绿色岛国"的美称。

这里土著人的风土民俗独特,如毛利人和波利尼西亚人的纹身习俗、汤加人的饮食习惯、斐济人的"走火"仪式等,对游人有极大的吸引力。

2. 澳大利亚

由于澳大利亚四周环海、环境孤立,使这里拥有大量特有的动植物,被称为"世界活化石博物馆"。植物以桉树和金合欢为代表,前者为澳大利亚国树,后者为其国花;动物以鸭嘴兽、树熊、袋鼠等最具代表性,其中袋鼠是澳大利亚的象征。澳大利亚闻名于世的自然景观还有大陆东北沿岸的黄金海岸和太阳海岸。东海岸外的大堡礁是世界上最大的珊瑚礁,遍布浅滩沙洲、暗礁和珊瑚岛,为世界七大自然景观之一;近海海底分布着千奇百怪、色彩斑斓的珊瑚礁,形成"海底大花园"。澳大利亚大陆中部浩瀚的沙漠中有举世无双的艾尔斯巨石,以巨大和"会变颜色"而成为奇观。

澳大利亚的人文旅游资源中,以豪华的都市风光著称。悉尼是南半球最大、最繁华的城市,被称为"南半球的纽约",以辉煌的现代建筑奇观而驰名世界;有举世无双的悉尼歌剧院。悉尼歌剧院为一座规模宏大,设施现代的艺术表演中心,建筑造型独特,洁白的蚌壳形顶部蔚为壮观,如巨帆飘扬,似白莲盛开,有"澳洲白莲"的雅号,是悉尼和现代澳大利亚的象征。墨尔本是澳大利亚第二大城市,市内集古典式建筑与现代建筑之大成,有"建筑艺术博物馆"之誉,市郊保留有早期淘金热潮的遗迹。

◇◆ 复习思考题

1. 概述旅游业特点及其在国民经济中的地位。
2. 分析中国国内旅游和国际旅游发展前景。
3. 试比较分析中国各大旅游区旅游资源特征。
4. 说出各旅游区的主要旅游城市和著名风景区。

第八章 台港澳经济地理

第一节 台湾

一、台湾概况

台湾位于中国大陆东南沿海100余公里处,为南北海上交通之要冲,东濒太平洋,西隔台湾海峡与福建相望。借台湾海峡之沟通,便于华南与华北、东北的物资交流,全岛据西太平洋航道中心,是中国与太平洋地区各国联系的海上交通枢纽。

台湾自古以来就是中国领土,历史上曾多次遭受外来侵略。1624年和1626年荷兰和西班牙殖民者侵占台湾,1661年(明末)郑成功率兵赶走荷兰侵略者,收复台湾。1683年清置台湾府,属福建,1887年改行省。1895年台湾被日本侵占,直到1945年抗日战争胜利后回归祖国。1949年中华人民共和国成立后,台湾仍处于国民政府控制下,与大陆分离。实现祖国统一是海峡两岸炎黄子孙的共同心愿。中国将按照"一国两制"的方针,促进祖国和平统一大业。

台湾地区包括台湾岛、澎湖列岛、钓鱼岛、赤尾屿、澎佳屿、兰屿、绿岛以及金门、马祖等近百个大小岛屿。面积3.63万平方公里,其中本岛面积3.58万平方公里。2000年台湾人口2228万余,97%以上是汉族,这些居民大多数是从福建、广东等省迁去的移民的后裔。少数民族主要是高山族,人口约30万。普通话(国语)和闽南话为台湾通用语言。

台湾属热带、亚热带季风气候,温暖湿润,生长期长,长夏无冬,多雨多风,全岛平均气温22°C,年平均降水量2000毫米以上。东北部火烧寮1912年降水量8408毫米,为中国降水量最高纪录,西部澎湖雨量较少,约1000毫米左右,七八月份盛行台风。

台湾主岛台湾岛南北长、东西窄、形似芭蕉。其地形可划分为四个区:台西平原、台西北丘陵盆地(包括台北盆地、台中盆地等)、台湾山地(包括中央山、玉山、雪山、阿里斯山脉)和台东滨海低山丘陵。最高峰玉山海拔3997米,是中国东南部的最高峰。台湾是一个多山地区,中部和东部高山丘陵占全岛总面积的2/3,沿海平原占1/3,且多分布于西部沿海。

台湾岛河流众多,大多发源于中部山地,其共同特征是短促湍急,多险滩瀑布,不利航运,但水力资源丰富。主要河流有浊水溪、下淡水溪、淡水溪、曾文溪、大甲溪等。浊水溪是台湾最长的河流,全长186公里。台湾湖泊较少,日月潭是面积最大的天然湖泊。

台湾拥有丰富的森林、水利、渔业和热带亚热带生物资源,森林面积约占全岛面积的1/2以上,木材蓄积达1.8亿多立方米,且多为高级用材,以樟树为主,是世界最大的樟树产区。台湾金属矿产资源缺乏,有开采价值的主要有金、银、铜、铁,但其储量少,品位低。非金属矿产种类多,其中石灰石、大理石、粘土、云母、长石、石棉和硫磺等储量相当丰富,以石灰石、大理石为宗。石油资源目前正在勘探之中。

二、台湾的经济

第二次世界大战前日本盘踞台湾 50 年，极尽掠夺之能事，对台湾经济产生了很大的影响，其经营策略是"工业日本，农业台湾"。重点是垦荒种植水稻、甘蔗（当时成为全国最大的产糖省），以米、糖供日本，工业品返销台湾。但自 20 世纪 30 年代起，日本工业羽翼渐丰，逐渐由商品输出转为资本输出。日本淘汰的一些设备相继迁台设厂，建立起以食品加工为主的早期工业，而后又扩展到纺织、化工、金属加工和简单机械工业，以服务于日本的南进政策。战前，台湾的工农业发展水平和人均收入水平都高于大陆。

战后台湾经济的发展，不算战后初期短暂的恢复时期，大致可分为三个时期：即"进口替代"发展时期、"出口扩张"时期和重、化工与高科技时期。

"进口替代"时期：1949 年台湾经济已濒临全面崩溃的绝境。50 年代针对劳工充沛、资源不丰、资金不足、技术落后的现状，采取了一系列旨在提高农业生产力的政策措施，并提出"以农业培养工业，以工业发展农业"的口号。1953～1962 年，农业生产平均增长 4.82%，农业发展所积累的资金投向轻工业，促使轻工业迅速发展。"进口替代"即：利用农业提供的有限资金发展市场需要的日用消费品工业，达到保证民需、节约外汇和创造就业的三重目的。

"出口扩张"时期：台湾幅员狭小、市场容量有限，束缚着轻工业的发展，进入 60 年代以后，由于进口替代产业规模不断扩大，当地市场难以消化生产的全部产品，相继出现饱和。从而开始了从"进口替代"迈向"出口导向"的战略转换，提出了"贸易至上，出口第一"的口号，以分享国际经济繁荣的成果。台湾实行对外开放，制定了一系列充分利用国外资金和技术的政策措施，利用原有工业基础大力发展出口加工工业，从而使台湾经济从 60 年代中期起获得高速增长，1963～1972 年，工业年平均增长率由 11.7% 上升到 18.5%，成为台湾轻工业发展的鼎盛时期。

重、化工和高技术工业时期：经过 20 多年的发展，台湾的工业取得了相当的成绩，但这种轻型的经济结构的缺陷很快就暴露出来了，如：交通运输紧张，供电不足等，阻碍了经济的发展。为克服上述困难、同时客观上了具备了发展投资大、周期长的重工业的条件，所以台湾自 1973 年开始把战略重点转向重工业，主要发展石油炼制和石化工业，以及钢铁、造船、电力等动力工业和基础工业。

20 世纪 80 年代以来，台湾积极发展能源消耗少，加工层次深，技术水平高，附加值大的高技术工业，如电子工业、信息工业、机械制造、运输设备电机工业等。加紧经济转型和重组，在新的层次上推行"出口导向"战略，并逐步通过扩大内需促进经济增长。

合适的经济发展战略使台湾经济迅速改变了昔日的旧貌，由落后的农业社会成为新兴的工业化地区。近 30 年间台湾年平均经济增长率高达 8% 以上。2006 年台湾国内生产总值达 118590 亿新台币。

（一）工业

20 世纪 60 年代以前，台湾工业落后，在全省工农业产值中所占比重较小。60 年代以后，特别是自 1965 年以来，随着出口加工的迅速发展，工业在全省经济中已占主导地位。

台湾工业布局主要集中于西部平原，基本上形成了以台北、台中、高雄为中心的弧形工业带。

以台北为中心，包括桃园、台北县和基隆市北部工业区，集中了全省工商企业的 1/3 以上，是全省最大的工业区。主要工业部门有纺织、食品、电子、机械等部门，已发展成为全省的轻工业基地。

以高雄为中心，包括高雄、台南市、台南县、屏东县的南部工业区，占全省工商企业1/4以上，职工人数和资产总值分别占全省1/5和1/10。主要工业部门有：钢铁、造船、石化等重工业，成为全省的重、化工业基地。

以台中为中心，包括台中县、彰化县、南投县的中部工业区，目前已占全省工商企业的1/5，是全省第三大工业基地。

台湾东部山区，以采矿业为主，其他工业较少。

台湾重工业在部门结构中比重增长较快，但从整体上看，基本上仍是一个以轻纺织工业为主体的工业生产体系。纺织、电子、橡胶、塑料、制鞋、食品等工业生产值和出口量均居重要地位。

台湾是世界上设置出口加工区最早，取得成效最显著的地区之一。从1965年至1971年，台湾先后设立了高雄、楠梓和台中三个出口加工区。它不仅可吸引外资、扩大就业、增加外汇收入，而且引进了世界先进技术和经营管理经验。70年代后期开始筹建引进外资和先进技术，研究和制造高级技术工业产品，促进尖端工业发展的"新竹科学工业园区"，园区是加工区的继续和发展，是第二代出口加工区。

石油化学工业是台湾新发展起来的重化工基础工业之一，其产值约占制造业产值的40%，为台湾的支柱产业。其中聚氯乙烯年产量达115.8余万吨，合成纤维年产量达100余万吨，均居世界前列。

电子电器工业从60年代起步，当时主要是进口原件装配电子电器产品。80年代以后，迅速发展成为支柱行业之一。主要的电子电器产品有电冰箱、冷暖风机、微型电脑、电话机、电视机和收录机等。电子电器工业目前正在向技术密集型方向转移，集中发展电子、电讯产业。1996年台湾的电脑业硬件产品产值达164亿美元，次于美国的715亿美元和日本的707亿美元，居世界第三位。1998年电脑产量达1170.8万台。

台湾造船工业规模庞大，年造船能力150万吨，修船能力250万吨。拥有一座百万吨级造船坞和众多中小造船坞。

台湾的基本金属工业虽然发展较早，但因受原料的限制，现仍需大量进口基本金属产品。基本金属工业仍以钢铁、炼铝及其制品为主。台湾钢铁年产量为400余万吨，炼钢所需的原料全靠进口，其中废铁、废船体占85%以上。

纺织工业曾是台湾支柱工业部门，包括棉织、毛纺、人造纤维、印染、成衣等。1998年台湾的棉纱产量约20万吨，棉衣9.84亿多米，聚酯丝织物15.9亿米。

食品加工工业是台湾最早发展起来的工业部门，五六十年代曾是其工业的重要支柱，产值和出口额均居重要地位。食品工业包括罐头、乳制品、油脂、制糖、制茶、味精、饮料及饲料加工等各类农产品加工业。

台湾电力工业规模较大，年发电量达1429多亿度，以火力发电为主，核电也占有重要地位。核发电量占总发电量的35%。

采矿业是台湾工业中最薄弱的环节，矿产品的自给率很低，一向依赖进口。目前年产煤炭仅7.93万吨。尚未发现具有较高开采价值的油矿，所产的原油全为天然气的副产品。天然气的年产量也逐年减少。

(二)农业

台湾自然条件比较优越,农业生产发达,长期以来,台湾农业以生产稻米和甘蔗为主,素有"米糖农业"之称。在60年代中期以前,农业一直在全省经济中占主导地位。1965年以后,在轻工业和对外贸易迅速发展的刺激下,台湾农业出现了新的变化,结构由单一的种植业转向综合发展,牧业、渔业、园艺业比重加大,大多数商品逐渐商品化,可供直接出口和加工出口的农作物产量比重增加。农业生产的商品化促进了农业生产的发展,也使农业生产直接或间接地受加工工业和对外贸易的制约。

台湾农业综合发展程度高,种植业、畜牧业和渔业都很发达。种植业有粮食作物、经济作物和园艺作物。粮食除水稻可自给外,每年需大量进口麦类、大豆及饲养用杂粮。台湾粮食的进口量超过台湾粮食的总产量。稻米是台湾最重要的农产品,占粮食总产量的80%。稻谷在台湾各地均有种植,但主要分布在北回归线以北的平原地带,其中以彰化、桃园、云林、屏东等县种植面积最大,占全省种植面积的45%。台湾的经济作物包括甘蔗、花生、香蕉、麻类等20余种。台湾的甘蔗种植历史悠久,甘蔗种植面积仅次于稻谷,是中国甘蔗集中产区之一,也是世界重要的糖产地。台湾甘蔗主要产于北回归线以南的平原地带。此外,热带水果香蕉、菠萝、凤梨、柑桔等也在台湾广泛种植,其产品大量出口。香蕉、菠萝和柑桔是台湾的三大水果。台湾的土特产有茶叶、蔬菜和花卉等。茶叶是台湾传统出口商品之一,年产量2万多吨,大部分供出口。

台湾的畜牧业是60年代中期以后发展最迅速的农业部门。目前,畜牧业产值在农业产值中所占比重仅次于种值业,超过渔业,居第二位。在畜牧业中,以养猪为主,占畜牧业的一半以上。此外牛、羊的饲养近年发展较快。养鸡居家禽中首位,鸡蛋和鸡的产值仅次于养猪业。畜牧业产品自给有余,有部分产品出口。

台湾四面濒海,发展渔业的条件优越。渔业生产在台湾农业中的地位,虽次于种植业和畜牧业,但鱼产品外销额却占农产品加工品外销额的1/3。

台湾虽拥有丰富的森林资源,森林覆盖率高达60%以上。但为了保护生态环境,每年的木材采伐量不大。林业生产在农业中所占的地位一向较低。木材产量更是逐年下降,而需要量逐年上升。目前木材的自给率只有10%左右,每年要进口大量木材,才能满足需要。

(三)对外贸易

对外贸易是台湾经济发展的基础,在台湾经济中一直占有重要地位。60年代以来,台湾的经济基本上围绕着"进口—加工—出口"进行,对外贸易发展迅速。出口总额大约以每3年增长100亿美元的速度增长。2006年台湾商品进出口总额为4267亿美元,其中出口额为2240亿美元,进口为2027亿美元,贸易顺差为213亿美元。台湾的对外贸易十分发达,已成为台湾经济的"动力"和"生命线"。台湾的贸易顺差曾严重地困扰台湾外贸发展。近年因台币升值等方面因素的影响,贸易顺差渐趋减少。但台湾的外汇储备仍居世界前列,为世界少数重要的资金供应者。

30多年来,台湾出口贸易结构发生了较大变化。1966年以前,对出口农产品和农产品加工产品为主,约占出口总值的3/4。1966年以后,轻工产品成为主要的出口商品。目前,台湾出口额约占国民生产总值的43%,出口商品结构以工业产品为主,占出口总值的99%,其中重、化工产品占50%,非重化工产品占46%,而农产品及农产品加工出口值仅占2%。台湾有20多种工业品的出口量居世界第一位。出口量最大的工业品主要有电子产品、机械及电机设备、化工产品、纺织品、服装、塑料、鞋帽、基本金属及其制成品、玩具、胶合板、车辆等。近年来，电讯电子产品出口发展迅速。农产品在出口方面发生了结构性变化，由以前的米、糖、茶等传统产品转变为产值较高的水产品和园艺加工品出口。总之，目前台湾以出口低劳动密集度和高资本与高技术密集度的商品为主。

台湾的进口商品以资本设备、工业原料等生产资料为主，约占87%，消费品的进口额只占13%左右。主要的进口商品是机械及电机设备、基本金属及其制品、化工产品、矿产品、原油、钢铁、运输工具、食品饮料及烟等。

台湾以亚洲为主要的贸易地区，对亚洲的出口额约占总出额的40%。美国和日本是台湾最主要的贸易伙伴。台湾对美贸易额约占其对外贸易总额的1/4，对美贸易一直保持顺差地位。对日贸易约占其总贸易额的1/5，其中对日出口占总出口的1/10，进口占总进口的1/3，对日贸易长期以来一直处于逆差的地位。香港、中国内地、沙特阿拉伯、科威特、澳大利亚、印度尼西亚、英国和加拿大等国家和地区也是台湾重要的贸易伙伴。

美国是台湾省最大的出口市场。香港、日本、德国、新加坡、荷兰、英国和加拿大等国家和地区也是台湾重要的出口市场。主要进口市场是日本和美国，这两国的进口额占进口总额的50%以上。其他重要的进口市场有德国、澳大利亚、香港、韩国、沙特阿拉伯、新加坡和马来西亚国家和地区等。在对外贸易不断成长中，台湾的外贸市场结构正在悄悄地发生变化。出口市场从以发达国家和地区为主开始逐步转向发展中国家和地区，尤其是经济快速增长的中国内地和东南亚地区。进口市场则继续依赖西方发达国家。

台湾的旅游业已进入组织国民出国旅游发展阶段，旅游业外汇收支为逆差。2006年台湾接待国际旅游者285.6万人，旅游外汇收入约几十亿美元。

台湾外来投资资金主要来自美国、日本和欧洲等地。台湾对外投资资金主要流向美国、马来西亚、泰国、印尼和中国内地等地，其中以对东南亚联盟国家投资为最多，其次是对美国投资。

（三）交通运输

台湾交通运输业发达，以陆上运输占主导地位，其次是海上运输和航空运输。陆上运输以公路为主，公路网遍布全省各地，有环岛公路、东西横贯公路（北、中、南三线）和南北高速公路，主要分布于西部平原地区。台湾的铁路为窄轨铁路，现有铁路总长1200多公里，是中国铁路密度较大的地区。台湾的铁路以环岛铁路为骨干，联接众多的支线。

海运业在本省外贸中具有重要地位，进出口产品99%依赖海运。港口的年吞吐量近32亿吨，主要港口有高雄、基隆、台中、花莲、苏澳等。船舶正在向大型化、集装箱化、专业化、自动化方向发展，为世界航运业发达的地区。其航线通往日本、东南亚、香港以及欧、美等世界各地。主要航线有台湾至美国东海岸航线、至美国西海岸航线、至澳大利亚航线、至日本航线、至东南亚航线、至香港航线和韩国航线等。

高雄港是台湾最大的国际商港、渔业基地和海军后勤舰队基地。该港地处台湾第一大海湾内，拥有南北两个出入口，可同时停靠100多艘船舶，年吞吐量超过亿吨，在全国仅次于上海、秦皇岛，居第三位。吞吐的货物主要有石油、矿石、煤炭、杂粮、水泥、钢材、电子器材、糖和食品罐头等。

基隆港位于台湾岛的北端，港口向北开口，三面环山，港外有岛屿作天然屏障，是台北的外港，规模仅次于高雄港。台湾北部所产的农产品及化工、纺织、服装、电器材料等工业品大都集中到这里输出。

航空运输是台湾与区外联系的重要方式，也是区内交通的重要补充。台湾共有 20 余个民航机场，其中以桃园和高雄规模为最大。

第二节　香港

一、香港概况

香港是中国的一个特别行政区，也是世界贸易中心和金融中心，还是一座现代化的城市。香港位于珠江口外的东侧，与广东省深圳特区毗邻，距离广州市约 130 公里。它背附祖国大陆、南临南海、与东南亚邻近，是远东与欧洲、非洲、地中海等地航海的必经之路，也是远东与北美、大洋洲等地航运之要冲，是中国通往世界各地的南大门。

香港地区由香港岛、九龙半岛、新界三部分组成。1840 年鸦片战争以后，英国殖民主义者凭借武力威胁，先后强迫清政府将这三部分割让和租借给英国。直至 1997 年 7 月 1 日，中国政府重新对香港恢复行使主权，实行"一国两制"，建立中国香港特别行政区。

香港地区面积共计 1096.63 平方公里。截止到 2010 年底香港总人口数量为 709.76 万人，其中 98% 以上是中国人，大部分祖籍广东、福建，其余为英国人、菲律宾人、印度人、美国人等。香港的人口密度达每平方公里 6000 余人，市区内人口密度每平方公里高达 16 万人，是中国，也是世界上人口密度最高的地区之一。庞大的人口是香港最丰富的资源。英语和汉语同为官方语言，商业用语通常为英语。货币为港元。

香港地区地处亚热带季风气候区，年平均温度 22°C，年平均降水量 2000 毫米，属于温暖湿润型气候，5~11 月多台风暴雨，容易形成灾害。地形以山丘为主，约占 3/4，最高峰为新界的大帽山，海拔 957 米。香港地区平原面积少，没有大河流，食用淡水靠广东供应。香港矿产资源贫乏，只有少量的铁、锌、长石、陶土等。香港拥有世界著名的优良港口——维多利亚港。香港海洋鱼类资源丰富，渔业发达。

二、香港经济

1841 年以前，香港是一个以农业为主，经济尚不发达的荒凉小岛。此后经历了转口港发展阶段、工业城市发展阶段、国际金融中心发展阶段，目前已发展成为世界著名的金融中心、航运中心、旅游中心、信息中心和贸易中心，为世界著名工商城市，被誉为"东方明珠"。香港经济之所以迅速发展，取得这么大的成就，与其优越的地理位置和优良的港口、特定的历史背景、战后资本主义经济的迅速发展、中国内地对香港的支持和香港人的不倦奋斗与智慧是分不开的。

香港经济发达，2006 年国内生产总值为 14743 亿港元，人均国民生产总值为 215006 港元，在亚洲仅次于日本，居第二位。香港经济已进入以服务业为主的阶段，服务业产值占国民生产总值 80% 以上。贸易、工业、金融、房地产和旅游业是香港经济的五大支柱。农业和矿业不发达，在国民生产总值中的比例不足 1%。

(一)工业

香港工业以轻纺工业为主，主要部门有成衣制造、电子、玩具、蜡烛、假发、钟表等。60 年代是香港工业发展最快的时期,新兴的电子、塑料玩具迅速兴起。70年代以后,电子工业成为仅次于成衣的第二大工业部门,电子玩具和电子表出口量先后超过了日本,居世界第一。最近几年,香港努力发展造船、航空及机械工业、精密仪器型产业、家用电器产业,表明工业发展完成了"劳动密集型"向技术密集型的过渡。

香港工业发展的特点表现在:一是规模小、效益高。据统计,香港制造业94%是50人以下规模的中、小企业,反应灵敏、适应性强、经济效益高。二是面向出口的工业占很大比重。香港工业以出口为主,制造业几乎全是加工出口型工业,国际竞争能力强。

(二)农业

香港地区农业基础薄弱,耕作比重小,水稻、蔬菜、花卉、水果等作物以及水产业均有发展,但微不足道。农业生产总值占国民生产总值不足1%,长期以来依靠内地供应农副、鲜活产品。香港地区畜牧业大多饲养猪和家禽,渔业产品产量较大。

(三)金融业

香港是自由港和国际金融中心,其采取自由外汇政策,吸引世界众多国家金融资本进入香港,加强在港的业务活动。目前香港的商业银行总数达149家,分行1400余家,其中外国银行办事处120家,每天外汇交易额高达50亿美元,已成为仅次于纽约和伦敦的世界三大国际金融中心之一。

香港金融业国际化程度高,金融市场全部向外开放,资金可自由进出。金融业已成为外国资本在香港最集中、影响力最大的行业。

(四)房地产

香港人多地少,战后政治稳定,经济繁荣,加之高地价政策和猖狂的投机活动,香港的房地产畸形发展。房地产与香港经济联系密切。

香港的土地只租不卖,租地收入是港府财政收入的主要来源之一。

(五)旅游业

香港凭借其优越的地理位置、方便的交通条件、自由港的地位、浓郁的地方色彩和强大的经济实力等优势,大力开发兴建各种旅游设施和旅游景点,已发展成为世界著名的旅游胜地,是香港经济的五大支柱之一。1999年香港共接待了1067.8万人次的访港旅客,旅游外汇收入约1000亿港元。到2011年底接待访港人数已达4000多万人次,10年增加近3倍,60%为大陆游客。

香港旅游业迅速发展的原因主要有:①香港是自由港,不设关税,商品价格低廉,成为旅游者的"购物天堂";②利用各地丰富的食品,建立香港"美食天堂"形象,吸引四方游客;③发展并完善与旅游业有关的第三产业,积极改进服务质量和服务态度;④最大限度地简化入境手续;⑤在世界各地大做广告。

(六)对外贸易

贸易是香港经济发展的基础,是亚洲最大的贸易港和转口港。

出口贸易是香港外贸的支柱,出口商品中成衣、玩具、电子产品、钟表、假发的出口额均居世界第一位。出口市场遍及160多个国家和地区,但以美国、德国、日本、英国、中国大陆为主。

50年代前转口贸易是香港贸易的主体,以后随着本地产品的增加,转口在出口总值中的比重有所下降。香港转口货物主要来自中国内地、日本、美国、台湾地区、韩国、新加坡、瑞士、德国、英国等。大宗商品有纱布、纺织品、珠宝玉石、工艺品、钟表，其次有成衣、运输工具、茶叶、咖啡、烟草、鱼及鱼制品等。

60年代以后，香港经济迅速转向以出口加工为主的工业，进口各类消费品、生产设备和原料、燃料。其中生产设备、工业半成品和高级消费品主要从日本、美国、德国、英国、瑞士等国家进口，食品和部分中低档消费品、原料、燃料主要从中国大陆、韩国、新加坡、澳大利亚等国家进口。

中国经济对外开放对香港的贸易起了重要的促进作用。内地已成为香港进口商品及转口商品的最重要的来源地，同时又是香港产品的主要消费市场和转口市场，可见，中国经济发展和对外开放是今后继续保持香港地区经济繁荣和稳定和重要物质基础。

(七) 交通运输

香港交通运输业十分发达，海运和空运是香港对外运输的主体，地面交通设施以公路为主，其次是铁路。

香港是远东地区的海运中心，香港岛与九龙半岛之间的维多利亚港是世界著名的集装箱大港，建港条件十分优越，现已成为世界上三大优良港口之一。香港商船有6000多万载重吨，仅次于美国、日本、希腊，居第4位。集装箱运输发展迅速，目前已发展成为世界第一大集装箱运输中心。

香港还是世界十大空运中心之一，香港机场是亚洲最大的航运中心，是世界上最繁忙，设备最先进的航空港之一，年空运货物量居世界各大机场之首，有航线通达世界近百个大城市，航空网覆盖美国、欧洲、加拿大、中国内地、日本、大洋洲和东南亚各国。

目前香港公路总长1500多公里，公路设施先进，多层立交，是香港地面交通设施的主体。广九铁路香港段与中国内地铁路网相连，中国内地对港进出口货物和经港转口货物相当一部分是通过铁路运往香港，特别是鲜活商品。

第三节 澳门

一、澳门概况

澳门自古是中国的领土，澳门地区包括澳门半岛和氹仔岛、路环岛两个岛屿。原属广东香山县，1535年葡萄牙人取得在澳门停靠码头进行贸易的便利，1554年，又借曝晒水渍货物为由，强行上岸租占，通过贿赂当地中国官员，于1557年正式在澳门定居。鸦片战争以后不断扩大侵占范围，1849年宣布占领澳门半岛，1851年侵占氹仔岛，1864年侵占路环岛。1887年3月强迫清政府签订《中葡会议草约》，并在协议中塞进"葡国永驻管理澳门"字样，1979年中葡建交时达成谅解，1986年中葡签订了联合声明，1999年12月30日澳门回归祖国。

澳门居珠江口西南岸，与中国珠海经济特区为邻。东面临海，距香港40海里，距广州42海里，同广州、香港共同扼守祖国南大门。澳门地理位置优越，总面积23.5平方公里。澳门人口44万，人口密度每平方公里18723人，是世界上人口密度较高的地区之一。澳门人口中约95%的为中国人，3%为葡萄牙人。

澳门属南亚热带季风气候，气温较高，多年平均气温为22.3°C，潮湿多雨，年平均降水量1970毫米。

二、澳门经济

澳门是自由港。过去是一个消费性城市，除一些火柴、爆竹、神香等手工业外，政府收入主要靠赌馆、烟馆、妓寮的税收，经济并无多大发展，但至70年代以后经济迅速发展。70年代的10年中，澳门成为世界上经济增长最快的地区之一，平均年增长幅度达16.7%。进入90年代以后，在西方经济复苏的推动下，经济更趋于繁荣。2006年澳门国内生产总值1001.5亿澳门元。

澳门无天然深水港，所需机械、原料等均需从香港转口，绝大部分工业品也需经香港转道出口。港商充分利用澳门的劳力充裕、地皮价低及有利的国际经济环境等有利条件，大力向澳门投资。澳门稍具规模的大厂几乎都是香港的分厂或附属厂，香港经济的兴衰与澳门经济息息相关。制造业、旅游博彩业、金融业和建筑地产业是澳门四大经济支柱。

(一)工业

澳门工业以轻工业为主，包括纺织、制衣、玩具、造纸及电子、陶瓷、塑料、人造花、火柴、皮革、炮竹等，但以制衣和纺织业为主。澳门工业对外依赖性强，所需的原料、零件及生产设备，几乎都靠国外输入，产品大多销往美国、香港地区和西欧。重工业主要是电力、轻型机械制造和船舶修建业等。近年来，澳门工业多元化进程发展迅速。

(二)农业

澳门作为一个工商城市，农业日趋衰弱，农产品自给率很低，绝大部分靠内地供应。农业仅有园艺业、饲养业和渔业。园艺业主要种植蔬菜和花卉。菜田仅100多亩，居民所需的蔬菜90%以上由内地供应。饲养业主要饲养少量的猪和家禽。渔业是澳门农业生产中惟一一个自给有余的产业。

(三)旅游业

澳门城市建设中西结合，有中国古建筑，如庙宇，也有西式教堂及现代化的楼台馆所。澳门还是世界上著名的赌城，有东方"蒙特卡罗"之称。澳门环境幽静，民情纯朴，更富田园情趣，发展旅游业别具一格，是世界上旅游业发达地区之一。在澳门旅游业中，博彩业占有极其重要的地位。澳门政府财政收入的三成、税收的五成来自博彩业。澳门的博彩业内容丰富，主要有幸运博彩、赛狗、回力球、赛马会及彩票等。

(四)对外贸易

澳门的对外贸易是近年来澳门经济发展的基础之一，主要的出口商品有纺织品和服装，占出口总额的75%以上，其次是玩具、电器及电子产品、水产品和彩瓷等。澳门以欧共体和美国为主要出口贸易市场，对欧美的贸易额约占进出口总额的70%，其次是香港地区和中国内地，分别占13%和8.43%。进口的货物要燃料、肉类、蔬菜等。进口商品主要来自香港地区、中国内地和日本，合计约占3/4左右，其次是台湾、美国和葡萄牙等。

澳门与中国大陆贸易近年来有较大幅度的增长。澳门向中国大陆出口的商品主要有纺织材料及制品、饮料、机器电器设备、皮革制品和化学塑料制品等，从中国内地进口的主要商品有水泥、陶瓷品、轻工产品、光学仪器、燃料和肉类等。

(五)交通运输

澳门对外联系主要依靠公路和海运。水运是澳门最重要的运输方式,水运货量占总货运量的75%左右,水上客运占全部入境客运量的80%以上。在澳门的海运中,以到香港的航线为主,东部新建有东部外港,设备较好,西部有内港,但无天然深水良港。内河运输是中国内地与澳门之间的主要货物运输线。澳门与中国内地还有公路相连接。同时建有澳门国际机场,方便了澳门与外界的联系。

◇◆ 复习思考题

1. 概述台湾经济发展历程。
2. 简述台湾交通运输业的分布地区。
3. 试分析香港和澳门经济特征。

读者反馈意见

亲爱的读者：

感谢您对《中国经济地理》的学习和热爱！为了今后能给您提供更优质的服务，请您抽出宝贵时间填写下面意见反馈表，以便我们更好地对本教材做进一步的改进。同时如果您在使用本教材的过程中遇到了什么问题，或者有什么好的建议，也请您来信、来电告诉我们。

地址：北京市丰台区科学城南极星大厦108室

电话：010-83794403/ 83794590

电子邮箱：caikai6223@263.net   QQ：1694299827   649319527

网址：WWW. KFHWH. CN

教材名称：《中国经济地理》

个人资料：

姓名：_____ 年龄：_____ 所在院校/专业_____

文化程度：_____ 通讯地址：_____

联系电话：_____ 电子信箱：_____

您使用本书是作为：□指定教材　　□选用教材　　□辅导教材

您对封面设计的满意度：

□很满意　□满意　□一般　□不满意　改进建议_____

您对本书印刷质量的满意度：

□很满意　□满意　□一般　□不满意　改进建议_____

您对本书的总体满意度：

从语言质量角度看：□很满意　□满意　□一般　□不满意

从科技含量角度看：□很满意　□满意　□一般　□不满意

本书最令您满意的是：

□指导明确　　□内容充实　　□讲解详尽　　□实例丰富

您认为本书在哪些地方应进行修改？（可附页）

_____

_____

您希望本书在哪些方面需进行改进？（可附页）

_____

_____